#중학실전영문법
#내가바로문법고수

바로 문제
푸는 문법

Chunjae
Makes
Chunjae

▼

[바로 문제 푸는 문법] LEVEL 2

기획총괄	남보라
편집개발	김미혜, 신현겸, 우래희, 이지은, 이근영
디자인총괄	김희정
표지디자인	윤순미, 안채리
내지디자인	디자인뮤제오
제작	황성진, 조규영

발행일	2022년 5월 15일 2판 2025년 2월 1일 4쇄
발행인	(주)천재교육
주소	서울시 금천구 가산로9길 54
신고번호	제2001-000018호
고객센터	1577-0902
교재 내용문의	(02)3282-8834

시험이 쉬워지는 중학 실전 영문법

바로 문제 푸는 문법

LEVEL 2

이 책의 구성과 특징

01 학교 시험에 출제되는 문제
유형 파악 & 핵심 문법 확인

02 오답률별 기출 문제 풀이로
단기간에 내신 대비 마무리

STEP 1 만만한 기초
대부분의 학생들이 맞히는
아주 쉬운 문제로 구성

STEP 2 오답률 40~60% 문제
100명 중 40명~60명이 맞히는
중하 수준의 문제로 구성

STEP 3 오답률 60~80% 문제
100명 중 20명~40명이 맞히는
중상 수준의 문제로 구성

STEP 4 실력 완성 테스트
고난도 수준의 통합형 문제로 구성

STEP 2, 3에서는
선택형과 서술형을
구분하여 집중 연습

03 문장을 비교하며
핵심 문법 최종 정리

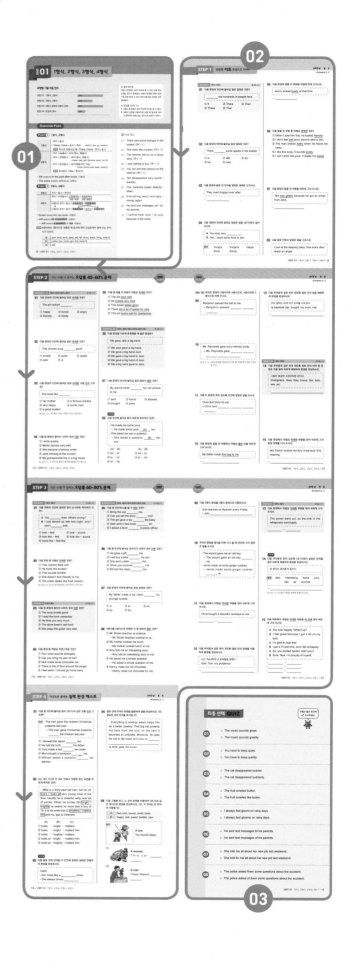

이 책의 차례

바로 쓰는 문법과
함께 공부하며
학습 효과 2배로 올리기

문법 항목별 출제 빈도

*해당 문법이 13개 출판사 중 몇 번 나오는지 확인할 수 있습니다.

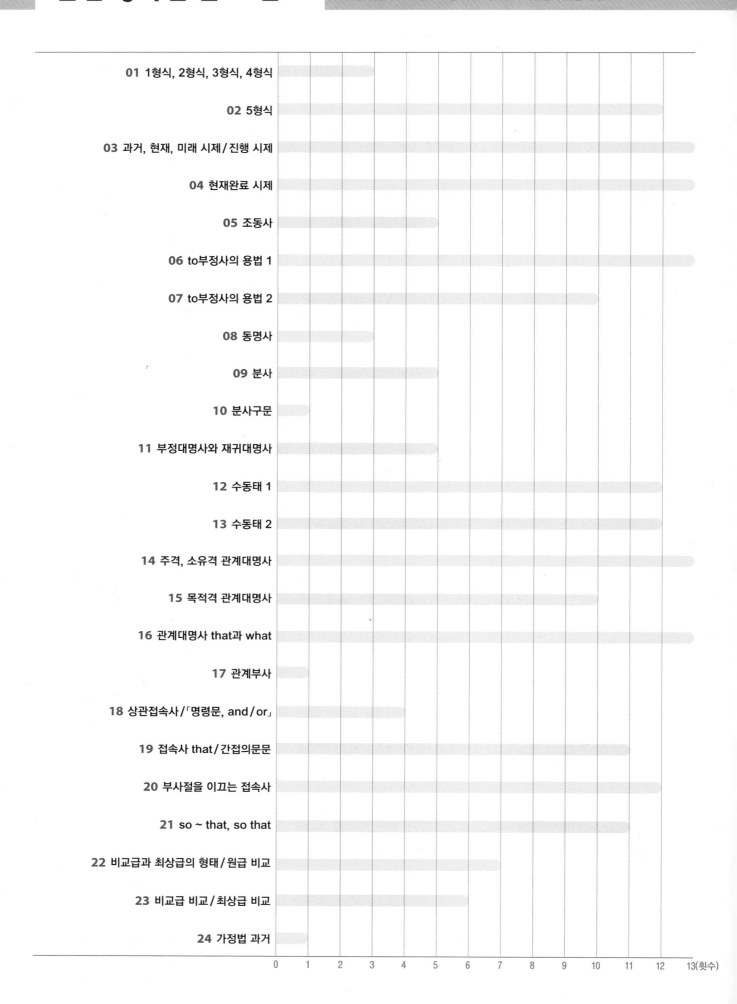

	0	1	2	3	4	5	6	7	8	9	10	11	12	13(횟수)
01 1형식, 2형식, 3형식, 4형식														
02 5형식														
03 과거, 현재, 미래 시제 / 진행 시제														
04 현재완료 시제														
05 조동사														
06 to부정사의 용법 1														
07 to부정사의 용법 2														
08 동명사														
09 분사														
10 분사구문														
11 부정대명사와 재귀대명사														
12 수동태 1														
13 수동태 2														
14 주격, 소유격 관계대명사														
15 목적격 관계대명사														
16 관계대명사 that과 what														
17 관계부사														
18 상관접속사 / 「명령문, and / or」														
19 접속사 that / 간접의문문														
20 부사절을 이끄는 접속사														
21 so ~ that, so that														
22 비교급과 최상급의 형태 / 원급 비교														
23 비교급 비교 / 최상급 비교														
24 가정법 과거														

바로 푸는 문법 공부 계획표

실력을 키우는 계획표 세우기

1 Level 2는 총 24강입니다. 하루에 몇 강씩, 일주일에 몇 번 공부할지 생각해 보세요.
2 공부한 날을 쓰고, 내가 성취한 항목에 체크(∨)하세요.
3 체크(∨)하지 않은 항목은 복습할 때 꼭 확인해서 빈칸이 없도록 하세요.

단원 목차	공부한 날 월 / 일	복습한 날 월 / 일	나의 성취도 체크 (∨) 개념이해	문제풀이	오답점검	누적복습
01 1형식, 2형식, 3형식, 4형식						
02 5형식						
03 과거, 현재, 미래 시제 / 진행 시제						
04 현재완료 시제						
05 조동사						
06 to부정사의 용법 1						
07 to부정사의 용법 2						
08 동명사						
09 분사						
10 분사구문						
11 부정대명사와 재귀대명사						
12 수동태 1						
13 수동태 2						
14 주격, 소유격 관계대명사						
15 목적격 관계대명사						
16 관계대명사 that과 what						
17 관계부사						
18 상관접속사 / 「명령문, and / or」						
19 접속사 that / 간접의문문						
20 부사절을 이끄는 접속사						
21 so ~ that, so that						
22 비교급과 최상급의 형태 / 원급 비교						
23 비교급 비교 / 최상급 비교						
24 가정법 과거						

중학교 교과서 문법 연계표 2학년

단원	천재(이재영)	천재(정사열)	동아(윤정미)	동아(이병민)	미래엔(최연희)	능률(김성곤)	비상(김진완)	YBM(박준언)
1	• 주격 관계대명사 [14] • 접속사 if [20]	• to부정사 형용사적 용법 [7] • 접속사 that [19]	• 4형식 [1] • both *A* and *B* [18]	• to부정사 형용사적 용법 [7] • 명령문, or [18]	• 주격 관계대명사 [14] • 접속사 while, after [20]	• 동명사 [8] • 감각동사+형용사 [1]	• 동명사 [8] • 5형식(동사+목적어+형용사) [2]	• to부정사 형용사적 용법 [7] • 접속사 that [19]
2	• 목적격 관계대명사 [15] • 의문사+to부정사 [6]	• 접속사 if [20] • 지각동사 [2]	• have to [5] • to부정사 부사적 용법 [7]	• 현재완료 [4] • 5형식 [2]	• 현재완료 [4] • each [11]	• 주격 관계대명사 [14] • 빈도부사	• 접속사 if [20] • 5형식(동사+목적어+to부정사) [2]	• 의문사+to부정사 [6] • 원급 비교 [22]
3	• It ~ to부정사 [6] • to부정사 형용사적 용법 [7]	• 현재완료 [4] • 접속사 though [20]	• 수동태 [12/13] • 5형식(동사+목적어+to부정사) [2]	• 수동태 [12/13] • 접속사 if [20]	• to부정사 형용사적 용법 [7] • It ~ to부정사 [6]	• 현재완료 [4] • so ~ that [21]	• 수동태 [12/13] • to부정사 형용사적 용법 [7]	• 사역동사 [2] • 접속사 if [20]
4	• 수동태 [12/13] • 원급 비교 [22]	• 주격, 목적격 관계대명사 [14/15] • 관계대명사의 생략 [14/15]	• 주격 관계대명사 [14] • 접속사 if [20]	• 주격 관계대명사 [14] • 최상급 [22/23]	• 목적격 관계대명사 [15] • so ~ that [21]	• 수동태 [12/13] • 비교급 강조 [23]	• 주격 관계대명사 [14] • 지각동사 [2]	• 주격 관계대명사 [14] • 대명사+형용사 Special 1 • 간접의문문 [19] • 최상급 [22/23]
5	• 5형식(동사+목적어+to부정사) [2] • 접속사 before, after [20]	• 의문사+to부정사 [6] • 5형식(동사+목적어+형용사) [2]	• 목적격 관계대명사 [15] • 5형식(동사+목적어+명사) [2]	• It ~ to부정사 [6] • 지각동사 [2]	• 접속사 if [20] • 원급 비교 [22]	• 목적격 관계대명사 [15] • 과거분사 [9]	• 목적격 관계대명사 [15] • 현재완료 [4]	• 수동태 [12/13] • so ~ that [21]
6	• 사역동사 [2] • too ~ to부정사 [7]	• 수량 형용사 a few • 수동태 [12/13]	• 지각동사 [2] • so ~ that [21]	• 원급 비교 [22] • 접속사 although [20]	• 수동태 [12/13] • 대명사+형용사	• It ~ to부정사 [6] • 간접의문문 [19]	• It ~ to부정사 [6] • 원급 비교 [22]	• It ~ to부정사 [6] • not only *A* but also *B* [18]
7	• 현재완료 [4] • 명사를 꾸미는 분사 [9]	• 현재분사 [9] • It ~ to부정사 [6]	• 현재완료 [4] • It ~ to부정사 [6]	• so ~ that [21] • 목적격 관계대명사 [15]	• 5형식(동사+목적어+형용사) [2] • 사역동사 [2]	• 5형식(동사+목적어+to부정사) [2] • 접속사 if [20]	• 간접의문문 [19] • 사역동사 [2]	• 목적격 관계대명사 [15] • 5형식(동사+목적어+to부정사) [2]
8	• 최상급 [23] • 간접의문문 [19]	• so ~ that ... can't [21] • 사역동사 [2]	• 간접의문문 [19] • because of [20]	• 대명사+형용사 • 간접의문문 [19]	• 지각동사 [2] • 5형식(동사+목적어+to부정사) [2]		• so ~ that ... can't [21] • 명사를 수식하는 분사 [9]	• 현재완료 [4] • 조동사 may [5] Special 2 • 지각동사 [2] • too ~ to부정사 [7]
9								

YBM(송미정)	지학사(민찬규)	능률(양현권)	금성(최인철)	다락원(강용순)
• 최상급 [22/23] • to부정사 부사적 용법 [7]	• one ~, the other [11] • 접속사 if [20]	• 선택의문문 • 재귀대명사 [11]	• 접속사 if [20] • 부가의문문	• 수량 형용사 a few • so that [21] • 비교급 [22/23]
• to부정사 형용사적 용법 [7] • 사역동사 [2]	• 의문사+to부정사 [6] • 주격 관계대명사 [14]	• 수동태 [12/13] • not only A but also B [18]	• 의문사+to부정사 [6] • so that [21]	• 병렬 구조 • 지각동사 [2] • to부정사 부사적 용법 [7]
• 의문사+to부정사 [6] • 주격 관계대명사 [14]	• 목적격 관계대명사 [15] • 5형식(동사+목적어+to부정사) [2]	• It ~ to부정사 [6] • 형용사+enough	• to부정사 형용사적 용법 [7] • 강조 do	• each [11] • It ~ to부정사 [6] • 분사구문 [10]
• 현재완료 [4] • 접속사 if [20]	• 대명사+형용사 • 현재완료 [4]	• 현재완료 [4] • so that [21]	• 간접의문문 [19] • 수동태 [12/13]	• 현재완료 [4] • 접속사 though [20] • 5형식(동사+목적어+형용사) [2]
• 부가의문문 • 수동태 [13]	• 수동태 [12/13] • 조동사가 있는 수동태 [12]	• 주격 관계대명사 [14] • had better [5]	• to부정사 부사적 용법 [7] • 현재완료 [4]	• 주격 관계대명사 [14] • 동명사 [8] • too ~ to부정사 [7]
• so ~ that [21] • 목적격 관계대명사 [15]	• so ~ that [21] • 원급 비교 [22]	• 간접의문문 [19] • 도치(Here+동사+주어) [1]	• 주격 관계대명사 [14] • It ~ to부정사 [6]	• 간접의문문 [19] • 비교급 강조 [23] • 사역동사 [2]
• 지각동사 [2] • It ~ to부정사 [6]	• It ~ to부정사 [6] • How come ~	• to부정사 형용사적 용법 [7] • 조동사 must [5]	• 목적격 관계대명사 생략 [15] • 관계대명사 what [16]	• 의문사+to부정사 [6] • don't need to [5] • 원급 비교 [22]
• 5형식(동사+목적어+to부정사) [2] • 명사를 수식하는 분사 [9]	• 사역동사 [2] • 접속사 although [20]	• 5형식(동사+목적어+to부정사) [2] • 수량 형용사 a few	• too ~ to부정사 [7] • 가정법 과거 [24]	• not only A but also B [18] • both A and B [18] • one ~, the other [11] • 대동사 do
• 관계부사 [17] • 간접의문문 [19]				• used to [5] • so ~ that [21] • 접속사 as [20]

유형별 기출 적용 빈도

유형 01 1형식, 2형식   35%

유형 02 3형식, 4형식   20%

유형 03 4형식 문장의 3형식 전환   35%

유형 04 문장의 형식   10%

》》 출제 포인트
2형식 문장에서 보어 자리에 올 수 있는 것을 찾는 문제는 반드시 출제된다. 4형식 문장을 3형식 문장으로 바꿀 때 쓸 수 있는 전치사를 찾는 문제도 자주 출제된다.

》》 정답률 100% Tip
1 2형식 문장에서 보어 자리에 부사는 올 수 없다.
2 4형식 문장을 3형식으로 바꿀 때 동사에 따라 간접목적어 앞에 오는 전치사의 종류가 다르다.

Grammar Point

Point ① 1형식, 2형식

1형식	• 주어 + 동사 • There / Here + 동사* + 주어 *be동사, live, go, come 등 [주의] 주어가 대명사일 때: There / Here + 주어 + 동사

2형식	• 주어 + be동사 + 보어(명사, 형용사)
	• 주어 + 상태동사* + 보어(명사, 형용사)
	    *keep, stay, get, become, grow, turn, go 등
	• 주어 + 감각동사* + 보어(형용사만 가능)
	    *look, sound, feel, taste, smell 등
	[주의] 감각동사 + like + 명사(구)

• We walked in the park after lunch. 〈1형식〉
• The pizza smells delicious. 〈2형식〉

Point ② 3형식, 4형식

3형식	주어 + 동사 + 목적어
4형식	주어 + 수여동사 + 간접목적어 + 직접목적어 사람(~에게) 사물(~을[를]) [4형식] 주어 + 동사 + 간접목적어 + 직접목적어 [3형식] 주어 + 동사 + 직접목적어 + 전치사 + 간접목적어

• Susan loves him so much. 〈3형식〉
• Jeff asked me a question. 〈4형식〉
  → Jeff asked a question of me. 〈3형식〉

[주의] 4형식에서 3형식으로 전환할 때 동사에 따라 간접목적어 앞에 쓰는 전치사가 다르다.

to	give, lend, send, pass, sell, tell, show, teach, bring, write 등
for	make, buy, cook, get, find, build 등
of	ask 등

✅ 바로 체크

01 There was some oranges in the basket. [○ | ×]

02 She looks like a queen. [○ | ×]

03 The teacher told to us a funny story. [○ | ×]

04 I ask nothing of you. [○ | ×]

05 You can see that cartoon on the Internet. [○ | ×]

06 Ted disappeared very (quick / quickly).

07 This medicine tastes (bitterly / bitter).

08 Everything went (wrongly / wrong) again.

09 He sent text messages (of / to) his parents.

10 I cannot hear (you / to you) because of the noise.

대표유형 01 1형식, 2형식 출제율 35%

01 다음 문장의 빈칸에 들어갈 말로 알맞은 것은?

> _____ are hundreds of people here.

① It ② There ③ Then
④ These ⑤ That

02 다음 문장의 빈칸에 들어갈 말로 알맞은 것은?

> There _____ some apples in the basket.

① is ② are ③ am
④ be ⑤ was

03 다음 문장의 괄호 안 단어를 알맞은 형태로 고치시오.

> They lived (happy) ever after.

→ _____

04 다음 대화의 빈칸에 들어갈 알맞은 말을 〈보기〉에서 골라 쓰시오.

> **A** You look very _____.
> **B** Yes, I want some food to eat.

| 보기 | hungry | hungrily | happy |
| | thirst | thirsty | |

05 다음 문장의 밑줄 친 부분을 어법에 맞게 고치시오.

> Jenny looked busily at that time.

→ _____

06 다음 밑줄 친 부분 중 어법상 어색한 것은?

① When I saw him first, he looked friendly.
② I don't feel well and I want to take a rest.
③ The man looked sadly when he heard the news.
④ I like this song. It sounds lovely.
⑤ I can't drink this juice. It tastes too sweet.

07 다음 문장의 밑줄 친 부분을 바르게 고쳐 쓰시오.

> Ted was gladly because he got an email from Jane.

→ _____

08 다음 괄호 안에서 알맞은 말을 고르시오.

> Look at the sleeping baby. She looks (like / likely) an angel.

09 다음 문장의 빈칸에 들어갈 말로 알맞은 것은?

> Christine likes to wear a tracksuit. She _____ an athlete.

① look ② looks ③ look like
④ looks like ⑤ look for

10 다음 대화의 빈칸에 들어갈 말로 알맞은 것은?

> **A** Let's go to the movies on Sunday.
> **B** That _____ a good idea!

① looks ② feels ③ tastes
④ smells like ⑤ sounds like

11 주어진 우리말과 같은 뜻이 되도록 괄호 안의 단어로 문장을 완성하시오.

> 그 달걀들은 썩었다.
> → The eggs _____ _____.
>   (bad, went)

12 다음 우리말과 같은 뜻이 되도록 〈보기〉에 주어진 말로 문장을 완성하시오. (단, 한 단어는 필요하지 않음)

> 보기 is two are desks room my in

> 내 방에는 책상이 두 개 있다.
> → There _____ _____ _____
>   _____ _____ _____.

대표유형 02 3형식, 4형식 출제율 20%

13 다음 문장의 빈칸에 들어갈 말로 알맞지 <u>않은</u> 것은?

> The artist _____ her new customer the painting.

① provided ② showed ③ sent
④ gave ⑤ sold

14 다음 문장의 빈칸에 들어갈 말로 알맞지 <u>않은</u> 것은?

> I _____ him some beautiful pictures of my country.

① sent ② introduced ③ showed
④ gave ⑤ brought

15 다음 중 밑줄 친 동사의 쓰임이 나머지 넷과 <u>다른</u> 것은?

① I <u>bought</u> her some candy.
② Jenny <u>promised</u> him a gift.
③ Mary <u>called</u> you last night.
④ Ms. Baker <u>taught</u> us English.
⑤ He <u>wrote</u> his girlfriend a letter.

16 다음 밑줄 친 부분 중 어법상 어색한 것은?

> They <u>are</u> <u>always</u> asking <u>to me</u> <u>questions</u>
>   ①   ②   ③   ④
> <u>about</u> the book.
>   ⑤

17 다음 밑줄 친 부분 중 어법상 어색한 것을 찾아 번호를 쓰고 바르게 고쳐 쓰시오.

> Yesterday was Tom's birthday. His mom
> ① ② ③
> cooked a big turkey of him.
> ④ ⑤

번호: _____ → _____

18 주어진 우리말과 같은 뜻이 되도록 괄호 안의 단어를 배열하여 문장을 완성하시오.

> Hanks 씨는 가족과 집에서 지내는 걸 좋아한다.
> → Mr. Hanks _____ _____ _____
> _____ with his family. (stay, likes, to, home)

19 다음 4형식 문장을 같은 의미의 3형식 문장으로 전환할 때 빈칸에 알맞은 말을 쓰시오.

> They sent the children some presents.

→ They sent _____ to _____ .

20 다음 빈칸에 들어갈 말로 알맞은 것은?

> The doctor showed the baby a doll.
> → The doctor showed a doll _____ the baby.

① in   ② to   ③ for
④ by   ⑤ of

21 다음 빈칸에 들어갈 말로 알맞은 것은?

> She gives us some useful advice.
> → She gives some useful advice _____ us.

① to   ② of   ③ at
④ on   ⑤ in

22 다음 두 문장이 같은 의미가 되도록 빈칸에 알맞은 말을 쓰시오.

> My dad will get me a pet.
> = My dad will get a pet _____ me.

23 다음 문장의 형식으로 알맞은 것은?

> My brother gets up early every morning.

① 1형식   ② 2형식   ③ 3형식
④ 4형식   ⑤ 5형식

24 다음 문장의 형식으로 알맞은 것은?

> Tom sent me some beautiful flowers.

① 1형식   ② 2형식   ③ 3형식
④ 4형식   ⑤ 5형식

25 다음 중 〈보기〉의 문장과 형식이 같은 것은?

> 보기   Please give me the cookies.

① This fruit tastes sour.
② The water feels warm.
③ She really likes strawberries.
④ There was a toy train near the sofa.
⑤ I bought my mom a scarf for her birthday.

대표유형 01, 04 ｜ 1형식, 2형식/문장의 형식 ｜ 출제율 35%

01 다음 문장의 빈칸에 들어갈 말로 어색한 것은?

> The girl looked _____.

① happy ② bored ③ angry
④ friendly ⑤ kindly

02 다음 문장의 빈칸에 들어갈 말로 어색한 것은?

> This chicken soup _____ good!

① smells ② looks ③ tastes
④ eats ⑤ is

03 다음 문장의 빈칸에 들어갈 말로 어색한 것을 모두 고르면?

> She looks like _____.

① her mother ② a famous actress
③ very happy ④ works hard
⑤ a good student

≫ 실전 Tip 「감각동사＋like」 뒤에는 명사(구)를 쓴다.

04 다음 중 문장의 형식이 나머지 넷과 다른 것은?

① I write quickly.
② Martin dances very well.
③ She became a famous writer.
④ Jane will sing at the concert.
⑤ My grandparents live in a big house.

≫ 실전 Tip 수식어구는 문장의 형식에 영향을 주지 않는다.

05 다음 중 밑줄 친 부분이 어법상 어색한 것은?

① The job pays well.
② He looked very tired.
③ This bread tastes good.
④ There are a lot of space for cars.
⑤ This pill works well for headaches.

대표유형 02, 03 ｜ 3형식, 4형식/4형식 문장의 3형식 전환 ｜ 출제율 35%

06 다음 문장을 다르게 표현했을 때 옳은 문장은?

> We gave Jack a big hand.

① We Jack gave a big hand.
② We gave a big hand Jack.
③ We gave a big hand to Jack.
④ We gave a big hand of Jack.
⑤ We a big hand gave to Jack.

07 다음 문장의 빈칸에 들어갈 말로 알맞지 않은 것은?

> My grandmother _____ her old photos to me.

① sent ② found ③ showed
④ brought ⑤ gave

08 다음 빈칸에 들어갈 말이 바르게 짝지어진 것은?

> • He made me some juice.
>   → He made some juice ___(A)___ me.
> • She asked her son a question.
>   → She asked a question ___(B)___ her son.

(A)　(B)　　　　　(A)　(B)
① for － of　　　② for － for
③ to － of　　　④ to － for
⑤ of － for

[09-10] 주어진 문장이 3형식이면 4형식으로, 4형식이면 3형식으로 바꿔 쓰시오.

09
> Benjamin passed the ball to me.
> → Benjamin passed _____ _____
>   _____.

10
> Ms. Reynolds gave me a friendly smile.
> → Ms. Reynolds gave _____ _____
>   _____ _____ _____.

» 실전 Tip 4형식 문장을 3형식으로 바꿀 때 간접목적어 앞에 전치사를 쓴다.

11 다음 두 문장의 뜻이 같도록 빈칸에 알맞은 말을 쓰시오.

> Chris lent Dora his car.
> = Chris lent _____ _____ _____
>   _____.

12 다음 문장의 밑줄 친 부분에서 어법상 틀린 곳을 바르게 고쳐 쓰시오.

> My father made <u>this bag to me</u>.

→ _____

13 다음 우리말과 같은 뜻이 되도록 괄호 안의 말을 배열하여 문장을 완성하시오.

> 우리 엄마는 내게 야구 모자를 사주셨다.
> (a baseball cap, bought, my mom, me)

→ _____

대표유형 01 1형식, 2형식   출제율 35%

14 다음 우리말과 같은 뜻이 되도록 괄호 안의 단어 중 알맞은 것을 골라 바르게 배열하여 문장을 완성하시오.

> 그들은 용감한 소방관처럼 보인다.
> (firefighters, likes, they, brave, like, look, see, as)

→ _____

15 다음 문장에서 어법상 어색한 부분을 찾아 바르게 고쳐 문장 전체를 다시 쓰시오.

> My friend looked terribly tiredness this evening.

→ _____

대표유형 01 1형식, 2형식 　　　　　출제율 35%

01 다음 대화의 빈칸에 알맞은 말이 순서대로 짝지어진 것은?

> **A** You _____ tired. What's wrong?
>
> **B** I just stayed up late last night, and I don't _____ well.

① look − feel
② look − sound
③ look like − feel
④ look like − sound
⑤ looks like − feel like

---

02 다음 문장 중 어법상 <u>어색한</u> 것은?

① This cushion feels soft.
② He looks like excited.
③ That sounds terrible!
④ She doesn't look friendly to me.
⑤ The snack tastes like fried chicken.

≫ 실전 Tip like는 전치사이므로 뒤에 명사가 와야 한다.

대표유형 04 문장의 형식 　　　　　출제율 10%

03 다음 중 문장의 형식이 나머지 넷과 <u>다른</u> 것은?

① The soup smells good.
② I read the book yesterday.
③ He likes you very much.
④ The store doesn't sell food.
⑤ She plays the guitar very well.

---

04 다음 문장 중 어법상 자연스러운 것은?

① Your voice sounds strangely.
② Can you bring my pen of me?
③ Nick made some chocolate me.
④ There is lots of fans around the singer.
⑤ I feel awful. I should go home early.

대표유형 02, 03 3형식, 4형식/4형식 문장의 3형식 전환 　　출제율 35%

05 다음 중 빈칸에 to를 쓸 수 <u>없는</u> 것은?

① Bring the cup _____ me.
② Can you tell the story _____ me?
③ The girl gave a toy _____ the baby.
④ Sam sent a new book _____ Jin.
⑤ I asked a favor _____ a police officer.

---

06 다음 중 빈칸에 들어갈 전치사가 나머지 넷과 <u>다른</u> 것은?

① He gave a gift _____ me.
② I will buy a bike _____ my son.
③ She sent a letter _____ him.
④ Show your pictures _____ me.
⑤ Bill told the news _____ me.

---

07 다음 문장의 빈칸에 들어갈 말로 알맞은 것은?

> My father made a toy robot _____ my younger brother.

① in
② to
③ on
④ by
⑤ for

---

08 4형식을 3형식으로 전환한 것 중 알맞지 <u>않은</u> 것은?

① Mr. Brown teaches us science.
　→ Mr. Brown teaches science to us.
② My mother cooked me lunch.
　→ My mother cooked lunch to me.
③ Amy told me an interesting story.
　→ Amy told an interesting story to me.
④ He asked me a simple question.
　→ He asked a simple question of me.
⑤ Danny made me hot chocolate.
　→ Danny made hot chocolate for me.

09 다음 4형식 문장을 3형식 문장으로 전환하시오.

> Julio teaches us Spanish every Friday.
> = Julio _____ .

10 주어진 문장을 형식을 바꿔 다시 쓸 때 빈칸에 각각 알맞은 말을 쓰시오.

> · The wizard gave me an old key.
>   → The wizard gave an old key _____ me.
> · Jamie made us some ginger cookies.
>   → Jamie made some ginger cookies _____ us.

11 다음 문장에서 어법상 어색한 부분을 찾아 바르게 고쳐 쓰시오.

> Chris bought a beautiful necklace to me.

_____ → _____

12 다음 우리말과 같은 뜻이 되도록 괄호 안의 표현을 이용하여 문장을 완성하시오.

> 나는 Tom에게 내 문제들을 말했다.
> (told, Tom, my problems)

→ _____

대표유형 01　1형식, 2형식　　　출제율 35%

13 다음 문장에서 어법상 어색한 부분을 찾아 바르게 고쳐 쓰시오.

> The power went out, so the milk in the refrigerator went badly.

_____ → _____

신유형

14 다음 우리말과 뜻이 같도록 〈보기〉에서 알맞은 단어를 골라 바르게 배열하여 문장을 완성하시오.

> 네 생각은 흥미롭게 들린다.

> 보기　idea　interesting　looks　your
>   like　as　sounds

→ _____

≫ 실전 Tip 감각동사 뒤에는 보어로 형용사가 온다.

15 다음 대화에서 어법상 어색한 부분을 세 군데 찾아 바르게 고쳐 쓰시오.

> **A** You look happily. What's up?
> **B** I feel great because I got a 90 on my quiz.
> **A** I'm glad to hear that.
> **B** I got a 75 last time, and I felt unhappily.
> **A** So, you studied harder, didn't you?
> **B** Sure. Now, I'm proudly of myself.

· _____ → _____
· _____ → _____
· _____ → _____

01 다음 중 빈칸에 들어갈 말이 〈보기〉와 같은 것을 모두 고르면?

> 보기 The man gave the children Christmas presents last year.
> → The man gave Christmas presents _____ the children last year.

① I showed the report _____ her.
② He told the truth _____ his father.
③ Yunji made a doll _____ her sister.
④ Mom bought a backpack _____ me.
⑤ William asked a question _____ her teacher.

02 (A), (B), (C)의 각 네모 안에서 어법에 맞는 표현을 바르게 짝지은 것은?

> Mike is a thirty-year-old man, but he (A) looks / looks at very young most of the time. Usually he is cheerful, witty, and full of smiles. When he smiles (B) bright / brightly, he seems no more than a boy of 18. It is his smile that (C) matters / matters him, and his age is irrelevant.

    (A)   (B)   (C)
① looks   – bright   – matters
② looks   – bright   – matters him
③ looks   – brightly – matters
④ looks at – bright   – matters him
⑤ looks at – brightly – matters him

신유형
03 다음 괄호 안의 단어를 각 빈칸에 알맞은 형태로 변형하여 문장을 완성하시오.

> (care)
> • Ann looks like a _____ driver.
> • She always drives _____.

04 괄호 안에 주어진 표현을 활용하여 글을 완성하시오. (단, 필요할 경우 단어를 추가할 것)

> Everything a cowboy wears helps him be a better cowboy. That big hat protects his face from the sun. In the rain it becomes an umbrella. Moreover, he uses his hat to dip water and even to _____ _____.
>
> (a drink, give, his horse)

05 다음 그림을 보고, A, B의 표현을 이용하여 〈보기〉와 같은 형식으로 문장을 완성하시오. (단, 각 단어는 한 번씩만 사용할 것)

| A | feel, look, sound, smell, taste |
| B | happy, sick, sweet, terrible, new |

보기

A boy
You sound happy.

(1)

A woman
This car _____
_____.

(2)

A man
These flowers _____
_____.

01
a The music sounds great.

b The music sounds greatly.

02
a You have to keep quiet.

b You have to keep quietly.

03
a The cat disappeared sudden.

b The cat disappeared suddenly.

04
a The fruit smelled butter.

b The fruit smelled like butter.

05
a I always feel gloom on rainy days.

b I always feel gloomy on rainy days.

06
a He sent text messages to his parents.

b He sent text messages of his parents.

07
a She told me all about her new job last weekend.

b She told for me all about her new job last weekend.

08
a The police asked them some questions about the accident.

b The police asked of them some questions about the accident.

유형별 기출 적용 빈도

- 유형 01 문장의 형식   10%
- 유형 02 목적격 보어의 형태   40%
- 유형 03 사역동사와 지각동사의 5형식   40%
- 유형 04 통합형   10%

>> 출제 포인트
동사에 적절한 목적격 보어의 형태를 묻는 문제나 목적격 보어에 적합한 동사를 찾는 문제는 반드시 출제된다. 문장의 형식을 구분하는 문제도 자주 출제된다.

>> 정답률 100% Tip
1 목적격 보어 자리에 부사는 올 수 없다.
2 준사역동사 help는 목적격 보어로 동사원형과 to부정사 모두 쓸 수 있다.

Grammar Point

Point 1   5형식과 목적격 보어의 형태

5형식 문장은 「주어＋동사＋목적어＋목적격 보어」로 이루어져 있다. 동사에 따라 목적격 보어 자리에 형용사, 명사, to부정사, 동사원형, 분사 등을 쓸 수 있다.

5형식	주어＋동사*＋목적어＋**형용사**	*find, keep, leave, make 등
	주어＋동사*＋목적어＋**명사**	*name, call, choose, think, make 등
	주어＋동사*＋목적어＋**to부정사**	*want, ask, tell, allow, expect, advise, order 등

- His love made her happy. 〈보어: 형용사〉
- People call the region Paradise Island. 〈보어: 명사〉
- She asked me to help the old man. 〈보어: to부정사〉

Point 2   사역동사와 지각동사의 5형식

5형식	주어＋사역동사*＋목적어＋**동사원형** (시키다, ~을 하게 하다)	*make, have, let 등
	주어＋지각동사*＋목적어＋**동사원형/현재분사(-ing)**	*see, watch, hear, smell, feel, look at, listen to 등

- I had him clean the window.
- Dana saw her son swim [swimming] in the river.

주의 준사역동사 get(~하도록 시키다)은 목적격 보어로 to부정사를 쓴다.

주의 준사역동사 help는 목적격 보어로 동사원형 또는 to부정사를 둘 다 쓸 수 있다.

- Mr. Hanks will get her to make her mind.
- My sister helps my father (to) cook.

✅ 바로 체크

01 He left her alone. [○ | ×]

02 She told us to be quiet. [○ | ×]

03 I always help Mom make dinner.
     [○ | ×]

04 My father kept the door openly.
     [○ | ×]

05 She watched Tom listening to music. [○ | ×]

06 I found science (interestingly / interesting).

07 John felt the ground (shake / to shake).

08 The novel made him (famous / famously).

09 He lets the child (enter / enters) the zoo for free.

10 Exercise (helps / makes) us to stay healthy.

대표유형 01 문장의 형식   출제율 10%

01 다음 우리말을 영어로 바르게 옮긴 것은?

> 엄마는 나를 천사라고 부른다.

① I call my mom an angel.
② I am called an angel to my mom.
③ My mom calls an angel me.
④ My mom calls me an angel.
⑤ My mom calls me to an angel.

02 다음 우리말과 같도록 ①~⑤를 바르게 배열하여 문장을 만들 때 가장 마지막에 오는 것은?

> 우리는 그녀를 시장으로 선출할 것이다.

① mayor   ② her   ③ we
④ will   ⑤ elect

03 다음 중 문장의 구조가 나머지 넷과 다른 것은?

① I made him angry.
② I had him come back.
③ I found him generous.
④ I called him Mr. Dictionary.
⑤ I bought him a hat.

04 다음 중 5형식 문장이 아닌 것은?

① Leave me alone.
② I can keep my desk clean.
③ Science makes our lives convenient.
④ We called their names very loudly.
⑤ At last I found the man very thoughtful.

대표유형 02 목적격 보어의 형태   출제율 40%

05 다음 문장의 빈칸에 들어갈 말로 알맞은 것은?

> Past experiences made me _____.

① sadly   ② careful   ③ kindly
④ happily   ⑤ angrily

06 다음 문장의 빈칸에 들어갈 말로 알맞은 것은?

> The gift made Angela _____.

① sadly   ② happy   ③ likely
④ kindly   ⑤ nicely

07 다음 괄호 안에서 알맞은 것을 고르시오.

> Ms. White's speech made the students (nervous / nervously).

08 괄호 안의 표현을 바르게 배열하여 문장을 완성하시오. (단, 필요없는 표현 한 개는 제외할 것)

> Don't _____.
> (a fool, foolish, me, call)

09 다음 문장의 빈칸에 들어갈 말로 알맞은 것은?

> I can't allow you _____ like that.

① behave   ② behaving
③ to behave   ④ to behaving
⑤ to be behave

10 다음 문장의 밑줄 친 ①~⑤ 중 어법상 어색한 것은?

> The drink will keep you coolly.
> ① ②   ③   ④   ⑤

11 다음 문장의 밑줄 친 부분을 어법상 바르게 고쳐 쓰시오.

> I found the book easily for children.

→ _____

12 다음 문장의 밑줄 친 부분에서 어법상 어색한 부분을 찾아 바르게 고쳐 쓰시오.

> My baby sister asks me read stories every night.

_____ → _____

13 다음 문장의 괄호 안 단어를 알맞은 형태로 고쳐 쓰시오.

> The doctor advised him (stop) exercising so hard.

→ _____

14 다음 중 밑줄 친 부분의 역할이 나머지 넷과 다른 것은?

① He named the cat Kitty.
② Everybody calls him a liar.
③ Jenny made me a bracelet.
④ I call my younger brother Little Prince.
⑤ They thought her a brilliant programmer.

대표유형 03   사역동사와 지각동사의 5형식   출제율 40%

15 다음 문장의 밑줄 친 동사의 형태로 알맞은 것은?

> I had my son clean his room.

① clean   ② to clean
③ cleaned   ④ to cleaning
⑤ was cleaning

16 다음 문장의 빈칸에 들어갈 말로 알맞은 것은?

> I heard her _____ "Let It Go."

① song   ② sing   ③ sang
④ to sing   ⑤ has sang

17 다음 문장의 밑줄 친 부분을 어법상 바르게 고쳐 쓰시오.

> Listen to the birds to sing.

→ _____

18 다음 우리말과 같은 뜻이 되도록 괄호 안에서 알맞은 말을 고르시오.

나는 누군가가 내 어깨를 만지는 것을 느꼈다.
→ I felt someone (touch / to touch) my shoulder.

19 다음 빈칸에 공통으로 들어갈 말로 알맞은 것은?

• My father _____ me to fix my bike.
• Susan _____ me write the report.

① made ② let ③ saw
④ helped ⑤ had

20 다음 우리말과 같은 뜻이 되도록 괄호 안의 단어를 바르게 배열하여 문장을 완성하시오.

그 검은 안경은 그를 더 나아 보이게 했다.
→ The black glasses _____.
(better, made, look, him)

21 괄호 안의 단어를 바르게 배열하여 문장을 완성하시오.

She _____.
(toward, coming, her, something, felt)

22 다음 두 문장을 한 문장으로 바꿔 쓸 때 빈칸에 알맞은 말을 쓰시오.

I saw my brother. He was playing baseball.
→ I saw _____ baseball.

대표유형 04 통합형 출제율 10%

23 다음 빈칸에 공통으로 들어갈 말로 알맞은 것은?

• Britney got her sister _____ the room.
• The manager expected those guests _____ earlier.

① leave ② leaves ③ left
④ to leave ⑤ leaving

24 다음 문장의 빈칸에 들어갈 말로 어색한 것은?

My parents _____ me come home at 9 o'clock.

① saw ② made ③ had
④ let ⑤ wanted

25 다음 문장 중 어법상 어색한 것은?

① We call him John.
② Mom had me do my homework.
③ His joke always makes me laugh.
④ I want you to finish this work today.
⑤ Parents help their children learning to enjoy life.

대표유형 01 문장의 형식   출제율 10%

01 다음 중 문장의 형식이 나머지 넷과 <u>다른</u> 것은?

① I believe Sean honest.

② Jina made her son a musician.

③ I found her advice very helpful.

④ My teacher sent me a nice card.

⑤ He made her clean the entire house.

02 다음 빈칸에 공통으로 들어갈 말로 알맞은 것은?

· Dylan _____ his mother a delicious cake.

· The final match _____ me excited.

① sent   ② wanted   ③ made

④ gave   ⑤ brought

≫ 실전 Tip 간접목적어와 직접목적어, 목적어와 목적격 보어 관계를 구별해야 한다.

신유형

03 주어진 문장과 의미가 가장 비슷한 것은?

They elected Jane Smith chairperson.

① Jane Smith became a chairperson.

② Jane Smith saw the chairperson.

③ Jane Smith elected the chairperson.

④ Jane Smith did not want to be a chairperson.

⑤ Jane Smith wanted to be a chairperson.

≫ 실전 Tip 목적어와 명사인 목적격 보어는 '목적어 = 목적격 보어'의 관계이다.

04 다음 괄호 안의 ①~⑤를 바르게 배열하여 문장을 만들 때 목적격 보어로 알맞은 것은?

(① chose, ② and Jenny, ③ Jack, ④ the members, ⑤ we) of our club.

대표유형 02 목적격 보어의 형태   출제율 40%

05 다음 문장의 빈칸에 들어갈 말로 알맞지 <u>않은</u> 것은?

His friends made him _____.

① a leader   ② a clown   ③ surprised

④ happy   ⑤ quietly

06 다음 대화의 빈칸에 들어갈 말로 알맞은 것은?

A What's wrong? You look upset.

B I want to go shopping, but my mom won't allow me _____.

① go   ② to go   ③ going

④ gone   ⑤ went

07 다음 우리말과 같은 뜻이 되도록 할 때 빈칸에 들어갈 말로 알맞은 것은?

Justin은 그 영화가 재미있다는 것을 알았다.

→ Justin found the movie _____.

① interest   ② interesting

③ interestingly   ④ to interest

⑤ to be interested

대표유형 03 사역동사와 지각동사의 5형식　출제율 40%

08 다음 문장의 밑줄 친 부분을 어법상 바르게 고쳐 쓰시오.

I heard a famous opera singer yelled in her room last night.

→ _____

09 다음 문장의 빈칸에 들어갈 수 있는 말을 〈보기〉에서 두 개 골라 완성된 문장으로 쓰시오.

My mother _____ my brother crying.

보기　saw　helped　heard　let

· _____
· _____

10 다음 내용을 사역동사를 사용하여 5형식 문장으로 바꿔 쓰시오.

Jamie's mom told Jamie to water the plants, so he did.

→ _____
and he did.

11 다음 두 문장을 한 문장으로 바꿔 쓸 때 빈칸에 알맞은 말을 쓰시오.

The boy was looking for a bathroom. Ed helped him.
→ Ed helped _____ .

12 다음 우리말과 일치하도록 괄호 안의 표현을 바르게 배열하시오.

나는 그가 길을 건너게 했다.
(the street, him, made, I, cross)

→ _____

13 다음 문장의 밑줄 친 부분 중 어법상 어색한 것을 찾아 번호를 쓰고 바르게 고쳐 쓰시오.

I ①saw ②my sister ③to play badminton ④with her friend ⑤in the park.

번호: _____ → _____

대표유형 04 통합형　출제율 10%

14 다음 〈보기〉의 밑줄 친 부분과 역할이 같은 것을 각 문장에서 찾아 쓰시오.

보기　You always make me smile.

(1) I watched the birds flying all day.
→ _____
(2) The police wanted me to talk about her.
→ _____
(3) She calls me a chicken in front of my friends.
→ _____

15 다음 문장과 같은 의미가 되도록 괄호 안의 동사를 이용하여 빈칸에 알맞은 말을 쓰시오.

The workers were forced to move the furniture by him.

→ He _____ . (make)

≫ 실전 Tip 사역동사 make는 목적격 보어로 동사원형을 쓴다.

대표유형 01 문장의 형식 출제율 10%

01 다음 중 빈칸에 넣었을 때 문장의 형식이 나머지 넷과 다른 것은?

> His parents made him _____.

① an artist
② pleased
③ a good person
④ study hard
⑤ a nice desk

02 다음 〈보기〉와 형식이 같은 문장의 개수를 고르면?

> 보기 The movie made me cry.

> · What made you so angry?
> · Music makes us feel happy.
> · His rude behavior made me upset.
> · Eric made me some Christmas cookies.

① 없음
② 1개
③ 2개
④ 3개
⑤ 4개

신유형

03 다음 〈보기〉의 밑줄 친 부분과 역할이 같은 것을 모두 고르면?

> 보기 His love kept her strong.

① He found English difficult.
② Tim kept this secret carefully.
③ She will make him a special dinner.
④ I found the book in the drawer.
⑤ The news left everybody speechless.

대표유형 03 사역동사와 지각동사의 5형식 출제율 40%

04 다음 중 밑줄 친 부분의 쓰임이 어색한 것은?

① A toothache makes me feel bad.
② Puzzles make me think a lot.
③ Funny cartoons make laugh me a lot.
④ The film will make some people cry.
⑤ A new hairstyle makes my sister feel good.

05 다음 중 밑줄 친 부분의 쓰임이 어색한 것은?

① I heard Ellen to call me.
② He saw the girl helping an old woman.
③ She smelled potatoes burning in the oven.
④ Julie made him wait outside the store.
⑤ Matt watched some children running on the playground.

06 다음 문장 중 어법상 어색한 것은?

① I had him cut my hair.
② I saw Amy searching the Internet.
③ I listen to the birds to sing every morning.
④ I let them take pictures of my dog.
⑤ I heard someone calling my name loudly.

07 다음 문장의 빈칸에 알맞은 말이 순서대로 짝지어진 것은?

> The wonderful fall morning _____ me _____ to take a walk in the park.

① made – to want
② made – wanting
③ made – want
④ makes – to want
⑤ make – want

≫ 실전 Tip 주어가 3인칭 단수인 것에 유의한다.

08 다음 문장에서 어법상 어색한 부분을 찾아 바르게 고쳐 쓰시오.

> Mr. Baker kept us busily all day.

_____ → _____

09 다음 문장에서 어법상 어색한 부분을 찾아 바르게 고쳐 쓰시오.

> Jennifer told him put the cups on the table.

_____ → _____

10 주어진 표현을 배열하여 조건에 맞게 문장을 완성하시오.

> me, make, comfortably, this song

[조건] 1. 현재 시제로 쓸 것
　　　 2. 필요한 경우 단어의 형태를 변형할 것

→ _____

≫ 실전 Tip 주어진 표현 중 주어와 동사로 사용할 것을 먼저 정한 뒤 문장의 형식에 맞게 쓴다.

통합형

11 다음 우리말과 같은 뜻이 되도록 괄호 안의 표현을 이용하여 문장을 완성하시오. (단, 필요한 경우 형태를 변형할 것)

> 몸을 따뜻하게 하세요.
> (keep, you, warmly)

→ Please _____.

12 다음 우리말과 같은 뜻이 되도록 괄호 안의 표현을 활용하여 문장을 완성하시오.

> 나는 내 어머니가 건강하시기를 원한다.
> (want, be, healthy)

→ I _____.

13 다음 우리말과 같은 뜻이 되도록 주어진 표현 중 필요한 것을 골라 문장을 완성하시오.

> 그들은 그 상자가 비어 있는 것을 알았다.
> (full, they, fully, empty, found, emptied, us, the box)

→ _____

14 다음 빈칸에 공통으로 알맞은 말을 〈보기〉에서 골라 쓰시오. (단, 필요한 경우 형태를 변형할 것)

> • My new friend _____ me visit her house last weekend.
> • Yesterday he _____ his son a model airplane for an hour.

보기　　see　　make　　get　　allow

15 다음 글에서 어법상 어색한 부분을 찾아 바르게 고쳐 쓰시오.

> I don't want you to tell me the answer. Let me to solve the question on my own.

_____ → _____

≫ 실전 Tip 목적격 보어로 to부정사가 오는 동사에 유의한다.

01 다음 문장의 빈칸에 들어갈 말로 알맞은 것은?

> I asked them _____.

① that find the book
② finding the book
③ find the book for me
④ to find the book me
⑤ to find the book for me

02 다음 글의 빈칸에 알맞은 말이 순서대로 짝지어진 것은?

> I have a Maltese dog. It is so cute and pretty. Sometimes when I go for a walk with my dog, I hear people _____, "What a cute dog you have!" Their words make me _____.

① say − smile
② to say − to smile
③ say − smiled
④ to say − smile
⑤ saying − smiling

03 다음 빈칸에 알맞은 말을 글에서 찾아 쓰시오.

> I wanted to help Janet to play the piano. So I asked my teacher if I could help her in the classroom after school. My teacher had me _____ her.

04 다음 대화를 읽고 주어진 문장을 완성하시오.

> **Sue** Will you help me? I have to carry the box.
> **Dave** No problem.

→ Dave will _____ the box.

신유형
05 주어진 상황을 표현하는 문장을 지각동사를 이용하여 완성하시오.

(1) Uncle Jake is in the bedroom. He is snoring.
→ I know Uncle Jake is in the bedroom because I can _____.
(2) When I took a walk in the park, some children were playing baseball.
→ When I took a walk in the park, I _____ _____ baseball.

06 다음 표현을 참고하여 부모님이 여러분에게 허락하는 일과 허락하지 않는 일을 한 가지씩 〈보기〉와 같이 쓰시오.

> have parties / stay out late / go on a holiday with friends / buy my clothes / play computer games / bring friends home

> 보기 · Do: My parents let me have parties.
> · Don't: My parents don't let me stay out late.

· Do: _____

· Don't: _____

01
a   I want you come back soon.

b   I want you to come back soon.

02
a   I saw a thief break into the house.

b   I saw a thief to break into the house.

03
a   We listened to the choir sing merrily.

b   We listened to the choir sings merrily.

04
a   Stewart had volunteers fill out the form.

b   Stewart had volunteers filled out the form.

05
a   I expected you come here to see me.

b   I expected you to come here to see me.

06
a   She watched her husband paint the roof.

b   She watched her husband painted the roof.

07
a   I heard someone shout behind the wall.

b   I heard someone to shout behind the wall.

08
a   Competition allows us becoming the best individual we can be.

b   Competition allows us to become the best individual we can be.

유형별 기출 적용 빈도

유형 01 과거, 현재 시제의 형태와 쓰임 `30%`

유형 02 미래 시제의 형태와 쓰임 `25%`

유형 03 미래 시제의 다양한 표현 `10%`

유형 04 진행 시제의 형태와 쓰임 `35%`

>> 출제 포인트

과거, 현재, 미래, 진행 시제를 구분하는 문제와, 특정한 경우에 사용되거나 사용되지 않는 시제의 오류를 찾는 문제가 주로 출제된다.

>> 정답률 100% Tip

1 시간과 조건의 부사절에서는 현재 시제가 미래를 대신한다.

2 소유, 지각, 감정, 인식 등을 나타내는 동사는 진행 시제로 쓰지 않는다.

Grammar Point

Point 1 과거, 현재, 미래 시제의 형태와 쓰임

과거	was, were / 일반동사 과거형	① 과거의 동작·상태
		② 역사적 사실
현재	am, are, is / 일반동사 현재형	① 현재의 동작·상태
		② 일반적인 사실, 습관
		③ 불변의 진리, 속담
미래	will / be going to	미래에 일어날 일이나 계획

· He did his homework at night. 〈과거: 과거의 일〉

· Betty goes hiking on Sundays. 〈현재: 현재의 습관〉

· It will bring good luck to people. 〈미래〉

주의 시간이나 조건의 부사절에서는 현재 시제로 미래를 나타낸다.

· If it rains tomorrow, we'll cancel the game. 〈조건의 부사절〉

주의 가까운 미래의 확정된 계획은 현재 시제로 나타낼 수 있다.

Point 2 진행 시제의 형태와 쓰임

| 과거 진행 | was / were + 동사원형 + -ing (~하고 있었다, ~하는 중이었다) | 과거 특정 시점에 진행 중이었던 동작이나 상태 |
| 현재 진행 | am / are / is + 동사원형 + -ing (~하고 있다, ~하는 중이다) | 현재 진행 중인 동작이나 상태 |

· I was making some salad in the kitchen. 〈과거 진행〉

· A little girl is crying on the street. 〈현재 진행〉

주의 현재 진행 시제로 가까운 미래에 예정된 일이나 계획을 나타낼 수 있다.

· I am visiting Sam tomorrow. 〈가까운 미래에 계획된 일〉

주의 소유(have, own), 감각(see, hear, sound), 감정·인식(like, hate, know, believe)을 나타내는 동사는 보통 진행 시제로 쓰지 않는다.

✅ 바로 체크

01 The Earth (is / was) round.

02 He (visits / visited) the museum yesterday.

03 I (learn / will learn) swimming these days.

04 Linda (washes / will wash) her hair soon.

05 Russia (hosts / hosted) the World Cup in 2018.

06 I am going (wear / to wear) this skirt.

07 David (buys / will buy) a new car next month.

08 He was (walks / walking) his dog.

09 She (is / was) listening to music now.

10 My dad (has / is having) a lot of books.

대표유형 01 과거, 현재 시제의 형태와 쓰임   출제율 30%

01 다음 빈칸에 알맞은 말이 바르게 짝지어진 것은?

> • Water _____ at 100 ℃.
> • Edison _____ the light bulb.

① boil − invent   ② boils − invents
③ boiled − invents   ④ boils − invented
⑤ boiled − invented

02 다음 문장의 빈칸에 들어갈 수 <u>없는</u> 것은?

> James _____ yesterday.

① got up late   ② went hiking
③ drinks milk   ④ played soccer
⑤ didn't eat dinner

03 다음 우리말과 같은 뜻이 되도록 할 때 빈칸에 들어갈 말로 알맞은 것은?

> 우리는 주말마다 함께 영화를 보러 간다.
> → We _____ to the movies together on weekends.

① go   ② goes
③ went   ④ going
⑤ will go

04 다음 글의 밑줄 친 ①~⑤ 중 어법상 <u>어색한</u> 것은?

> Mina ①is ②an elementary school student last year. She ③is a middle school student ④this year. She ⑤wears a school uniform.

05 다음 괄호 안의 단어를 이용하여 대화를 완성하시오.

> A What _____ you _____ last Saturday? (do)
> B I _____ shopping with my sister. (go)

06 다음 문장 중 어법상 <u>어색한</u> 것은?

① Korea is in East Asia.
② Mozart composed a lot of music.
③ She doesn't have lunch these days.
④ He takes a walk every morning.
⑤ My dad comes back home late last night.

대표유형 02 미래 시제의 형태와 쓰임   출제율 25%

07 다음 문장의 빈칸에 들어갈 말로 알맞은 것은?

> We _____ a party next Friday.

① has   ② had
③ to have   ④ having
⑤ will have

08 다음 두 문장의 뜻이 같도록 빈칸에 알맞은 말을 쓰시오.

> She will practice the violin hard.
> = She is _____ _____ _____ the violin hard.

09 다음 문장의 빈칸에 들어갈 말로 어색한 것은?

> The K-pop star will hold a concert at the hall _____.

① soon
② tomorrow
③ last night
④ this afternoon
⑤ in three days

10 다음 문장을 괄호 안의 지시대로 바꿔 쓰시오.

> I watch a fantasy movie.

(1) (미래 시제로)
 → _____

(2) (미래 시제 부정문으로)
 → _____

11 다음 문장 중 어법상 어색한 것은?

① My uncle is going to get married.
② Will you go to the library tomorrow?
③ I'm going to take pictures at the zoo.
④ We're going to have a field trip today.
⑤ He and his friends will has a soccer match.

12 다음 대화의 빈칸에 알맞은 말이 바르게 짝지어진 것은?

> **A** What will you _____ this weekend?
> **B** I am going _____ up Hallasan.

① do – hike
② do – to hike
③ to do – hike
④ to do – to hike
⑤ to do – will hike

13 다음 우리말과 같도록 괄호 안의 표현을 바르게 배열하시오.

> 나는 강을 따라 걸을 것이다.
> (along, walk, going, am, the river, to, I)

→ _____

대표유형 03 미래 시제의 다양한 표현 출제율 10%

14 다음 우리말과 같은 뜻이 되도록 할 때 빈칸에 알맞은 것을 모두 고르면? (2개)

> 공연은 4시 30분에 시작할 것이다.
> → The show _____ at 4:30.

① start
② starts
③ started
④ starting
⑤ will start

15 다음 중 밑줄 친 부분의 쓰임이 잘못된 것은?

① Patrick <u>comes</u> to Korea next week.
② He will be angry if you <u>will be</u> late.
③ I'll use a cup when I <u>brush</u> my teeth.
④ Susan <u>is going</u> to visit her uncle tomorrow.
⑤ If I <u>get</u> my allowance, I will buy new shoes.

대표유형 04 진행 시제의 형태와 쓰임 출제율 35%

16 다음 문장의 빈칸에 들어갈 말로 알맞은 것은?

> She is _____ a chocolate cake.

① bake
② bakes
③ baked
④ baking
⑤ to bake

17 다음 대화의 밑줄 친 부분을 바르게 고친 것은?

> **A** What were you doing when I called this morning?
> **B** I cook breakfast then.

① cook
② cooked
③ will cook
④ is cooking
⑤ was cooking

18 다음 중 밑줄 친 부분의 쓰임이 잘못된 것은?

① Tom is watering the plants.
② I am waiting for my friend now.
③ He was drawing his dog tomorrow.
④ The baby was sleeping an hour ago.
⑤ Ted was studying in the library then.

19 다음 우리말을 영어로 바르게 옮긴 것은?

> 그녀는 혼자 텔레비전을 보고 있다.

① She is watches TV alone.
② She is watched TV alone.
③ She is watching TV alone.
④ She does watches TV alone.
⑤ She does watching TV alone.

20 다음 중 밑줄 친 부분의 쓰임이 나머지 넷과 다른 것은?

① We are going to go camping.
② She is going to the dentist now.
③ They are going to sing in the choir.
④ I am going to read a book every day.
⑤ He is going to visit his family in Paris.

21 다음 우리말과 같도록 괄호 안의 단어를 이용하여 문장을 완성하시오.

> Christine은 그녀의 딸을 보고 있었다.
> → Christine _____ at her daughter. (look)

[22-23] 다음 문장을 진행 시제로 바꿔 쓰시오.

22

> He jumps rope in the yard.

→ _____

23

> Lily washed the dishes in the kitchen.

→ _____

24 다음 문장의 빈칸에 들어갈 말로 어색한 것은?

> Jina is _____ now.

① swimming
② having her dinner
③ going to school
④ playing the cello
⑤ liking her new car

25 다음 중 밑줄 친 부분의 쓰임이 잘못된 것은?

① A camel is standing next to her.
② They were talking on the phone.
③ Sally is not knowing your secret.
④ The birds were flying south.
⑤ He is wearing a yellow shirt and jeans.

대표유형 01, 02 과거, 현재, 미래 시제의 형태와 쓰임 출제율 30%

01 다음 우리말과 같은 뜻이 되도록 할 때 밑줄 친 동사의 형태로 알맞은 것은?

> Brown 씨는 매일 8시 뉴스를 본다.
> → Mr. Brown <u>watch</u> the 8 o'clock news every day.

① watch
② watches
③ watched
④ will watch
⑤ is going to watch

---

02 다음 문장 중 어법상 어색한 것은?

① Japan is next to Korea.
② I took a taxi to the airport.
③ World War Ⅱ breaks out in 1939.
④ I'm going to see a doctor this afternoon.
⑤ My mom is always busy in the morning.

대표유형 03 미래 시제의 다양한 표현 출제율 10%

03 다음 문장의 빈칸에 알맞은 것을 <u>모두</u> 고르면? (3개)

> Eric _____ to Seoul next Friday.

① move
② moves
③ moved
④ will move
⑤ is going to move

---

04 다음 문장의 밑줄 친 ①~⑤ 중 어법상 어색한 것은?

> ①If you ②will listen to ③this music, ④you will feel ⑤better.

---

05 다음 〈보기〉의 밑줄 친 부분과 쓰임이 <u>다른</u> 것은?

> 보기 He <u>is leaving</u> the town this weekend.

① What <u>are</u> you <u>doing</u> here?
② I'm <u>going</u> to San Francisco soon.
③ We're <u>landing</u> at the airport in a minute.
④ They <u>are going</u> on a camping trip tonight.
⑤ Masha <u>is playing</u> the piano at a concert tomorrow.

대표유형 04 진행 시제의 형태와 쓰임 출제율 35%

06 다음 빈칸에 공통으로 들어갈 말로 알맞은 것은?

> • He was _____ dinner when I got home.
> • They are _____ a good time at the beach now.

① has
② have
③ had
④ having
⑤ to have

≫ 실전 Tip have는 '먹다'와 '시간을 보내다'라는 의미일 때 진행형으로 쓸 수 있다.

---

07 다음 문장의 빈칸에 들어갈 수 <u>없는</u> 것은?

> The man is _____ a big building in the town.

① owning
② designing
③ watching
④ looking at
⑤ taking a picture of

대표유형 01, 02 과거, 현재, 미래 시제의 형태와 쓰임 · 출제율 30%

08 다음 문장의 밑줄 친 부분을 바르게 고쳐 쓰시오.

> Rosa <u>loses</u> her smartphone yesterday.

→ _____

09 다음 문장을 괄호 안의 지시대로 바꿔 쓰시오.

> Jerry stays up late at night.

(1) (과거 시제로)

　→ _____

(2) (미래 시제로)

　→ _____

10 이번 주 Judy의 계획표를 보고 문장을 완성하시오.

Tuesday	take a yoga lesson
Wednesday → Today	
Thursday	
Friday	
Saturday	shop at the traditional market

(1) Judy _____
on Tuesday.

(2) Judy _____
on Saturday.

11 다음 〈보기〉에서 알맞은 말을 골라 문장을 완성하시오.

> 보기　grow　　grew　　will grow
> 　　　rain　　rains　　rained
> 　　　move　　moves　　moved

(1) If it _____, we won't go hiking.

(2) The Earth _____ around the Sun.

(3) His uncle _____ cabbages last year.

대표유형 04 진행 시제의 형태와 쓰임 · 출제율 35%

12 다음 우리말과 같도록 괄호 안의 표현을 이용하여 문장을 완성하시오.

> 아버지와 나는 강에서 낚시를 하고 있었다.
> → Dad and I _____ in the river. (catch fish)

≫ 실전 Tip 주어 Dad and I에 적절한 동사를 쓴다.

13 다음 글의 밑줄 친 부분을 바르게 고쳐 쓰시오.

> Joan has a son. She <u>is wanting</u> to travel around the country with her son.

→ _____

[14-15] 다음 괄호 안의 표현을 이용하여 그림을 묘사하는 문장을 완성하시오. (단, 진행 시제를 사용할 것)

14

> He _____ now.
> (repair the bike)

15

> She _____ of the flowers then. (take pictures)

대표유형 01, 02 과거, 현재, 미래 시제의 형태와 쓰임   출제율 30%

01 다음 빈칸에 알맞은 말이 순서대로 짝지어진 것은?

- Octopuses _____ eight legs.
- I'll come back before it _____ dark.
- Steve _____ his company in 1996.

① has − get − start
② have − get − started
③ has − gets − will start
④ have − gets − started
⑤ has − will get − will start

02 다음 빈칸에 공통으로 들어갈 말로 알맞은 것은?

- We _____ the next train to Busan.
- If you _____ the subway, you won't be late for school.

① take   ② takes
③ took   ④ will take
⑤ be going to take

신유형
03 다음 중 밑줄 친 부분을 will로 바꿔 쓸 수 없는 것은?

① We <u>are going to</u> pay for the tickets.
② Janet <u>is going to</u> wear a white dress.
③ Tom <u>is going to</u> buy a new computer.
④ She <u>is going to</u> the lost and found now.
⑤ I <u>am going to</u> play the main character in the musical.

≫ 실전 Tip 미래 시제와 현재 진행 시제를 구분한다.

04 다음 문장 중 어법상 <u>어색한</u> 것은?

① Why did your dog bark last night?
② The bakery opens at 7:30 every day.
③ Armstrong lands on the moon in 1969.
④ If you hurry, you'll get there on time.
⑤ Mina will get up early tomorrow morning.

대표유형 04 진행 시제의 형태와 쓰임   출제율 35%

05 다음 문장 중 어법상 <u>어색한</u> 것은?

① I am looking at the drone now.
② Jessica wasn't feeding the dogs.
③ They are enjoying the rock festival.
④ The boy is having a hamburger now.
⑤ My uncle is exercising in the gym then.

06 다음 문장 중 어법상 <u>어색한</u> 것을 <u>모두</u> 고르면?

① He is studying for the exam.
② Jim wasn't waiting for the bus.
③ A bear is climbing up the tree.
④ The manager is knowing her schedule.
⑤ I do the dishes while he was sleeping.

07 다음 대화의 빈칸에 들어갈 말로 알맞은 것은?

A Were you sending a text message then?
B No, I wasn't. I _____ my emails.

① check   ② checked
③ am checking   ④ was checking
⑤ am going to check

| 대표유형 01, 02 | 과거, 현재, 미래 시제의 형태와 쓰임 | 출제율 30% |

08 다음 〈보기〉에서 알맞은 말을 골라 문장을 완성하시오. (단, 필요할 경우 형태를 변형할 것)

| 보기 | tell | be | close |

(1) Sweden _____ a country in Europe.

(2) The store _____ at 8:30 last night.

(3) I'm going _____ the truth to my dad.

09 지나의 오늘 방과 후 계획표를 보고 문장을 완성하시오. (단, 미래 시제로 쓸 것)

| 4:00 p.m. | practice dancing |
| 7:00 p.m. | see a documentary about whales |

(1) Jina _____
at 4:00 p.m.

(2) Jina _____
at 7:00 p.m.

10 다음 문장에서 어법상 어색한 부분을 찾아 바르게 고쳐 문장 전체를 다시 쓰시오.

I learned that water was heavier than oil.

→ _____

11 다음 우리말을 〈조건〉에 맞게 영작하시오.

나는 내 삼촌의 농장을 방문할 것이다.

[조건] **1.** 8단어로 쓸 것
　　　 2. visit, farm을 이용할 것

→ _____

| 대표유형 04 | 진행 시제의 형태와 쓰임 | 출제율 35% |

12 다음 우리말과 같도록 괄호 안의 말을 바르게 배열하시오. (단, 필요할 경우 단어를 추가할 것)

Jenny는 그녀의 친구를 기다리고 있다.
(for, friend, her, Jenny, waiting)

→ _____

13 다음 우리말을 〈조건〉에 맞게 영작하시오.

우리는 그때 해변에서 수영을 하고 있었다.

[조건] **1.** 주어로 시작할 것
　　　 2. 주어진 표현을 이용하여 7단어로 쓸 것
　　　　 (swim, at the beach, then)

→ _____

14 다음 괄호 안의 우리말과 같은 뜻이 되도록 대화를 완성하시오.

A What was William doing yesterday afternoon?
B He _____ at the park. (그는 공원에서 자전거를 타고 있었어.)

15 다음 대화에서 어법상 어색한 부분을 찾아 바르게 고쳐 쓰시오.

A What do you want to eat for dinner?
B I am knowing a nice Indian restaurant around here. How about going there?

_____ → _____

>> 실전 Tip 진행 시제에 쓸 수 있는 동사와 쓸 수 없는 동사를 파악한다.

01 (A), (B), (C)의 각 네모 안에서 어법에 맞는 표현이 순서대로 짝지어진 것은?

> - Tim (A) is wanting / wants a new bag.
> - She (B) buys / bought a used book online last week.
> - A *hanok* (C) is / will be a traditional Korean house.

	(A)	(B)	(C)
①	is wanting	– buys	– is
②	is wanting	– bought	– will be
③	wants	– buys	– is
④	wants	– bought	– is
⑤	wants	– buys	– will be

02 다음 문장 중 어법상 자연스러운 것을 모두 고르면?

① Sujin is knowing five languages.
② They were smiled at each other.
③ Penguins usually live in large groups.
④ She stayed at home because of a cold.
⑤ Beethoven writes his Ninth Symphony when he was deaf.

03 다음 중 어법상 어색한 문장의 개수는?

> ⓐ Matt will leave tomorrow morning.
> ⓑ A good medicine tasted bitter.
> ⓒ The Berlin Wall fell in 1989.
> ⓓ She is writing something on the board.
> ⓔ He drinks a cup of coffee every day.
> ⓕ If you read this book, you will learn about Korean culture.

① 1개   ② 2개   ③ 3개
④ 4개   ⑤ 5개

04 괄호 안의 단어를 활용하여 다음 글을 완성하시오. (단, 현재, 과거, 미래 시제를 모두 사용할 것)

> Yesterday, Paul _____ (finish) his course in Korea. So, he _____ _____ (leave) for his hometown tomorrow. He _____ very excited now. (be)

05 다음 글에서 어법상 어색한 부분을 두 군데 찾아 바르게 고쳐 쓰시오.

> My family went to an amusement park last Saturday. While my brother and I are going on different rides, my parents watched us. We had *gimbap* for lunch. We had a great time. My family will be going to go camping next weekend.

- _____ → _____
- _____ → _____

06 〈보기〉에서 알맞은 말을 골라 다음 그림을 묘사하는 문장을 완성하시오. (단, 현재 진행 시제로 쓸 것)

보기	wash	play	water

(1) Hojun _____.
(2) Hojun's dad _____.
(3) Hojun's mom _____.

01
a Water freezes at 0 ℃.

b Water freeze at 0 ℃.

02
a She usually listens to classical music these days.

b She usually listened to classical music these days.

03
a The eggs will to hatch in a few days.

b The eggs are going to hatch in a few days.

04
a He wins the Nobel Peace Prize in 2000.

b He won the Nobel Peace Prize in 2000.

05
a I will tell him the news when he comes back.

b I will tell him the news when he will come back.

06
a Ms. Smith reserved a table at the restaurant a week ago.

b Ms. Smith will reserve a table at the restaurant a week ago.

07
a Daniel is drinking orange juice now.

b Daniel was drinking orange juice now.

08
a A squirrel is hiding food in the ground then.

b A squirrel was hiding food in the ground then.

유형별 기출 적용 빈도

유형 O1 현재완료 시제의 형태와 쓰임 · **45%**

유형 O2 현재완료 시제의 용법 · **25%**

유형 O3 과거 시제 vs. 현재완료 시제 · **30%**

>> 출제 포인트

현재완료 문장을 만드는 문제는 꼭 출제된다. 현재완료의 의미를 묻는 문제, 과거 시제와 현재완료 시제가 쓰이는 경우를 구분하는 문제도 자주 출제된다.

>> 정답률 100% Tip

1 「for + 기간」은 '~ 동안', 「since + 시점」은 '~ 이래로'라는 의미이다.

2 yesterday, ~ ago, last ~, when 등의 표현이 있으면 과거 시제를 써야 한다.

Grammar Point

Point 1 현재완료 시제의 형태와 쓰임

현재완료는 과거에 시작한 일이 현재까지 계속되거나 과거의 경험이 현재에 영향을 줄 때 사용한다.

긍정문	주어 + have[has] + 과거분사 ~.
부정문	주어 + have[has] + not + 과거분사 ~.
의문문	• Have[Has] + 주어 + 과거분사 ~?*　　　*have[has]로 답한다. • 의문사 + have[has] + 주어 + 과거분사 ~?

Point 2 현재완료 시제의 용법

용법	함께 자주 쓰이는 표현
경험	once, ~ times, ever, never, before 등
계속	since, for, so far, how long 등
완료	just, already, yet 등
결과	go, lose, grow, leave 등

• Have you ever seen a rainbow? 〈경험〉

• Kate has lived here since 2017. 〈계속〉

• He has just read the book. 〈완료〉

• I have lost my wallet. 〈결과〉

주의 • She has been to Canada. 〈경험: ~에 가 본 적이 있다〉

　　• She has gone to Canada. 〈결과: ~에 가고 없다〉

Point 3 과거 시제와 현재완료 시제의 구분

명백히 과거를 나타내는 부사(구)인 yesterday, ago, last weekend 등과 의문사 when은 현재완료와 함께 쓸 수 없다.

• I went to the park yesterday.

• She has been ill for two days.

바로 체크

01 see – saw – _____

02 leave – _____ – left

03 eat – ate – _____

04 finish – _____ – _____

05 read – _____ – _____

06 Matt has never (be / been) to Africa.

07 Has she seen the movie *Harry Potter*?
– Yes, she (have / has).

08 (Do / Have) you ever seen the picture before?

09 We have been here (for / since) two weeks.

10 I (bought / have bought) this watch last week.

대표유형 01 현재완료 시제의 형태와 쓰임 　　출제율 45%

01 다음 문장의 빈칸에 들어갈 말로 알맞은 것은?

> John _____ him since 2015.

① knows ② to know
③ knew ④ have known
⑤ has known

02 다음 문장의 빈칸에 들어갈 말로 가장 알맞은 것은?

> I _____ there for two years.

① work ② works
③ have work ④ have worked
⑤ am working

03 다음 문장의 괄호 안 단어를 알맞은 형태로 고쳐 쓰시오.

> Have you ever (see) a tiger?

→ _____

04 다음 괄호 안의 단어를 이용하여 문장을 완성하시오.

> Seven years _____ since I left school. (pass)

05 다음 질문에 대한 응답으로 가장 알맞은 것은?

> Have you finished your homework?

① Yes, I do. ② Yes, I am.
③ Yes, I will. ④ No, I didn't.
⑤ No, I haven't.

06 다음 문장을 의문문과 부정문으로 바꿔 쓸 때 빈칸에 공통으로 들어갈 말은?

> She has been to Rome.
> → 의문문: _____ she been to Rome?
> → 부정문: She _____ not [never] been to Rome.

① Do [do] ② Where [where]
③ Will [will] ④ Have [have]
⑤ Has [has]

07 다음 우리말과 같은 뜻이 되도록 괄호 안의 단어를 바르게 배열하여 문장을 완성하시오.

> 너는 오리들이 수영하는 것을 본 적이 있니?

→ _____ ducks swimming?
　(you, ever, have, seen)

08 다음 중 〈보기〉의 표현을 바르게 배열한 것은?

보기　you / Thai food / have / ever / eaten / ?

① You have eaten Thai food ever?
② Have eaten Thai food you ever?
③ Have you Thai food ever eaten?
④ Have you ever eaten Thai food?
⑤ Have eaten you Thai food ever?

09 다음 〈보기〉와 같이 주어진 문장을 바꿔 쓸 때 빈칸에 알맞은 말을 쓰시오.

보기　I began to study French eight months ago, and I still study French.
　　→ I have studied French for eight months.

Mina got sick a week ago, and she is still sick.
→ Mina _____ _____ sick for a week.

10 다음 두 문장을 한 문장으로 바꿔 쓸 때 빈칸에 알맞은 것은?

> He began living in Suncheon two years ago. He still lives in Suncheon.
> → He _____ in Suncheon for two years.

① lives   ② lived   ③ have lived
④ has lived   ⑤ had lived

11 다음 두 문장을 한 문장으로 바꿔 쓸 때 빈칸에 알맞은 말을 쓰시오.

> I started working in the office a month ago. I still work in the office.
> → I _____ _____ in the office for a month.

12 다음 대화의 빈칸에 공통으로 들어갈 말을 쓰시오.

> **A** _____ you ever ridden a horse?
> **B** Yes, I _____.

13 다음 우리말과 일치하도록 주어진 표현을 바르게 배열하여 문장을 완성하시오.

(1) 나는 이탈리아에 세 번 가 봤다.
→ I _____ to Italy three times.
     (been, have)
(2) 너는 디즈니랜드에 가 본 적이 있니?
→ Have _____ ?
     (Disneyland, you, been, to, ever)

대표유형 02 현재완료 시제의 용법   출제율 25%

14 다음 〈보기〉의 밑줄 친 부분과 쓰임이 같은 것은?

> 보기   They have known each other since 2014.

① How long have you stayed there?
② He has just finished his homework.
③ I have never moved into a new house.
④ We have met her many times.
⑤ Somebody has just taken my bag.

15 다음 〈보기〉의 밑줄 친 부분과 쓰임이 다른 것은?

> 보기   Have you ever been late for school?

① He has gone out for a walk.
② I have never swum in the sea.
③ She has worn glasses before.
④ Ella has eaten a frog once.
⑤ Tommy has been to London several times.

[16-17] 다음 중 밑줄 친 부분의 쓰임이 나머지 넷과 다른 것을 고르시오.

16 ① Jane has never visited Egypt.
② Have you ever caught a fish?
③ My parents have met my friends before.
④ I have never washed the dishes.
⑤ Mr. Smith has stayed here since last week.

17 ① He has not found the file yet.
② Have you already had dinner?
③ I've never seen such a pretty bird.
④ My mother has not come to school yet.
⑤ They have just arrived at the hotel.

[18-19] 다음 두 문장의 뜻이 같도록 할 때 빈칸에 들어갈 말로 알맞은 것을 고르시오.

18

Yuri went to Singapore and now she has come back.
→ Yuri _____ to Singapore.

① was ② has been ③ has gone
④ have been ⑤ have gone

19

My uncle went to Russia last year, so he is not here now.
→ My uncle _____ to Russia.

① was ② has been ③ has gone
④ have been ⑤ have gone

대표유형 03 과거 시제 vs. 현재완료 시제 출제율 30%

20 다음 중 밑줄 친 부분의 쓰임이 <u>어색한</u> 것은?

① I <u>wrote</u> a letter yesterday.
② They <u>have built</u> a bridge last year.
③ Mina <u>has bought</u> several dolls lately.
④ I <u>heard</u> about it a week ago.
⑤ Mike <u>has lost</u> his bag recently.

21 다음 문장 중 어법상 <u>어색한</u> 것은?

① Have you met him recently?
② I saw the movie last Saturday.
③ The author has died yesterday.
④ Did you visit your aunt two days ago?
⑤ She hasn't been to the museum before.

22 다음 중 어법상 어색한 문장을 **두 개** 고르면?

① He has never played the drums before.
② She has started her lunch at 12.
③ I've already seen the new teacher.
④ It has been very hot last summer.
⑤ I have just finished my project.

23 다음 문장의 밑줄 친 부분을 어법상 바르게 고쳐 쓰시오.

When <u>have you done</u> the work?

→ _____

24 다음 대화의 빈칸에 들어갈 말로 알맞은 것은?

A Have you heard about Katie lately?
B Yes, I _____ about her a week ago.

① hear ② heard ③ have heard
④ am hearing ⑤ had heard

25 다음 문장의 빈칸에 들어갈 말로 알맞은 것은?

When she _____ in Tokyo last Monday, she found Tim at the airport.

① arrives ② arrived ③ is arriving
④ will arrive ⑤ has arrived

대표유형 01 현재완료 시제의 형태와 쓰임 출제율 45%

01 다음 대화의 빈칸에 들어갈 말로 가장 알맞은 것은?

> A Have you ever seen the music video?
> B _____

① Yes, I have.　　② Yes, I did.
③ No, I have.　　④ No, I didn't.
⑤ No, you have not.

02 다음 우리말과 뜻이 같도록 문장을 완성할 때 괄호 안의 표현을 바르게 배열한 것은?

> 그녀는 전에 차를 운전해 본 적이 없다.
> → She _____ .
> 　　(never, driven, before, a car, has)

① has driven never a car before
② has never driven a car before
③ has driven before a car never
④ never driven has a car before
⑤ before has never driven a car

>> 실전 Tip before는 주로 문장 끝에 쓴다.

03 다음 두 문장의 의미를 한 문장으로 나타낼 때 빈칸에 들어갈 말로 가장 알맞은 것은?

> Olivia lost her key yesterday. She doesn't have it now.
> → Olivia _____ .

① has lost her key
② has got her key now
③ didn't have her key then
④ will find her key someday
⑤ found her key this morning

04 다음 두 문장을 한 문장으로 바꿔 쓸 때 빈칸에 들어갈 말로 알맞은 것은?

> We moved to Toronto five years ago. We still live in Toronto.
> → We _____ in Toronto for five years.

① lived　　② has lived　　③ have lived
④ was living　　⑤ were living

대표유형 02 현재완료 시제의 용법 출제율 25%

05 다음 〈보기〉의 밑줄 친 부분과 쓰임이 <u>다른</u> 것을 모두 고르면?

> 보기　I have been to Seattle once.

① Amy has never seen that kind of animal.
② My aunt has gone to Australia.
③ Have you ever climbed Mt. Halla?
④ We have never heard the song.
⑤ Daniel has lived in Seoul for ten years.

06 다음 우리말과 같은 뜻이 되도록 주어진 문장을 완성할 때 빈칸에 들어갈 말이 바르게 짝지어진 것은?

> 나는 열 살 때부터 영어를 공부해 왔다.
> = I _____ English _____ I was 10.

① has study − for　　② has study − since
③ has studied − for　　④ have studied − for
⑤ have studied − since

07 다음 대화의 빈칸에 들어갈 말로 알맞은 것은?

> A Did you read the book?
> B Not yet. How about you?
> A I have _____ finished it.

① just　　② since　　③ soon
④ very　　⑤ once

08 다음 두 문장을 한 문장으로 바꿔 쓸 때 빈칸에 알맞은 말을 쓰시오. (단, 현재완료 시제로 쓸 것)

> She went to Europe two days ago. She isn't here now.
> → She _____ _____ to Europe.

09 다음 〈보기〉의 밑줄 친 부분과 쓰임이 같은 문장의 기호를 모두 쓰시오.

> 보기 I have known him since childhood.

> ⓐ She has played the violin for ten years.
> ⓑ They have raised the dog for 11 years.
> ⓒ He has stood there since 3 o'clock.
> ⓓ My dream has finally come true.
> ⓔ I have just finished the wash.

_____

10 다음 대화의 밑줄 친 부분을 바르게 고쳐 쓰시오.

> A I can't meet Jean.
> B Is he really busy?
> A He isn't in Seoul now. He goes to Jeju.

→ _____

대표유형 03 과거 시제 vs. 현재완료 시제   출제율 30%

11 다음 괄호 안의 단어를 이용하여 대화를 완성하시오.

> A Have you _____ this book? (read)
> B Yes, I _____ it yesterday. (read)

≫ 실전 Tip 명백히 과거를 나타내는 표현에 유의한다.

12 다음 대화의 빈칸에 들어갈 말로 알맞은 것을 〈보기〉에서 골라 쓰시오. (단, 각 표현은 한 번만 쓸 것)

> A Have you ever _____ tandoori chicken?
> B Yes, I _____ it in an Indian restaurant last weekend.

> 보기   try   tried   trying   have tried
>   eat   ate   eating   have eaten

13 괄호 안의 동사를 알맞게 변형하여 다음 문장을 완성하시오.

> I _____ the meeting with my boss yesterday. (attend)

신유형

14 다음 〈보기〉에서 알맞은 표현을 골라 배열하여 빈칸에 들어갈 질문을 완성하시오.

> A _____?
>   (너는 이 집에서 얼마나 오래 살아왔니?)
> B Since 2013.

> 보기   when   how long   did   have
>   live   lived   you   in this house

15 다음 글의 밑줄 친 부분 중 어법상 어색한 것을 골라 번호를 쓰고 바르게 고쳐 쓰시오.

> Phoenix Art Institute ①was founded in 1995. Since then, thousands of students ②graduated from Phoenix. Today they ③are doing well in their jobs. We ④are proud of them. I'm sure you ⑤will become successful artists, too.

번호: _____ → _____

대표유형 02 현재완료 시제의 용법 출제율 25%

01 밑줄 친 부분의 쓰임이 같은 것끼리 짝지어진 것은?

> (A) I have already had dinner.
> (B) I have been to Chicago before.
> (C) I have played soccer for 20 years.

> ⓐ Have you ever seen this movie?
> ⓑ I have done research on this subject since 2015.
> ⓒ I have not taken a shower yet this morning.

① (A) – ⓐ, (B) – ⓑ, (C) – ⓒ
② (A) – ⓐ, (B) – ⓒ, (C) – ⓑ
③ (A) – ⓑ, (B) – ⓐ, (C) – ⓒ
④ (A) – ⓒ, (B) – ⓐ, (C) – ⓑ
⑤ (A) – ⓒ, (B) – ⓑ, (C) – ⓐ

02 다음 밑줄 친 부분의 우리말 해석이 옳지 <u>않은</u> 것은?

① Tony has gone to Mexico. – 간 적이 있다
② They have never seen snow. – 본 적이 없다
③ I have met the girl before. – 만난 적이 있다
④ The game has already started.
  – 이미 시작했다
⑤ She has played the guitar for thirty years.
  – 연주해 왔다

03 다음 중 두 문장의 의미가 <u>다른</u> 것은?

① Lucy has just read the book.
  → Lucy read the book a moment ago.
② Lucy has already read the book.
  → Lucy read the book before I expected her to do it.
③ Lucy hasn't read the book yet.
  → Up to now Lucy hasn't read the book.
④ Lucy has never read the book.
  → Lucy hasn't read the book in her life.
⑤ Lucy has read the book for three hours.
  → Lucy finished reading the book three hours ago.

04 다음 빈칸에 공통으로 들어갈 말로 알맞은 것은?

> • I have lived in Sydney _____ a month.
> • He has worked here _____ four years.
> • We have known each other _____ a long time.

① for
② since
③ just
④ yet
⑤ so far

대표유형 03 과거 시제 vs. 현재완료 시제 출제율 30%

05 다음 문장의 빈칸에 들어갈 말로 알맞은 것은?

> She has taught math in the school _____ the past three years.

① for
② since
③ ago
④ when
⑤ before

06 다음 문장의 빈칸에 들어갈 말로 알맞지 <u>않은</u> 것은?

> I haven't eaten anything _____.

① so far
② last night
③ for 24 hours
④ yet
⑤ since I woke up

≫ 실전 Tip 현재 완료 시제는 과거부터 현재까지 계속되거나 영향이 있는 일을 나타내므로 명확한 과거 시점을 나타내는 말과 함께 쓰지 않는다.

07 다음 문장의 빈칸에 들어갈 말로 알맞지 <u>않은</u> 것을 <u>모두</u> 고르면?

> Mr. Kim has used this digital camera _____.

① since last year
② before
③ just now
④ several times
⑤ during the last weekend

08 다음 괄호 안의 단어를 이용하여 대화를 완성하시오.

> **A** I _____ that movie yesterday. (see)
> How about you?
> **B** I _____ _____ _____ it
> yet. (see)

신유형

09 다음 대화에서 어법상 어색한 것을 골라 바르게 고쳐 쓰시오.

> **A** ① Did you go to the department store
> yesterday?
> **B** No, why?
> **A** You ② didn't? Hmm, ③ that's strange.
> I ④ thought I saw you there at about
> 3 o'clock.
> **B** At 3 o'clock? I ⑤ have been at home.

_____ → _____

10 다음 글의 밑줄 친 부분 중 어법상 어색한 것을 모두 골라 바르게 고쳐 쓰시오.

> I ① am lived in Yeosu since 2006. I ②
> have a lot of good friends here. I ③ knew
> them for a long time. I ④ haven't made
> any new Korean friends recently. These
> days, however, I ⑤ am making a few
> foreign friends on the Internet. It's really
> exciting.

_____

대표유형 01 현재완료 시제의 형태와 쓰임   출제율 45%

11 다음 질문에 알맞은 응답을 쓰시오. (단, 3단어로 쓸 것)

> **A** Have you ever seen the *Star Wars*
> series?
> **B** _____ It was really exciting.

12 다음 대화의 빈칸에 알맞은 말을 쓰시오. (단, 5단어로 쓸 것)

> **A** _____ Bangkok?
> **B** Yes, I have. I went to Bangkok last
> winter.

13 다음 우리말을 7단어로 영작하시오.

> 그녀는 여기에서 20년 동안 일해 왔다.

→ _____

» 실전 Tip 기간 혹은 특정 시점 중 어떤 것이 제시되었는지 확인하고
적절한 전치사를 이용해 영작한다.

14 다음 대화에서 틀린 부분을 한 군데 찾아 바르게 고쳐 쓰시오.

> **A** Have you ever gone to Canada?
> **B** Yes, I've been there twice.

_____ → _____

15 다음 두 문장과 같은 의미가 되도록 괄호 안의 단어를 활용하여 한 문장으로 쓰시오. (단, 현재완료 시제를 사용해 5단어로 쓸 것)

> I read *Matilda* before. I read it again today.

→ _____ (twice)

01 다음 문장의 부정문과 의문문으로 적절한 것을 모두 고르면?

> We have loved each other for a long time.

① We did not love each other for a long time.
② We had not loved each other for a long time.
③ We have not loved each other for a long time.
④ Did we love each other for a long time?
⑤ Have we loved each other for a long time?

02 다음 〈보기〉의 밑줄 친 부분과 쓰임이 같은 문장의 개수는?

> 보기 The train has left the platform.

> • Nick has gone to the library.
> • She has finished the work already.
> • I have never seen such a beautiful sunset.
> • He has been busy since last weekend.
> • The girl has lost her dog at the park.

① 2개   ② 3개   ③ 4개
④ 5개   ⑤ 6개

03 다음 대화의 밑줄 친 부분 중 어법상 틀린 것을 모두 고르면?

> A Have you ever ①eaten at Hot Pizza?
> B Yes, I ②do.
> A When did you ③eaten there?
> B My family ④has eaten there last Friday.
>   How about you?
> A Me? I ⑤have never eaten there.

04 다음 문장의 빈칸에 들어갈 말로 알맞은 것을 〈보기〉에서 골라 쓰시오.

> (A) I went to New York _____ summer.
> (B) Jenny has been in Korea _____ 7 years.
> (C) I stayed here in Gwangju two years _____.
> (D) My sister has had a fever _____ last weekend.

> 보기   ago   for   last   since

05 다음 두 문장을 한 문장으로 바꿔 쓸 때 빈칸에 알맞은 말을 쓰시오.

> She bought this smartphone three years ago. She still uses it.

→ She _____ _____ this smartphone _____ three years.

06 다음 표를 보고, '나'와 '민지'에게 있었던 일을 〈보기〉를 참고하여 쓰시오. (단, 현재완료 시제로 쓸 것)

	I	Minji
visit China	○	×
know Sora for a long time	×	○
finish my / her homework	○	×

> 보기 I have visited China, but Minji has not visited China.

• _____
_____

• _____
_____

최종 선택 QUIZ

어법상 옳은 문장에
✔ 표시하세요.

01
a   I have hear the story many times.

b   I have heard the story many times.

02
a   I don't met Joel this week.

b   I haven't met Joel this week.

03
a   Do you ever watched *Thor*?

b   Have you ever watched *Thor*?

04
a   Have you ever been to Hong Kong? – No, I haven't.

b   Have you ever been to Hong Kong? – No, I didn't.

05
a   My mother has studied Chinese for 4 years.

b   My mother has studied Chinese since 4 years.

06
a   She has not visited Germany.

b   She didn't have visited Germany.

07
a   Paul arrived in Spain an hour ago.

b   Paul has arrived in Spain an hour ago.

08
a   Minsu lived in Suwon since he was born in 2005.

b   Minsu has lived in Suwon since he was born in 2005.

유형 01	조동사의 형태와 의미	35%
유형 02	조동사의 시제와 부정	30%
유형 03	같은 쓰임/다른 쓰임의 조동사	25%
유형 04	통합형	10%

>> 출제 포인트
상황에 맞는 조동사를 찾는 문제는 반드시 출제된다. 여러 쓰임을 갖는 조동사의 의미를 구별하는 문제와 조동사의 부정문을 묻는 문제도 자주 출제된다.

>> 정답률 100% Tip
1 must는 의무나 강한 추측, must not은 금지의 의미를 나타낸다.
2 조동사 뒤에는 항상 동사원형을 쓴다.

Grammar Point

Point ① can, may, will

조동사	쓰임	의미	부정
can	능력·가능	~할 수 있다 (= be able to)	cannot [can't]
	허가	~해도 된다 (= may)	
may	약한 추측	~일지도 모른다	may not
	허가	~해도 된다 (= can)	
will	미래 예측·의지	~할 것이다, 하겠다 (= be going to)	will not [won't]

주의 조동사는 나란히 쓸 수 없다.

Point ② must, should, used to

조동사	쓰임	의미	부정
must	의무	~해야 한다 (= have to)	① must not [mustn't] ② don't have to
	강한 추측	~임이 틀림없다	cf. cannot (~일 리가 없다)
should	의무·충고·조언	~해야 한다/ ~하는 것이 좋다 (= had better)	should not [shouldn't] / had better not
used to	과거의 습관·상태	~ 하곤 했다, ~이었다	
would	과거의 습관	~하곤 했다	

must의 부정은 다음과 같은 의미를 나타낸다.
① must not: ~해서는 안된다 〈강한 금지〉
② don't have to [don't need to/need not]: ~할 필요가 없다
주의 have to나 don't have[need] to, used to 뒤에는 동사원형을 쓴다.

✅ **바로 체크**

01 will = be _____

02 can = be _____

03 have to = _____

04 should = had _____

05 don't have to
= don't _____ to

06 Kate will (can / be able to) swim well.

07 You (don't have to / don't had to) change trains.

08 She doesn't have to (go / goes) to school tomorrow.

09 I (used / had) to get up early, but I get up late these days.

10 You (must not / don't have to) touch anything in this museum.

대표유형 01 조동사의 형태와 의미　　　출제율 35%

01 다음 우리말과 같은 뜻이 되도록 할 때 빈칸에 들어갈 말로 알맞은 것은?

> 그녀는 내일 시험이 있다. 그래서 그녀는 오늘 공부를 열심히 해야 한다.
> → She has a test tomorrow. So she _____ study hard today.

① can　　　② may　　　③ will
④ must　　　⑤ used to

02 다음 문장의 빈칸에 들어갈 말로 가장 알맞은 것은?

> I _____ go to the movies on Sundays, but I don't go anymore.

① should　　② can　　　③ used to
④ have to　　⑤ may

03 다음 두 문장이 같은 뜻이 되도록 빈칸에 알맞은 조동사를 주어진 철자로 시작하여 쓰시오.

> Perhaps the rumor is true.
> = The rumor m_____ be true.

04 다음 대화의 빈칸에 들어갈 말로 가장 알맞은 것은?

> **A** James, it's your turn. You _____ do the dishes.
> **B** I know, I know.
> **A** Stop playing computer games and do the dishes right now!

① can　　　② used to　　③ may
④ will　　　⑤ should

05 다음 〈보기〉에서 알맞은 말을 골라 문장을 완성하시오.

> 보기　　used to　　will　　must　　may

(1) 내가 네 펜을 써도 되겠니?
　　→ _____ I use your pen?
(2) 그는 며칠 후면 집에 올 것이다.
　　→ He _____ be home in a few days.

대표유형 02 조동사의 시제와 부정　　　출제율 30%

06 다음 우리말을 바르게 영작한 것은?

> 이러실 필요는 없어요.

① You must not do this.
② You don't have to do this.
③ You will be able to do this.
④ You can't have to do this.
⑤ You should not do this.

07 다음 문장의 빈칸에 들어갈 말로 가장 알맞은 것은?

> You _____ take an umbrella. It's sunny today.

① must　　　② should　　③ cannot
④ may not　　⑤ don't have to

08 다음 우리말과 뜻이 같도록 빈칸에 알맞은 말을 쓰시오.

> 수업 중에는 휴대 전화를 켜지 말아야 한다.

→ You _____ _____ turn on your cell phone in class.

09 다음 우리말과 뜻이 같도록 영작할 때 밑줄 친 부분을 바르게 고쳐 쓰시오.

> 우리는 여기에서 길을 건너서는 안 된다.
> → We <u>don't have to</u> cross the street here.

→ _____

10 괄호 안에 주어진 우리말을 참고하여 빈칸에 알맞은 말을 쓰시오.

> • I ＿＿＿＿ ＿＿＿＿ ＿＿＿＿ ＿＿＿＿
> go hiking today.
> (나는 오늘 하이킹을 가지 않을 것이다.)
> • You ＿＿＿＿ ＿＿＿＿ ＿＿＿＿ leave
> your bag there.
> (너는 가방을 거기에 두지 않는 게 좋을 거야.)

11 다음 문장 중 어법상 어색한 것은?

① You may not open the door.
② You don't had to turn it on.
③ You must not swim in that river.
④ You should not throw away trash.
⑤ You cannot eat or drink in the exhibition hall.

12 다음 문장 중 어법상 자연스러운 것은?

① Cindy will went to London this winter.
② Cindy will be going to London this winter.
③ Cindy can will go to London this winter.
④ Cindy will can go to London this winter.
⑤ Cindy will be able to go to London this winter.

13 주어진 문장을 미래 시제로 바꿔 쓸 때 빈칸에 알맞은 말을 쓰시오.

> You must study English very hard.
> → You will ＿＿＿＿ ＿＿＿＿ study
> English very hard.

14 다음 우리말과 뜻이 같도록 빈칸에 알맞은 말을 쓰시오.

> Jenny는 내년 여름에 서울에 갈 수 있을 것이다.
> → Jenny will ＿＿＿＿ ＿＿＿＿ ＿＿＿＿
> go to Seoul next summer.

대표유형 03 같은 쓰임 / 다른 쓰임의 조동사　　출제율 25%

15 다음 〈보기〉의 밑줄 친 부분과 쓰임이 같은 것은?

> 보기 May I take your order?

① It may rain.
② May I come in?
③ Your brother may be sleepy.
④ She may be late to the party.
⑤ It may hurt other people's feelings.

16 다음 중 밑줄 친 부분의 쓰임이 나머지 넷과 다른 것은?

① May I open the window?
② You may play soccer here.
③ Ms. Stilton may be in her office.
④ May I use your cell phone for a second?
⑤ You may play computer games for two hours.

17 다음 〈보기〉의 밑줄 친 부분과 쓰임이 다른 것은?

> 보기 Don't you see the sign? We must not park here.

① We must be quiet here.
② You must be kind to your neighbors.
③ We must help each other now.
④ You must not say bad words online.
⑤ Mina is crying. She must be really sad.

[18-19] 다음 문장의 밑줄 친 부분과 바꿔 쓸 수 있는 것을 고르시오.

18

> <u>May</u> I use the computer over there?

① Can   ② Must   ③ Should
④ Do   ⑤ Would

19

> You <u>don't have to</u> go to the library tomorrow.

① must   ② should   ③ must not
④ don't must   ⑤ don't need to

20 다음 문장의 밑줄 친 부분과 뜻이 같은 것은?

> He <u>isn't able to</u> go to his grandmother's house with his family.

① may not   ② cannot   ③ must not
④ will not   ⑤ should not

대표유형 04 통합형   출제율 10%

21 다음 두 문장의 뜻이 같도록 할 때 빈칸에 들어갈 말로 알맞은 것은?

> She must do her homework tonight.
> = She _____ do her homework tonight.

① has   ② would   ③ have to
④ has to   ⑤ will have

22 다음 중 밑줄 친 부분의 쓰임이 <u>어색한</u> 것은?

① My mom <u>would go</u> fishing on Sundays.
② There <u>used to be</u> a big tree there.
③ I <u>couldn't attend</u> the meeting yesterday.
④ You <u>had to clean</u> your room right now.
⑤ We <u>had better</u> be careful on the ice.

23 다음 문장 중 어법상 <u>어색한</u> 것은?

① We had to tidy up the classroom.
② They're not going to go camping.
③ I don't have to go to school today.
④ You had not better open the box.
⑤ You will be a good swimmer someday.

24 다음 Alice의 상황을 보고, 그녀에게 할 수 있는 충고를 완성할 때 빈칸에 들어갈 말로 알맞은 것은?

> Alice is late for school every day.
> → You _____ get up early.

① would   ② must   ③ has to
④ may   ⑤ should not

25 다음 중 밑줄 친 부분이 어법상 <u>어색한</u> 것은?

① She <u>doesn't have to</u> take the medicine anymore.
② They <u>didn't have to</u> take a bus because Mr. Brown picked them up.
③ We <u>has to</u> hand in the homework by tomorrow.
④ I <u>had to</u> study hard yesterday because the math test is today.
⑤ You must do it, but you <u>don't have to</u> do it right now.

대표유형 01, 02 조동사의 형태와 의미/조동사의 시제와 부정   출제율 35%

01 다음 대화의 빈칸에 들어갈 말로 가장 알맞은 것은?

> **A** You look so tired. I think you _____ take vitamins after a meal.
>
> **B** Really? I don't want to take any type of medicine.

① should   ② would   ③ have

④ can   ⑤ may not

02 다음 빈칸에 공통으로 들어갈 말로 알맞은 것은?

> • There _____ be a gym in the building, but now there isn't.
>
> • Minsu _____ read lots of books, but now he just watches video clips.

① can   ② may   ③ would

④ has   ⑤ used to

≫ 실전 Tip 현재와 비교하고 있는 것으로 보아 빈칸이 있는 절은 과거의 일을 나타내고 있음을 알 수 있다.

03 다음 빈칸에 들어갈 말이 바르게 짝지어진 것은?

> • To lose weight, you ___(A)___ change your eating habits.
>
> • I'm not sure, but it ___(B)___ rain before it gets dark.
>
> • Linda ___(C)___ have short hair when she was young.

	(A)	(B)	(C)
①	should	– must	– will
②	should not	– must	– used to
③	should	– may	– used to
④	could	– should	– will
⑤	could not	– should	– used to

04 다음 빈칸에 알맞은 말을 순서대로 짝지은 것은?

> • I was very sick yesterday, so I _____ go to school.
>
> • She has a presentation today, so she _____ practice hard yesterday.

① couldn't – have to   ② should – could

③ shouldn't – could   ④ must – didn't

⑤ couldn't – had to

05 다음 밑줄 친 부분의 우리말 해석이 옳지 <u>않은</u> 것은?

① He <u>cannot be</u> her boyfriend. (~일 리가 없다)

② You <u>must change</u> your ID and password. (바꿔야 한다)

③ Judy <u>had to finish</u> her homework before dinner. (끝내야 했다)

④ We <u>must not waste</u> any more time. (낭비해서는 안 된다)

⑤ You <u>don't have to wear</u> your uniform. (입지 말아야 한다)

대표유형 03 같은 쓰임/다른 쓰임의 조동사   출제율 25%

06 다음 중 밑줄 친 부분의 쓰임이 나머지 넷과 <u>다른</u> 것은?

① You <u>must</u> get up early tomorrow.

② You <u>must</u> keep quiet in the library.

③ It's a fantastic film. You <u>must</u> see it.

④ You don't look well. You <u>must</u> be sick.

⑤ You <u>must</u> clean your room right now.

07 다음 중 밑줄 친 부분의 쓰임이 〈보기〉와 같은 것은?

> 보기   Dad <u>may</u> come home late.

① You <u>may</u> go now.

② <u>May</u> you live long!

③ My favorite month is <u>May</u>.

④ She <u>may</u> not be good at dancing.

⑤ You <u>may</u> use the phone on the table.

08 다음 짝지어진 두 문장의 의미가 같도록 빈칸에 알맞은 말을 쓰시오.

> • Can I speak to Sora?
> = _____ I speak to Sora?
> • You had better read the instructions first.
> = You _____ read the instructions first.
> • He must take a bus there.
> = He _____ _____ take a bus there.

09 주어진 문장과 같은 의미가 되도록 괄호 안의 표현을 이용하여 문장을 완성하시오.

> Don't play computer games too late.
> → You _____ computer games too late. (had better)

≫ 실전 Tip 부정명령문과 같은 의미가 되어야 하므로 조동사의 부정형을 써야 한다.

대표유형 01 조동사의 형태와 의미 출제율 35%

10 다음 그림을 보고, 괄호 안의 단어를 바르게 배열하여 문장을 완성하시오.

The knife is sharp, so _____
_____.
(careful, to, be, you, have)

11 다음 우리말과 같은 뜻이 되도록 괄호 안의 표현을 바르게 배열하여 문장을 완성하시오.

> 그녀는 다시 마라톤을 뛰지 않을지도 모른다.
> (again, may, she, run, not, a marathon)

→ _____

12 다음 우리말과 같은 뜻이 되도록 빈칸에 알맞은 말을 쓰시오.

> He _____ _____ _____ swimming every morning.
> (그는 매일 아침 수영하러 가곤 했다.)

13 괄호 안의 단어를 바르게 배열하여 다음 대화를 완성하시오.

> A I have few friends. What should I do?
> B I think _____.
> (your, open, mind, should, you)

대표유형 04 통합형 출제율 10%

14 다음 중 어법상 옳지 <u>않은</u> 문장을 하나 찾고 바르게 고쳐 문장 전체를 다시 쓰시오.

> • Should I get a haircut?
> • There used to be a park here.
> • You may not enter this building.
> • You will can use the service soon.

→ _____

15 다음 문장에서 어법상 <u>어색한</u> 부분을 찾아 바르게 고쳐 쓰시오.

> Dave doesn't have to seeing a doctor.
> → Dave _____.

대표유형 01, 02 조동사의 형태와 의미/조동사의 시제와 부정　출제율 35%

01 다음 빈칸에 알맞은 말이 순서대로 짝지어진 것은?

> Kate _____ use the computer to do her homework, but she _____.

① could – should
② couldn't – shouldn't
③ had to – could
④ had to – couldn't
⑤ didn't have to – could

02 다음 글의 빈칸에 들어갈 말로 가장 알맞은 것은?

> I think my science teacher _____ know my name yet. So, next time I'm going to introduce myself to her. This way, she'll remember me.

① must
② may not
③ will not
④ had to
⑤ should not

03 다음 빈칸에 공통으로 들어갈 말로 알맞은 것은?

> • You _____ better go home and rest.
> • Amy _____ to stay there for three days.

① may
② would
③ should
④ had
⑤ used

대표유형 04 통합형　출제율 10%

04 다음 글의 빈칸에 공통으로 들어갈 말로 알맞은 것은?

> We _____ see air because it has no color. We _____ smell air because it has no smell. We _____ taste air because it has no taste.

① can
② could
③ couldn't
④ is able to
⑤ are not able to

05 다음 문장 중 어법상 어색한 것은?

① You should not tell a lie.
② She didn't have to buy the pen.
③ He could not play the piano three years ago.
④ I had to catch the first subway yesterday.
⑤ Chris doesn't have to going to the stores because of online shopping.

대표유형 03 같은 쓰임/다른 쓰임의 조동사　출제율 25%

06 다음 빈칸에 들어갈 말로 알맞은 것을 모두 고르면?

> The mother tells the children, "OK, I'll do the laundry. But you _____ do the dishes."

① would
② will
③ have to
④ had to
⑤ should

07 다음 밑줄 친 부분과 바꿔 쓸 수 있는 것을 모두 고르면?

> Many teenagers want to look like famous fashion models, but you don't have to look like them.

① need not
② cannot
③ don't need to
④ are not going to
⑤ should not

08 다음 짝지어진 두 문장의 의미가 같지 않은 것은?

① You don't have to eat this.
  = You should not eat this.
② Can I have one of these cookies?
  = May I have one of these cookies?
③ She must bring her partner to the party.
  = She has to bring her partner to the party.
④ Are you able to speak three languages?
  = Can you speak three languages?
⑤ They used to spend time together.
  = They would spend time together.

09 다음 밑줄 친 부분을 한 단어로 바꿔 문장 전체를 다시 쓰시오.

(1) I am going to have my way.

→ _____

(2) You have to speak English in the class.

→ _____

| 대표유형 01, 02 | 조동사의 형태와 의미 / 조동사의 시제와 부정 | 출제율 35% |

10 다음 우리말과 같은 뜻이 되도록 괄호 안의 표현을 활용하여 영작하시오.

> 너는 신발을 벗을 필요가 없다.
> (have, take off, your shoes)

→ _____

---

11 다음 대화의 빈칸에 알맞은 말을 쓰시오.

> **A** Will you _____ come to the meeting?
> **B** What time does it start?
> **A** At three o'clock.
> **B** I think I can make it.

---

12 다음 〈보기〉에서 알맞은 말을 골라 문장을 완성하시오.

> | 보기 | used to | must not |
> |---|---|---|
> | | would | don't have to |

- You _____ drive without a driver's license.
- My favorite coffee shop _____ be on the corner.

≫ 실전 Tip must not과 don't have to, used to와 would의 차이를 알고 있어야 한다.

신유형

13 다음 상황을 읽고, 민호에게 할 수 있는 충고를 〈보기〉에 주어진 표현을 사용하여 두 가지 쓰시오. (단, should 또는 should not을 이용할 것)

> Minho wants to get a good grade on the exam.

> | 보기 | do your homework / watch TV a lot / listen to the teacher / study harder |

→ You _____.

→ You _____.

| 대표유형 04 | 통합형 | 출제율 10% |

14 주어진 문장을 괄호 안의 표현을 사용하여 바꿔 쓰시오.

(1) There was a small park next to my house, but now it is gone.

→ _____

(used to)

(2) The man could memorize new words easily.

→ _____

(be able to)

---

15 다음 문장에서 어법상 어색한 부분을 찾아 바르게 고쳐 문장을 다시 쓰시오.

> She used to took care of the cats on the street.

→ _____

01 다음 중 우리말을 영어로 바르게 옮기지 못한 것을 모두 고르면?

① 너는 손을 씻는 것이 좋겠다.

→ You are going to wash your hands.

② 그들은 중국어로 노래할 수 있다.

→ They are able to sing in Chinese.

③ Susan은 12시에 점심을 먹곤 했다.

→ Susan would have lunch at twelve.

④ 너는 밤에 피아노를 치지 말아야 한다.

→ You must not play the piano at night.

⑤ Jack이 콘테스트의 우승자일 리가 없다.

→ Jack should not be the winner of the contest.

02 다음 〈보기〉의 밑줄 친 부분과 쓰임이 같은 문장의 개수는?

| 보기 | He <u>must</u> be angry to say so. |

- Ted is fat. He <u>must</u> exercise more.
- It's already 10 o'clock. I <u>must</u> go now.
- She won first prize. She <u>must</u> be happy.
- The traffic light is red. You <u>must</u> stop here.

① 없음　　　② 1개　　　③ 2개
④ 3개　　　⑤ 4개

03 다음 중 어법상 어색한 문장을 모두 고른 것은?

ⓐ Amy used to speak softly.
ⓑ Alex don't have to call her.
ⓒ She is able to speak Japanese.
ⓓ He must come back by 5 o'clock.
ⓔ They had to looked after their children.

① ⓐ, ⓑ　　② ⓑ, ⓒ　　③ ⓑ, ⓔ
④ ⓒ, ⓓ　　⑤ ⓓ, ⓔ

04 다음 〈보기〉에 주어진 표현을 이용하여 수업 시간에 지켜야 할 규칙에 관한 문장을 네 개 만드시오.

| 보기 | eat snacks　　　use cell phones
bring textbooks　　listen carefully |

[조건] **1.** should 또는 should not을 사용할 것

　　　2. 주어는 we로 할 것

- _____
- _____
- _____
- _____

05 다음 표를 보고 주어진 상황의 가능성을 묻는 문장을 〈보기〉처럼 완성하시오.

Name	Situation
Mina	will come to the party
Bom	make some cookies
Seonho	will take my advice
Eunji	carry the bag

| 보기 | Will Mina be able to come to the party? |

(1) _____

(2) _____

(3) _____

06 다음 대화의 밑줄 친 우리말을 괄호 안의 표현을 사용하여 영작하시오.

A Did you hear the weather report? (1)<u>내일 비가 많이 올 거야.</u>

B I heard it too, but it may be fine in the afternoon. (2)<u>우리가 소풍을 취소할 필요는 없어.</u>

A I hope so.

(1) _____

　　(rain heavily)

(2) _____

　　(cancel the picnic)

01
a I have to get up early yesterday.

b I had to get up early yesterday.

02
a You don't must come home early.

b You don't have to come home early.

03
a She will can arrive here tomorrow.

b She will be able to arrive here tomorrow.

04
a He is absent today. He may be sick.

b He is absent today. He will be sick.

05
a Why does Tom has to leave soon?

b Why does Tom have to leave soon?

06
a You had better not watch TV too late.

b You had not better watch TV too late.

07
a When I was young, I used sing the song.

b When I was young, I used to sing the song.

08
a You must not send text messages in class.

b You must not sent text messages in class.

유형별 기출 적용 빈도

유형 O1 to부정사의 명사적 용법 ▓▓▓▓▓▓ 30%

유형 O2 to부정사의 부정 ▓▓ 10%

유형 O3 의문사＋to부정사 ▓▓▓▓▓ 25%

유형 O4 가주어와 진주어 ▓▓▓▓ 20%

유형 O5 to부정사의 의미상 주어 ▓▓▓ 15%

》》 출제 포인트

to부정사의 쓰임이 같은 것 또는 다른 것을 묻는 문제는 항상 출제된다. '의문사＋to부정사' 유형에서는 알맞은 의문사를 고르는 문제와 should가 포함된 절로 바꿔 쓰는 문제가 자주 출제된다.

》》 정답률 100% Tip

1 to부정사가 주어로 쓰일 때에는 보통 주어 자리에 가주어 It을 쓰고 to부정사를 뒤에 쓴다.

2 to부정사의 의미상 주어를 나타낼 때 사람의 성격을 나타내는 형용사 뒤에는 전치사 of를 쓴다.

Grammar Point

Point ① to부정사의 명사적 용법

to부정사는 「to＋동사원형」으로 쓰며, 명사처럼 문장의 주어, 보어, 목적어 역할을 할 수 있다. '~하는 것, ~하기'라고 해석한다.

• To wash your hands often is important for your health. 〈주어〉

• Her hobby is to fly a drone. 〈보어〉

• I decided to learn Chinese. 〈목적어〉

Point ② to부정사의 부정

to부정사의 부정은 to부정사 앞에 not[never]를 써서 나타낸다.

• Jake promised not to be late. He will return by 8 p.m.

Point ③ 의문사＋to부정사

「의문사＋to부정사」는 명사 역할을 하며 「의문사＋주어＋should＋동사원형」으로 바꿔 쓸 수 있다. 단, 「why＋to부정사」는 쓰지 않는다.

• I don't know how to make it. (= I don't know how I should make it.)

Point ④ 가주어와 진주어

to부정사가 주어로 쓰일 때 보통 주어 자리에 가주어 It을 쓰고, to부정사(구)는 뒤에 쓴다.

• To drink enough water is not easy.

  → It is not easy to drink enough water.

Point ⑤ to부정사의 의미상 주어

to부정사의 행위자를 따로 밝혀야 할 때 to부정사 앞에 「for/of＋목적격」 형태의 의미상 주어를 쓴다.

• It is dangerous for him to go out.

• It is kind of you to show me the way. (성격을 나타내는 형용사 뒤에 of)

✓ **바로 체크**

01 Her dream is to (write / writes) beautiful songs.

02 I want (dance / to dance) now.

03 They decided (not to eat / to not eat) fast food.

04 (Help / To help) people is my role.

05 Can you tell me (how / why) to get a refund?

06 Let's talk about when (to / should) go.

07 Choose (who / what) to wear to the party.

08 (It / This) is impossible to cure the disease.

09 It is difficult (for / of) me to make decisions.

10 It is foolish (for / of) him to lie to the teacher.

대표유형 01   to부정사의 명사적 용법   출제율 30%

01 다음 괄호 안에 주어진 단어의 형태로 알맞은 것은?

> **A** You should try (use) less water.
> **B** I'll keep that in mind.

① a use   ② use   ③ used
④ to use   ⑤ to using

02 다음 중 밑줄 친 부분의 쓰임이 나머지 넷과 다른 것은?

① You like to write stories.
② She is special to me.
③ To see is to believe.
④ His dream is to be a scientist.
⑤ I want to be a soccer player in the future.

03 다음 문장의 빈칸에 들어갈 말로 어색한 것은?

> I _____ to be in the same class with you again.

① want   ② happy   ③ hope
④ like   ⑤ love

04 다음 대화의 빈칸에 알맞은 말을 순서대로 짝지은 것은?

> **A** What do you want _____ tonight?
> **B** I want to go out for dinner.
> **A** What would you like _____?
> **B** I want to eat *bulgogi*.

① do − eat   ② to do − to eat
③ done − eating   ④ to do − eats
⑤ do − to eat

05 괄호 안의 표현을 바르게 배열하여 대화를 완성하시오.

> **A** Do you want to catch shrimp?
> **B** Yes, I do. _____ some, but it wasn't easy. (tried, I, catch, to)
> **A** I can tell you how to catch them.
> **B** That sounds great!

06 다음 중 밑줄 친 부분이 어법상 올바른 것은?

① I like play board games.
② Tony wants to eat an apple.
③ He began to washes the car.
④ Jisu wanted to saw koalas.
⑤ We need use less energy.

대표유형 02   to부정사의 부정   출제율 10%

07 다음 중 not이 들어갈 위치로 알맞은 것은?

> Chris ① did ② his best ③ to forget ④ the important words ⑤.

08 다음 우리말과 일치하도록 괄호 안의 단어를 알맞게 배열하여 문장을 완성하시오.

> 그녀는 지각하지 않기로 약속했다.
> → She promised _____.
> (to, late, be, not)

09 다음 문장에서 어법상 <u>어색한</u> 부분을 찾아 바르게 고쳐 쓰시오.

> Mom decided to not go on a picnic.

_____ → _____

10 다음 문장의 알맞은 곳에 not을 넣어 다시 쓰시오.

> I hope to disturb you with my questions.

→ _____

11 다음 우리말과 뜻이 같도록 할 때 빈칸에 들어갈 말로 알맞은 것은?

> 나는 무엇을 사야 할지 모르겠다.
> → I don't know _____ to buy.

① who ② what ③ where
④ how ⑤ when

12 다음 우리말과 일치하도록 빈칸에 알맞은 말을 쓰시오.

> 그 아이는 어디로 가야 할지 몰랐다.
> → The child didn't know _____ to go.

13 다음 두 문장의 뜻이 같도록 할 때 빈칸에 알맞은 말을 쓰시오.

> The teacher was thinking about how she should explain the theory.
> = The teacher was thinking about _____ _____ explain the theory.

14 다음 우리말과 뜻이 같도록 할 때 빈칸에 들어갈 말로 알맞은 것은?

> 공기를 깨끗하게 유지하는 것은 중요하다.
> → It is important _____ the air clean.

① keep ② kept ③ keeps
④ to keep ⑤ to keeping

15 다음 우리말과 일치하도록 빈칸에 알맞은 말을 쓰시오.

> 최선을 다하는 것은 바람직하다.
> → _____ is desirable to do your best.

16 괄호 안의 단어를 알맞은 형태로 바꿔 문장을 완성하시오.

> It is not easy _____ _____ English. (speak)

17 다음 문장의 밑줄 친 부분 중 어법상 <u>어색한</u> 것은?

> This is <u>difficult</u> <u>to do</u> <u>two</u> <u>things</u> at the <u>same</u>
> ① ② ③ ④ ⑤
> time.

18 다음 중 어법상 자연스러운 것은?

① It is cruel to hit animals.

② That is good to be quiet in class.

③ It is fun to reads comic books.

④ It is wrong to cheating in the exam.

⑤ It is useful to memorized phone numbers.

19 다음 중 어법상 <u>어색한</u> 것은?

① It is bad to tell a lie.

② It is sad to lose the game.

③ That is useless to send him a letter.

④ It is good to share thoughts with others.

⑤ Is it necessary to tell everything to your parents?

20 다음 중 밑줄 친 <u>It</u>의 쓰임이 〈보기〉와 같은 것은?

> 보기 It is not easy to make new friends.

① It is my diary.

② It's Saturday today.

③ It is four miles from here.

④ It was needless to say such a thing.

⑤ It was getting dark.

대표유형 05 | to부정사의 의미상 주어   출제율 15%

21 다음 우리말과 뜻이 같도록 할 때 빈칸에 들어갈 말로 알맞은 것은?

> 그 다이아몬드 반지는 내가 사기에는 너무 비싸다.
> → The diamond ring is too expensive _____ to buy.

① of me   ② for me   ③ of my

④ for my   ⑤ to me

22 다음 우리말과 일치하도록 빈칸에 알맞은 말을 한 단어로 쓰시오.

> 그의 앞에서 그렇게 행동하다니 너는 정말 어리석었다.
> → It was foolish _____ you to behave like that in front of him.

23 다음 문장의 빈칸에 들어갈 말로 알맞은 것은?

> It was _____ for me to study with you.

① helpful   ② kind   ③ foolish

④ cruel   ⑤ generous

24 다음 문장의 밑줄 친 부분 중 어법상 <u>어색한</u> 것은?

> It is not difficult to them to help the children.
> ①②   ③   ④   ⑤

25 다음 문장의 빈칸에 들어갈 말로 알맞은 것은?

> It was very rude _____ you to ignore your teacher's advice.

① in   ② of   ③ for

④ to   ⑤ at

대표유형 01 to부정사의 명사적 용법 　출제율 30%

01 다음 밑줄 친 부분과 쓰임이 같은 것을 <u>모두</u> 고르면?

> **A** What are your plans for this weekend?
> **B** My plan is <u>to go</u> to the ball park.

① He wants something <u>to drink</u>.
② I don't have a book <u>to read</u>.
③ She often goes <u>to the movies</u>.
④ John hopes <u>to visit</u> Korea soon.
⑤ <u>To play</u> computer games is her hobby.

02 다음 밑줄 친 부분의 쓰임이 나머지 넷과 <u>다른</u> 것은?

① <u>To see</u> is to believe.
② I like <u>to study</u> math.
③ Do you want <u>to eat</u> something?
④ I hope <u>to see</u> you tomorrow.
⑤ Do you need <u>to complain</u> about it?

〔통합형〕
03 다음 중 두 문장의 뜻이 <u>다른</u> 것은?

① It's fun to take a walk with my dog.
　= To take a walk with my dog is fun.
② It's not easy to read in French.
　= To read in French is not easy.
③ I want to make a friend like him.
　= He wants to be my friend.
④ To make a model airplane is my hobby.
　= My hobby is to make a model airplane.
⑤ I'd like to see the movie.
　= I want to see the movie.

대표유형 02 to부정사의 부정 　출제율 10%

04 다음 중 어법상 올바른 문장은?

① She struggled not to crying.
② He brought a map to get not lost.
③ We tried to don't fail the exam.
④ He pretended not to understand me.
⑤ The thief ran to not be caught.

05 다음 우리말을 바르게 영작한 것은?

> 나는 그들에게 떠들지 말라고 부탁했다.

① I asked them to make noise.
② I asked them to make not noise.
③ I asked them not to make noise.
④ I didn't ask them to make noise.
⑤ I didn't ask them not to make noise.

대표유형 04, 05 가주어와 진주어 / to부정사의 의미상 주어 　출제율 20%

06 다음 빈칸에 알맞은 말이 바르게 짝지어진 것은?

> _____ is exciting _____ play computer games.

① It − for　　② It − to　　③ This − of
④ This − to　　⑤ That − of

07 다음 중 밑줄 친 It의 쓰임이 같은 것끼리 짝지어진 것은?

> ⓐ <u>It</u> is fine today.
> ⓑ <u>It</u> rains a lot in July.
> ⓒ <u>It</u> is winter now.
> ⓓ <u>It</u> is good to help others.
> ⓔ <u>It</u> is boring to stay indoors.

① ⓐ / ⓑ, ⓒ, ⓓ, ⓔ　　② ⓐ, ⓑ / ⓒ, ⓓ, ⓔ
③ ⓐ, ⓑ, ⓒ / ⓓ, ⓔ　　④ ⓐ, ⓓ, ⓔ / ⓑ, ⓒ
⑤ ⓐ, ⓔ / ⓑ, ⓒ, ⓓ

08 다음 빈칸에 들어갈 말이 나머지 넷과 <u>다른</u> 것은?

① It is important _____ you to study.
② It is hard _____ me to understand you.
③ It was careless _____ you to say so.
④ It is not easy _____ him to express his emotions.
⑤ It is dangerous _____ kids to skate here.

》》 실전 Tip to부정사의 의미상 주어 앞에 오는 형용사의 성격에 주의한다.

대표유형 03 의문사 + to부정사 출제율 25%

09 다음 문장에서 어법상 어색한 부분을 찾아 바르게 고쳐 쓰시오.

> Can you tell me which for choose among the three books?

_____ → _____

10 다음 우리말의 밑줄 친 부분에 해당하는 표현을 괄호 안의 동사를 이용하여 세 단어로 쓰시오.

> Cathy는 내게 이 문제 <u>푸는 방법을</u> 가르쳐 주었다.
> → Cathy taught me _____
> this problem. (solve)

11 다음 두 문장의 뜻이 같도록 빈칸에 알맞은 말을 쓰시오. (단, 조동사 should를 사용할 것)

> I will ask him where to visit in Jeju.
> = I will ask him where _____.

대표유형 04, 05 가주어와 진주어 / to부정사의 의미상 주어 출제율 20%

12 주어진 우리말과 같도록 괄호 안의 말을 바르게 배열하여 문장을 완성하시오.

> 영어로 일기를 쓰는 것은 좋다.
> (keep, good, is, a diary, to, in English, it)

→ _____

13 주어진 우리말과 같도록 빈칸에 알맞은 말을 쓰시오.

> 그가 일찍 일어나는 것은 정말 쉽다.
> → It's very easy _____ _____ to get up early.

≫ 실전 Tip to부정사의 행위자, 즉 의미상 주어를 나타내는 방법을 생각한다.

14 다음 중 어법상 <u>어색한</u> 문장을 골라 기호를 쓰고, 문장을 바르게 고쳐 다시 쓰시오.

> ⓐ It is impossible of him to do that.
> ⓑ It was difficult for him to tell me the truth.
> ⓒ Is it good for her to study all day long?

_____ , _____

15 다음 문장에서 어법상 <u>어색한</u> 부분을 찾아 바르게 고쳐 문장을 다시 쓰시오.

> It was foolish for she to make the same mistake again.

→ _____

대표유형 01, 02 to부정사의 명사적 용법/to부정사의 부정 출제율 30%

01 다음 대화의 밑줄 친 부분 중 어법상 <u>어색한</u> 것은?

> A What are you going ① <u>to bring</u> for the flea market?
> B I'm going ② <u>to bring</u> some old caps.
> A Do you want ③ <u>exchange</u> them ④ <u>for</u> something?
> B No. I'll ⑤ <u>sell them</u> at very low prices.

02 다음 중 밑줄 친 부분의 쓰임이 〈보기〉와 같은 것을 <u>모두</u> 고르면?

> 보기 <u>To play</u> the violin is his hobby.

① I like <u>to play</u> badminton.
② They began <u>to play</u> soccer.
③ <u>To be</u> a model is my dream.
④ It is not easy <u>to study</u> abroad.
⑤ She decided not <u>to wear</u> the dress.

통합형

03 다음 중 어법상 자연스러운 것은?

① Ms. Daisy likes to grew colorful flowers.
② Jake hopes not to sees his boss again.
③ I'm planning not to eat junk food.
④ Why do I need attend the meeting?
⑤ Everyone wanted to taking a picture of the actor.

대표유형 03 의문사+to부정사 출제율 25%

04 다음 문장의 빈칸에 들어갈 수 <u>없는</u> 것은?

> We have to decide _____.

① how to make it   ② where to stay
③ what to sell   ④ why to accept it
⑤ when to start

05 다음 두 문장의 뜻이 같도록 할 때 빈칸에 알맞은 것은?

> The man didn't know where to put it.
> = The man didn't know _____.

① where he puts it
② where he will put it
③ where will he put it
④ where he should put it
⑤ where should he put it

대표유형 04, 05 가주어와 진주어/to부정사의 의미상 주어 출제율 20%

06 다음 중 밑줄 친 It의 쓰임이 〈보기〉와 <u>다른</u> 것을 <u>모두</u> 고르면?

> 보기 <u>It</u> is important to know safe ways to pay the bills on the Internet.

① <u>It</u> is desirable to be honest.
② <u>It</u> is cool in the evening in October.
③ <u>It</u>'s not difficult to play the piano.
④ <u>It</u> is very heavy, so I can't lift it.
⑤ <u>It</u> is disappointing news to everyone.

07 다음 중 어법상 올바른 문장을 <u>모두</u> 고르면?

① It is hard for she to find the building.
② It's good to having friends to help you.
③ It is very nice of you to visit my house.
④ It was rude for him to shout at his parents.
⑤ It's bad for you to stay up late at night.

08 다음 중 어법상 <u>어색한</u> 문장을 <u>모두</u> 고르면?

① It is unusual of me to travel alone.
② It was stupid for him to believe her.
③ It is easy for me to handle the device.
④ It's necessary of her to leave here soon.
⑤ It was difficult for me to answer the question.

09 다음 대화의 내용과 같도록 문장을 완성하시오.

> **Jane** This river is beautiful. I want to swim here.
> **Mom** No way. It is dangerous to swim in any river.
> **Jane** Okay. I won't.

→ Jane promised _____ .

10 다음 문장에서 어법상 <u>어색한</u> 부분을 찾아 바르게 고쳐 쓰시오.

> It was hard for me to not to think of negative effects of the accident.

_____ → _____

11 다음 우리말과 일치하도록 빈칸에 알맞은 말을 세 단어로 쓰시오.

> 누구를 초대하는지는 내게 중요하다.
> → _____ is important to me.

12 주어진 문장을 〈보기〉와 같이 바꿔 쓰시오.

> 보기 Some students don't know what to do before the exam.
> → Some students don't know what they should do before the exam.

> If you want to travel, you have to choose where to go and when to start.

→ _____
_____

13 다음 우리말과 일치하도록 빈칸에 알맞은 말을 쓰시오.

> 그가 숙제를 먼저 한 것은 현명했다.
> → It was wise _____
> first.

≫ 실전 Tip 주어 It의 성격을 먼저 파악한다. 우리말로 보아 It은 의미가 없는 가주어이다.

14 다음 대화의 내용과 일치하도록 주어진 문장의 빈칸에 알맞은 말을 쓰시오.

> **A** John wasted all his money buying unnecessary things.
> **B** How stupid!

→ It was stupid _____ John _____
_____ all his money buying unnecessary things.

≫ 실전 Tip 형용사 stupid는 John의 성격을 나타낸다.

15 다음 주어진 조건에 맞게 우리말을 영작하시오.

> 그가 화내는 것은 당연하다.

[조건] 1. 8개의 단어로 쓸 것
2. natural, get angry를 포함할 것

→ _____

01 다음 글을 읽고, 빈칸에 가장 알맞은 말을 고르시오.

(1)

> Dongjun's soccer team members are going to have a soccer match this Sunday. So they _____ every day this week.

① don't to practice   ② plan to practice
③ should to practice   ④ practice to plan
⑤ want to not practice

(2)

> Jina had a terrible stomachache after she had two cups of ice cream at a time. She decided _____ much cold food.

① eating   ② to eat
③ how to eat   ④ not to eat
⑤ for her to eat

02 다음 중 어법상 올바른 문장의 개수는?

> ⓐ It is wise of her to admit her mistake.
> ⓑ The girl's hobby is to visits museums.
> ⓒ Nobody was sure about when to leave.
> ⓓ It is very important keep one's word.
> ⓔ I tried hard not to make him angry.
> ⓕ Do you want to have some pizza?

① 2개   ② 3개   ③ 4개
④ 5개   ⑤ 6개

03 다음 우리말과 같도록 주어진 단어를 이용하여 빈칸에 알맞은 말을 쓰시오.

> 내 부모님은 내가 교사가 되기를 원하셨지만, 나는 조종사가 되고 싶었다. (want, a pilot)

→ My parents wanted me to be a teacher, but

_____.

04 다음 우리말과 일치하도록 빈칸에 알맞은 말을 각각 세 단어로 쓰시오.

> 새 친구를 사귀는 데에 있어, 무엇을 말하는지보다는 무언가를 어떻게 말하는지가 더 중요할 수 있다.

→ In making new friends, _____ something may be more important than

_____.

05 〈보기〉의 단어 중 알맞은 것을 이용하여 우리말을 영작하시오. (단, to부정사를 포함할 것)

> 보기   necessary   decide   the deep pool
> the bicycle   hope   dangerous

(1) 네가 깊은 풀장에서 수영하는 것은 위험할 수 있다.
   → It can _____.

(2) 너는 왜 그 자전거를 사지 않기로 결정했니?
   → Why _____?

06 다음 문장과 같은 뜻이 되도록 빈칸에 알맞은 말을 쓰시오. (단, should를 사용할 것)

> The woman didn't know where to ask for help.

→ The woman _____

_____.

01
a Sora is planning visit New York this summer.

b Sora is planning to visit New York this summer.

02
a His dream is becomes a popular singer.

b His dream is to become a popular singer.

03
a Emily told me to not touch anything.

b Emily told me not to touch anything.

04
a The writer hasn't yet decided what to write.

b The writer hasn't yet decided why to write.

05
a Please tell me when I should depart.

b Please tell me when I to depart.

06
a It is important to exercise regularly.

b This is important to exercise regularly.

07
a It is impossible for them to finish the project in time.

b It is impossible of them to finish the project in time.

08
a It was wise for you to accept her advice.

b It was wise of you to accept her advice.

유형별 기출 적용 빈도

유형 01 to부정사의 형용사적 용법   15%
유형 02 to부정사의 부사적 용법   25%
유형 03 to부정사의 쓰임 구별하기   40%
유형 04 too ~ to, enough to   20%

>> 출제 포인트
to부정사의 쓰임을 구별하는 문제는 항상 출제된다.
또한 「too ~ to」와 「enough to」가 사용된 구문은
「so ~ that ...」 구문으로 바꿔 쓸 수 있어야 한다.

>> 정답률 100% Tip
1 to부정사가 형용사적 용법으로 쓰였을 때 앞의
  명사와의 관계에 유의한다.
2 「too ~ to」 구문은 부정의 뜻을 포함하고 있다.

Grammar Point

Point 1 to부정사의 형용사적 용법

to부정사가 형용사처럼 (대)명사를 뒤에서 꾸미는 역할을 하는 것으로, '~하는'
또는 '~할'이라고 해석한다.

• We don't have bread to eat for breakfast.

주의 to부정사가 꾸미는 명사가 to부정사에 이어지는 전치사의 목적어일 때에
는 반드시 전치사를 쓰고, -thing, -one, -body로 끝나는 대명사가 형용
사의 수식을 받을 때에는 「대명사＋형용사＋to부정사」로 쓴다.

• The guests wanted some chairs to sit on.
• Can I have something hot to drink?

Point 2 to부정사의 부사적 용법

to부정사는 부사처럼 동사, 형용사, 다른 부사를 꾸밀 수 있다. 이때 to부정사
는 목적, 감정의 원인, 판단의 근거, 결과 등 다양한 의미를 나타낸다.

• To win the match, the players practiced every day. 〈목적〉
• They must be stupid to say so. 〈판단의 근거〉

Point 3 to부정사의 쓰임 구별

to부정사가 문장에서 어떤 역할을 하는지는 맥락을 통해 구분한다.

• She went into the kitchen to drink some water. 〈부사 역할〉
• Give the child cold water to drink. 〈형용사 역할〉

Point 4 too ~ to, enough to

① 「too ~ to부정사」 = 「so ~ that ... can't」: …하기에 너무 ~한/하게
② 「enough＋to부정사」 = 「so ~ that ... can」: …할 만큼 충분히 ~한/하게

• Greg was too nervous to sleep.
  → Greg was so nervous that he could not sleep.

✅ 바로 체크

01 Jack went out (meet / to meet) his girlfriend.

02 He felt sorry (heard / to hear) the news.

03 French is (difficult to learn / to learn difficult).

04 I will buy a jacket (wearing / to wear) indoors.

05 We are looking for an apartment to (live / live in).

06 She was (enough hungry / hungry enough) to eat three hamburgers.

07 The suitcase is too heavy for Julie (to move / not to move).

08 Judy is so smart that she (can / can't) memorize 50 words at a time.

09 My brother is so young that he (can / cannot) watch the movie.

10 The dog was so happy (find / to find) something (eating / to eat).

대표유형 01 to부정사의 형용사적 용법 　　　출제율 15%

01 주어진 우리말과 같도록 할 때 빈칸에 들어갈 말로 알맞은 것은?

> 나는 그녀에게 줄 모형 비행기를 만들었다.
> → I made a model airplane _____ her.

① give ② gave ③ giving
④ gives ⑤ to give

02 괄호 안의 단어를 빈칸에 알맞은 형태로 바꿔 쓰시오.

> He has a lot of work _____ today. (do)

03 다음 중 빈칸에 to를 넣을 수 있는 것은?

① It's time _____ food.
② It's time _____ play.
③ It's time _____ books.
④ It's time _____ dinner.
⑤ It's time _____ homework.

04 주어진 우리말과 같은 뜻이 되도록 괄호 안의 단어를 바르게 배열하여 문장을 완성하시오.

> 너는 매운 음식을 요리할 수 있니?
> → Can you cook _____ ?
> 　　　　　　(spicy, to, eat, something)

05 다음 중 밑줄 친 부분이 어법상 바른 것은?

① We have a mission to completed.
② She has a science homework to do.
③ Daniel has many friends to helping him.
④ We talked with him about items for sell.
⑤ I haven't met anyone to listening to me.

06 다음 중 빈칸에 들어갈 단어가 나머지 넷과 다른 것은?

① It's your turn _____ speak.
② I have ten boxes _____ carry.
③ This is a present _____ you.
④ This is a beautiful sight _____ see.
⑤ This city is an interesting place _____ visit.

07 다음 문장의 밑줄 친 부분 중 어법상 어색한 것을 찾아 번호를 쓰고 바르게 고치시오.

> Please give me a chair to sit.
> 　　①　②　③　④⑤

번호: _____ , _____

대표유형 02 to부정사의 부사적 용법 　　　출제율 25%

08 다음 대화의 빈칸에 들어갈 말로 알맞은 것은?

> **A** Why did he go to Busan?
> **B** He went there _____ his uncle.

① visit ② visited ③ visiting
④ to visit ⑤ to visiting

09 다음 대화의 빈칸에 공통으로 들어갈 단어를 쓰시오.

> **A** Why do you study English?
> **B** I study English _____ talk with people from other countries and _____ travel abroad.

10 다음 문장의 밑줄 친 부분 중 어법상 어색한 것은?

> The detective will gather information
> ①　　　　　　②
> to finding out about the dumped car.
> ③　　　④　　　　⑤

11 다음 우리말과 일치하도록 괄호 안의 단어를 이용하여 빈칸에 알맞은 말을 쓰시오.

> Amy는 자전거를 타려고 공원에 갔다.
> → Amy went to the park to _____ her
> bike. (ride)

12 다음 우리말과 일치하도록 괄호 안에 주어진 단어를 바르게 배열하여 문장을 완성하시오.

> 나는 회의에 참석하기 위해 지금 떠날 것이다.
> → I'm leaving now _____.
> 　　　　　　　(meeting, the, to, attend)

13 다음 중 밑줄 친 부분이 어법상 어색한 것은?

① It's nice to see you.
② She studied hard to get good grades.
③ It is easy to clean the house.
④ He went to the mall to buying some flowers.
⑤ This poem is difficult to understand.

14 다음 두 문장을 〈보기〉와 같이 한 문장으로 만드시오.

> | 보기 | I went to the store. |
> |---|---|
>
> 보기　I went to the store.
> 　　　+ I wanted to buy a jacket.
> 　　　→ I went to the store to buy a jacket.

I went to the park.
+ I wanted to play tennis.
→ I went to the park _____ tennis.

15 다음 중 밑줄 친 부분의 쓰임이 〈보기〉와 같은 것은?

> 보기　She went to the bakery to buy some
> 　　　cookies.

① Our mission is to grow plants.
② The queen lived to be one hundred.
③ She will save money to buy a bag.
④ There is a lot of work to do in space.
⑤ I decided to go to France with her.

[16-17] 다음 중 밑줄 친 부분의 쓰임이 나머지 넷과 다른 것을 고르시오.

16 ① It's time to leave for home.
② Kate has few friends to talk with.
③ Jim needs a house to live in.
④ There is little water to drink in the bottle.
⑤ Her dream is to travel around the world.

17 ① He used the computer to do his homework.
② I went to the supermarket to buy some apples.
③ I'm going to the zoo to see an elephant.
④ They turned on the TV to watch the hockey game.
⑤ She wanted to win first prize in the English speech contest.

18 다음 빈칸에 공통으로 알맞은 말을 쓰시오.

> Mr. Brown tried hard _____ get a driver's license. Finally, he got it. But he didn't have a car _____ drive.

19 다음 밑줄 친 부분의 알맞은 형태가 순서대로 짝지어진 것은?

> • He called me <u>borrow</u> some books.
> • My dream is <u>become</u> a great designer.

① borrow − become
② borrowing − to became
③ borrowed − becoming
④ to borrow − to become
⑤ to borrow − became

20 다음 우리말과 일치하도록 빈칸에 알맞은 말을 순서대로 짝지은 것은?

> 우리는 그 일을 하기에 너무 피곤했다.
> → We were _____ tired _____ do the work.

① so − to
② too − to
③ enough − to
④ so − that
⑤ too − that

21 주어진 우리말과 같은 뜻이 되도록 빈칸에 알맞은 말을 쓰시오.

> 너는 그 일에 지원하기에는 너무 어리다.
> → You are _____ young to apply for the job.

22 다음 문장에서 enough가 들어가기에 알맞은 곳은?

> The apple ① is ② clean ③ to ④ eat ⑤ without washing it.

23 다음 두 문장의 빈칸에 알맞은 말이 순서대로 짝지어진 것은?

> • Dongmin is _____ small to ride the roller coaster.
> • Sarah is wise _____ to give me useful advice.

① too − too
② enough − enough
③ so − enough
④ too − so
⑤ too − enough

24 다음 두 문장의 뜻이 일치하도록 할 때 빈칸에 들어갈 말로 알맞은 것은?

> These pants are too long for me to wear.
> = These pants are so long that _____.

① I can wear them
② I can't wear it
③ I can't wear them
④ I could wear them
⑤ I couldn't wear it

25 다음 우리말과 같은 뜻이 되도록 괄호 안에 주어진 말을 바르게 배열하여 문장을 완성하시오.

> 그녀는 그 문제를 풀 정도로 충분히 영리하다.
> → She _____ the problem.
>   (solve, enough, is, to, smart)

대표유형 01, 02 | to부정사의 형용사적/부사적 용법 | 출제율 25%

01 다음 대화를 요약한 문장의 빈칸에 들어갈 말로 알맞은 것은?

> **Sora** Let's go shopping.
> **Tom** Okay. What do you want to buy?
> **Sora** I need a new backpack.

> → Sora and Tom will go shopping _____ a new backpack.

① buy   ② bought   ③ buying
④ to buy   ⑤ to buying

02 다음 문장의 빈칸에 to를 쓸 수 없는 것은?

① It's time _____ class.
② Give me something _____ drink.
③ She has no friend _____ help her.
④ I need some money _____ buy bread.
⑤ What is the best way _____ learn foreign languages?

03 다음 대화의 괄호 안의 말을 바르게 배열한 것은?

> **A** Good afternoon. Where are you going?
> **B** My mom's birthday is coming soon. So I'm going to the department store to buy (her, a present, give, to).

① a present to give her
② a present give to her
③ to give her a present
④ to give a present her
⑤ give a present to her

04 다음 문장 중 어법상 어색한 것은?

① They had no food to eat at home.
② We need somebody to fix this computer.
③ Can you give me a pen to write with?
④ There is no one to welcome you here.
⑤ Is there to sit on a chair in this room?

대표유형 03 | to부정사의 쓰임 구별하기 | 출제율 40%

05 다음 중 밑줄 친 부분의 쓰임이 〈보기〉와 같은 것은?

> 보기 Do you know a simple way to solve it?

① The boy grew up to be a doctor.
② I want to stay here for a month.
③ I have something to tell you in private.
④ We go to school to learn many subjects.
⑤ My dream is to become a soccer player.

06 다음 중 밑줄 친 부분의 쓰임이 나머지 넷과 다른 것은?

① He opened the box to look for the cap.
② I don't have time to watch television.
③ John used the Internet to write a report.
④ Sujin will go to the airport to see Amy.
⑤ We went to the amusement park to ride a roller coaster.

≫ 실전 Tip 명사 뒤에 오는 to부정사의 용법은 해석으로 구별해야 한다.

07 다음 중 밑줄 친 부분의 쓰임이 〈보기〉와 다른 것은?

> 보기 I have a lot of questions to ask.

① Sora turned on the light to read a book.
② I want a warm jacket to wear at the camp.
③ It is time to prepare dinner for family.
④ We bought something to eat on the train.
⑤ I have many things to talk about.

대표유형 01, 02 to부정사의 형용사적/부사적 용법   출제율 25%

08 다음 우리말과 같은 뜻이 되도록 괄호 안의 표현을 이용하여 영작하시오.

> 내 삼촌은 일자리를 얻어서 기뻐하셨다.
> (glad, get a job)

→ _____

09 다음 두 문장을 to부정사를 사용하여 한 문장으로 바꿔 쓰시오.

> • Nancy turned on the TV.
> • She wanted to watch a talk show.

→ Nancy _____ .

10 다음 대화의 밑줄 친 부분과 같은 의미가 되도록 괄호 안의 표현을 이용하여 문장을 완성하시오.

> A Why is she always busy?
> B 그건 그녀가 돌봐야 할 다섯 명의 아이들이 있기 때문이야. (children, take care of)

→ It is because she has _____

_____ .

11 다음 문장에서 어법상 어색한 부분을 찾아 바르게 고쳐 문장을 다시 쓰시오.

> The boy needs someone to talk.

→ _____

>> **실전 Tip** 형용사적 용법의 to부정사가 쓰였을 때 앞의 명사가 to부정사구에 있는 동사의 목적어가 될 수 있는지 확인한다.

대표유형 04 too ~ to, enough to   출제율 20%

12 다음 우리말과 같은 뜻이 되도록 영작하시오. (단, 주어진 조건에 맞게 쓸 것)

> 그는 매일 아침 운동을 하기에는 너무 게으르다.

[조건] 1. 8단어로 쓸 것
         2. lazy, exercise, every morning을 포함할 것
         3. to부정사를 이용할 것

→ _____

[13-14] 다음 두 문장의 뜻이 같도록 빈칸에 알맞은 말을 쓰시오.

13
> The man is healthy enough to walk for a long distance.
> = The man is _____ healthy _____ he can walk for a long distance.

14
> The gloves were so small that I couldn't put them on.
> = The gloves were _____ small for me _____ put on.

15 주어진 단어를 바르게 배열하여 문장을 완성하시오.

> too, long, the, memorize, word, is, to

→ _____

>> **실전 Tip** 문장의 주어 역할을 할 수 있는 단어를 먼저 찾는다.

대표유형 01, 02 to부정사의 형용사적/부사적 용법   출제율 25%

01 다음 중 어법상 어색한 문장을 모두 고르면?

① We want something to sit.

② There is no one to understand me.

③ They have a project to finish soon.

④ I have many students to taught in school.

⑤ I'm looking for a person to move the sofa.

통합형

02 다음 중 밑줄 친 부분을 바르게 고친 것은?

① I have some pictures show you.

(→ showed)

② She needs somebody to talk.

(→ with to talk)

③ The bird flew low to looking for worms.

(→ to look)

④ His daughter grew up to being a scientist.

(→ being)

⑤ My aunt felt depressed to broke her leg.

(→ to broken)

>> 실전 Tip 밑줄 친 부분이 문장에서 어떤 역할을 해야 하는지 먼저 파악한 뒤 적절한 형태를 생각한다.

대표유형 03 to부정사의 쓰임 구별하기   출제율 40%

03 다음 중 빈칸에 to를 쓸 수 있는 것을 모두 고르면?

① I tried everything _____ my pain.

② They were happy _____ get one more chance.

③ Thank you _____ lending me the book.

④ The kids are looking forward _____ the vacation.

⑤ Our plan is _____ throw a surprise party for our teacher.

04 다음 중 밑줄 친 부분의 쓰임이 나머지 넷과 다른 것은?

① Mina wants to buy a blue skirt.

② I went to the bathroom to wash my hands.

③ She came here to play baseball.

④ Sian turned on the light to read a book.

⑤ Jim went to the cafeteria to eat lunch.

05 다음 중 밑줄 친 부분의 쓰임이 〈보기〉와 다른 것을 모두 고르면?

보기   Danny lost the letter to send.

① She has no water to drink.

② Nick had no friends to visit.

③ He turned off the TV to go to bed.

④ I want to keep this soup warm.

⑤ Do you have time to read this article?

대표유형 04 too ~ to, enough to   출제율 20%

06 다음 빈칸에 들어갈 말로 어색한 것을 모두 고르면?

He is diligent enough to _____.

① keep on working

② washing the car every day

③ study all day long

④ complete the mission

⑤ preparing all these things for us

07 다음 중 어법상 자연스러운 것은?

① The water is too salt to drink.

② They didn't know how to open the door.

③ The stick is short too for the man to use.

④ He asked me where to putting his coat.

⑤ You're enough smart to get good grades in math.

대표유형 01, 02 to부정사의 형용사적/부사적 용법 　　출제율 25%

08 다음 우리말을 괄호 안의 표현과 to부정사를 사용하여 영작하시오.

> 그는 자라서 유명한 배우가 되었다. (grow up)

→ _____

[09-10] 주어진 우리말과 같은 뜻이 되도록 영작하시오. (단, 조건에 맞게 쓸 것)

09
> 나는 그를 다시 만나 기뻤다.

[조건] **1.** 7단어로 쓸 것
　　　2. pleased와 meet를 포함할 것

→ _____

10
> Ann은 같이 놀 친구가 생기기를 희망한다.

[조건] **1.** 9단어로 쓸 것
　　　2. hope, have a friend, play를 포함할 것

→ _____

≫ 실전 Tip 형용사적 용법의 to부정사를 쓸 때, 앞의 명사가 to 뒤에 오는 동사의 목적어가 될 수 있는지 파악하여 전치사를 써야 하는지의 여부를 판단한다.

11 괄호 안의 단어를 바르게 배열하여 대화를 완성하시오.

> **A** What are you doing now?
> **B** I'm looking for (ruler, long, use, to, something, a, as).

→ _____

12 다음 우리말과 일치하도록 괄호 안의 단어를 바르게 배열하여 문장을 완성하시오.

> 너는 누군가에게 상처 주는 나쁜 말을 한 적이 있니? (someone, to, anything, hurt, bad)

→ Have you said _____ ?

대표유형 04 too ~ to, enough to 　　출제율 20%

13 다음 두 문장의 뜻이 같도록 빈칸에 알맞은 말을 쓰시오.

> He is hungry enough to eat all the food on the table.
> = He is so _____
> all the food on the table.

[14-15] 다음 우리말과 일치하도록 괄호 안의 표현을 이용하여 영작하시오.

14
> Judy는 첫 기차를 타기에는 너무 늦게 일어났다. (get up, too, late, catch)

→ _____
　　　　　　　　　　　　〈10단어로 쓸 것〉

≫ 실전 Tip too에는 부정의 의미가 있다는 점에 유의한다.

통합형

15
> Harry는 모든 사람들을 웃길 만큼 충분히 유머 감각이 있었다. (humorous, enough, make, laugh)

→ _____
　　　　　　　　　　　　〈8단어로 쓸 것〉

01 다음 중 밑줄 친 부분의 쓰임이 같은 것끼리 바르게 짝지어진 것은?

> ⓐ I am sorry to wake you up.
> ⓑ There is no one to help you now.
> ⓒ Do you have time to talk with me?
> ⓓ I'll visit my grandmother to enjoy her strawberry pie.
> ⓔ The children were shocked to see the accident.
> ⓕ She went out to see the night sky.

① ⓐ, ⓑ / ⓒ, ⓓ / ⓔ, ⓕ
② ⓐ, ⓑ / ⓒ, ⓔ / ⓓ, ⓕ
③ ⓐ, ⓒ / ⓑ, ⓔ / ⓓ, ⓕ
④ ⓐ, ⓓ / ⓑ, ⓕ / ⓒ, ⓔ
⑤ ⓐ, ⓔ / ⓑ, ⓒ / ⓓ, ⓕ

02 다음 중 어법상 어색한 문장을 모두 고른 것은?

> ⓐ She is enough old to drive.
> ⓑ I was pleased to pass the audition.
> ⓒ We don't have any paper to write.
> ⓓ He is rich enough to buy the house.
> ⓔ The girl was shy too to look at me.

① ⓐ, ⓑ
② ⓐ, ⓔ
③ ⓐ, ⓒ, ⓔ
④ ⓑ, ⓒ, ⓓ
⑤ ⓐ, ⓑ, ⓒ, ⓔ

03 다음 대화를 읽고, 「too ~ to」를 사용하여 대화의 내용과 일치하는 문장을 완성하시오.

> A Elly didn't have lunch today.
> B What's the matter with her?
> A She lost her puppy.
> B Oh, that's why she looked sad today.

→ Elly was _____ today.

04 다음 글의 괄호 안에 주어진 동사를 알맞은 형태로 바꿔 쓰시오.

> I was very hungry. So I looked for something (1) (eat). There was nothing in the kitchen. I was upset. I decided (2) (go) to the supermarket (3) (buy) some food.

(1) _____

(2) _____

(3) _____

05 〈보기〉와 같이 괄호 안에 주어진 표현을 사용하여 대화를 완성하시오.

> 보기 A Why do you climb mountains?
> B I climb mountains to become healthy. (become healthy)

(1) **A** Why does he listen to music?
  B He _____
  (relax)
(2) **A** Why does she go out every evening?
  B She _____
  (walk her dog)

06 다음 상황에서 할 수 있는 말을 괄호 안에 주어진 단어를 이용하여 한 문장으로 쓰시오.

> **Situation**
> You have just finished a marathon race. It's a very hot day. What would you say?

→ _____
  (give, something, cold, drink)

최종 선택 QUIZ

어법상 옳은 문장에 ✔ 표시하세요.

01
a They were pleased to having dinner together.
b They were pleased to have dinner together.

02
a Anna went to the market to buy some fruit.
b Anna went to the market for buy some fruit.

03
a The board game is easy to play.
b The board game is easy too play.

04
a I need to buy some food to eat.
b I need to buy some food to eat for.

05
a Give the child a toy to play.
b Give the child a toy to play with.

06
a The dog is so fat to run fast.
b The dog is too fat to run fast.

07
a The room is big enough to hold 10 people.
b The room is enough big to hold 10 people.

08
a The soup was so hot that I cannot eat it.
b The soup was so hot that I could not eat it.

유형별 기출 적용 빈도

유형 01 동명사의 형태   10%

유형 02 동명사의 쓰임   30%

유형 03 동명사와 현재분사의 구별   25%

유형 04 동명사의 관용적 표현   5%

유형 05 동명사와 to부정사를 목적어로   30%
　　　　 쓰는 동사

>> 출제 포인트

동사의 알맞은 동명사 형태를 묻거나 현재분사와 구별할 수 있는지 묻는 문제는 꾸준히 출제된다. 동사에 따라 동명사와 to부정사 중 어느 것을 목적어로 쓰는지 확인하는 문제도 출제 빈도가 높다.

>> 정답률 100% Tip

1 동명사가 주어로 쓰이면 단수 취급한다.
2 forget, remember, try 등의 동사는 목적어로 동명사와 to부정사 모두 쓸 수 있지만 의미 차이가 있으므로 반드시 기억해 둔다.

Grammar Point

Point ① 동명사의 형태와 쓰임

동명사는 「동사원형＋-ing」의 형태로 명사 역할을 하며 '~하는 것' 또는 '~하기'라고 해석한다. 문장에서 주어, 보어, 목적어, 전치사의 목적어로 사용된다.

· Shopping online saves time and money. 〈주어〉
· Thank you for inviting us to the party. 〈전치사의 목적어〉
주의 to부정사는 전치사의 목적어로 쓰지 않는다.

Point ② 동명사와 현재분사의 구별

동명사는 명사 역할을 하고, 현재분사는 진행형을 만들거나 명사를 꾸며 주는 형용사 역할을 한다.

· Dora is good at fixing machines. She is fixing a hair dryer.
　　　　　　　　　 동명사　　　　　　　　　　　　 현재분사

Point ③ 동명사의 관용적 표현

go -ing(~하러 가다), be busy -ing(~하느라 바쁘다), feel like -ing(~하고 싶다), can't help -ing(~하지 않을 수 없다), It is no use -ing(~해도 소용없다), look forward to -ing(~하기를 고대하다), have trouble [difficulty] (in) -ing(~하는 데 어려움이 있다) 등

Point ④ 동명사와 to부정사를 목적어로 쓰는 동사

동명사를 목적어로 쓰는 동사	enjoy, finish, keep, stop, quit, practice, recommend, mind, avoid, give up 등	
to부정사를 목적어로 쓰는 동사	want, hope, wish, plan, choose, decide, expect, agree, promise, pretend, refuse 등	
둘 다 목적어로 쓸 수 있는 동사	의미 차이 없는 것	start, begin, like, love 등
	의미 차이 있는 것	forget, remember, try 등

바로 체크

01 I don't feel like (studing / studying) now.

02 (Travel / Traveling) around the world is her lifelong passion.

03 The lady's dream is (founding / to founding) a university.

04 Are you interested in (growing / to grow) flowers?

05 What are you planning (doing / to do) this Saturday?

06 She practiced (throwing / to throw) balls.

07 Do you mind (waiting / to wait) a few minutes?

08 Do you remember (seeing / to see) the movie last year?

대표유형 01 동명사의 형태 　　　　　　출제율 10%

01 다음 중 동사와 동명사의 형태가 바르게 짝지어진 것은?

① come – comeing　　② stop – stoping
③ try – trying　　　　④ cut – cuting
⑤ plant – plantting

02 다음 중 동사와 동명사의 형태가 잘못 짝지어진 것은?

① visit – visiting　　② hit – hitting
③ put – putting　　　④ lie – lieing
⑤ build – building

03 다음 문장의 밑줄 친 동사의 형태로 알맞은 것은?

I am interested in take pictures.

① takes　　② took　　③ taken
④ taking　　⑤ takeing

04 괄호 안의 동사를 알맞은 형태로 바꿔 문장을 완성하시오.

We are good at _____ and singing. (dance)

대표유형 02 동명사의 쓰임 　　　　　　출제율 30%

05 다음 중 〈보기〉의 밑줄 친 부분과 쓰임이 같은 것은?

보기　My dream is inventing robots that can help sick people.

① He was afraid of making mistakes.
② When did you finish writing the report?
③ The woman's hobby is collecting stamps.
④ Listening to music helps you relax.
⑤ Jenny is good at playing the guitar.

06 다음 중 〈보기〉의 밑줄 친 부분과 쓰임이 다른 것을 두 개 고르면?

보기　Tony enjoys making toy cars.

① Learning a foreign language is not easy.
② You should stop drinking coffee.
③ Don't give up traveling around the world.
④ The dog's favorite exercise is running after a cat.
⑤ The reporters kept asking questions.

07 다음 빈칸에 들어갈 말로 어법상 어색한 것은?

Eating too many candies _____ him sick.

① make　　② makes　　③ made
④ can make　　⑤ will make

08 다음 빈칸에 들어갈 말로 어색한 것을 모두 고르면?

Do you like _____?

① draw pictures
② reading comic books
③ ate an ice cream
④ going to the movies
⑤ playing baseball

09 다음 우리말과 일치하도록 주어진 단어를 바르게 배열하여 문장을 완성하시오.

그들은 요리하는 것에 관심이 있다.
(interested, cooking, in, are)

→ They _____.

10 다음 중 밑줄 친 부분의 쓰임이 〈보기〉와 같은 것은?

> 보기　My hobby is fishing in the river.

① It is raining outside.
② Are you listening to me?
③ I was making sandwiches then.
④ My dream is becoming a vet.
⑤ They are arguing over small things.

11 다음 우리말과 일치하도록 빈칸에 공통으로 알맞은 말을 쓰시오.

> • Billy는 동물 그리는 것을 좋아한다.
> → Billy loves _____ animals.
> • Billy는 기린을 그리고 있다.
> → Billy is _____ a giraffe.

12 다음 두 문장의 밑줄 친 play를 공통으로 알맞은 형태로 바꿔 쓰시오.

> • I practiced play the drums.
> • My brother is play basketball with his friends.

→ _____

13 다음 중 밑줄 친 부분의 쓰임이 나머지 넷과 다른 것은?

① Running is good for your health.
② The children gave up running outside.
③ She is running through the city.
④ They kept running after the sunset.
⑤ I love running along the river.

14 다음 문장의 빈칸에 들어갈 말로 알맞은 것은?

> I'm looking forward to _____ you again.

① see　　② saw　　③ seen
④ seeing　　⑤ sees

15 다음 우리말과 같도록 빈칸에 들어갈 말을 괄호 안의 동사를 이용하여 쓰시오.

> Ellen은 그 소식을 들었을 때 웃지 않을 수 없었다.
> → Ellen couldn't help _____ when she heard the news. (laugh)

16 다음 우리말을 영어로 바르게 옮긴 것은?

> Christine은 어제 집을 청소하느라 바빴다.

① Christine is busy clean her house yesterday.
② Christine is busy to clean her house yesterday.
③ Christine is busy cleaning her house yesterday.
④ Christine was busy cleaning her house yesterday.
⑤ Christine was busy to clean her house yesterday.

대표유형 05 동명사와 to부정사를 목적어로 쓰는 동사   출제율 30%

17 다음 문장의 빈칸에 들어갈 말로 알맞은 것은?

Tommy _____ spending time with his friends.

① wants   ② hopes   ③ decided
④ wished   ⑤ likes

18 다음 문장의 빈칸에 들어갈 말로 <u>어색한</u> 것은?

Amy _____ eating fast food.

① quit   ② decided   ③ stopped
④ liked   ⑤ avoided

19 다음 문장의 빈칸에 들어갈 말로 알맞은 것을 <u>모두</u> 고르면?

The tourists began _____ the mountain.

① climb   ② climbs   ③ climbing
④ climbed   ⑤ to climb

20 다음 대화의 빈칸에 들어갈 말로 알맞은 것은?

A It's too hot. Do you mind _____ the window?
B Of course not.

① open   ② opens   ③ opening
④ opened   ⑤ to open

[21-22] 괄호 안의 단어를 알맞은 형태로 바꿔 문장을 완성하시오.

21

Can you keep _____ for an hour? (talk)

22

She did not agree _____ on the weekend. (work)

23 다음 우리말을 영어로 바르게 옮긴 것은?

나는 그녀에게 이메일 보낸 것을 잊었다.

① I forget to send an email to her.
② I forget sending an email to her.
③ I forgot send an email to her.
④ I forgot sending an email to her.
⑤ I forgot to send an email to her.

24 다음 문장에서 어법상 <u>어색한</u> 부분을 찾아 바르게 고쳐 쓰시오.

Maxwell enjoys read comic books on Sundays.

_____ → _____

25 다음 중 밑줄 친 부분이 어법상 <u>어색한</u> 것은?

① I love <u>walking</u> my dog.
② Do you practice <u>to sing</u> every day?
③ Chris decided <u>to run</u> the marathon.
④ She finished <u>writing</u> her new novel.
⑤ I tried <u>to lose</u> weight, but failed.

대표유형 03 동명사와 현재분사의 구별　　출제율 25%

01 다음 중 밑줄 친 부분의 쓰임이 〈보기〉와 다른 것은?

> 보기　The baby kept crying for an hour.

① Look at the sleeping child.
② Lending a book is an easy thing.
③ Helping one another is a good thing.
④ Riding a bike is good for your health.
⑤ You can relax by taking a walk.

02 다음 중 밑줄 친 부분의 쓰임이 나머지와 다른 것은?

① Collecting coins is my hobby.
② His job is making storybooks.
③ They are shouting with joy.
④ I'm not good at playing the piano.
⑤ We enjoyed making people laugh.

03 다음 중 밑줄 친 부분의 쓰임이 〈보기〉와 같은 것은?

> 보기　My uncle often talked about traveling into space.

① We loved exciting sport events.
② The boy is sleeping on the bench.
③ They were listening to the speaker.
④ I feel like crying loudly.
⑤ The boy talking with Ms. Hong is her son.

대표유형 05 동명사와 to부정사를 목적어로 쓰는 동사　　출제율 30%

04 다음 문장의 빈칸에 들어갈 말로 어색한 것은?

> Sandra _____ volunteering at the center.

① hopes　　② enjoys　　③ loves
④ began　　⑤ stopped

05 다음 중 어법상 어색한 것은?

① The kids finished making a snowman.
② I will stop buying unnecessary things.
③ Can you practice running in the rain?
④ We love to invite you to our house.
⑤ They avoided to go hiking because of the weather.

06 다음 문장의 빈칸에 들어갈 말로 알맞은 것을 두 개 고르면?

> Ms. Wilson began _____ jewelry 30 years ago.

① designs　　② designed　　③ designing
④ to design　　⑤ to designing

07 주어진 우리말과 같은 의미가 되도록 할 때 빈칸에 들어갈 말로 알맞은 것은?

> Randy는 문을 잠근 것을 기억한다.
> → Randy remembered _____ the door.

① lock　　　② locked　　　③ to lock
④ locking　　⑤ for locking

≫ 실전 Tip 기억하는 일이 과거에 한 일인지 미래에 해야 할 일인지 파악한다.

08 다음 글의 빈칸에 알맞은 말이 순서대로 짝지어진 것은?

> Jason doesn't like cooking. But he wanted _____ his daughter happy by cooking for her. So he decided to practice _____ her favorite food.

① make – make　　　② making – making
③ making – to make　④ to make – making
⑤ to make – to make

09 괄호 안의 우리말과 일치하도록 빈칸에 알맞은 말을 한 단어씩 넣어 대화를 완성하시오.

> **A** What do you like to do in your free time?
> (너는 한가할 때 뭐 하는 걸 좋아하니?)
> **B** I like _____ books and _____
> to music.
> (나는 책을 읽고 음악 듣는 것을 좋아해.)

10 괄호 안의 단어를 알맞은 형태로 바꿔 다음 문장을 완성하시오.

> If you want to save trees, stop _____
> paper. (waste)

대표유형 02, 04 동명사의 쓰임/동명사의 관용적 표현　　출제율 30%

11 주어진 우리말과 일치하도록 괄호 안의 단어를 바르게 배열하시오.

> 너는 오래된 물건을 수집하는 것에 관심이 있니?
> (things, collecting, interested, in, old)
>
> → Are you _____?

12 다음 문장에서 어법상 <u>어색한</u> 부분을 찾아 바르게 고쳐 쓰시오.

> You have difficulty to move your fingers
> when they are cold.

_____ → _____

13 주어진 우리말과 일치하도록 〈보기〉에서 알맞은 말을 골라 문장을 완성하시오.

> 보기　　　ask　　to ask　　asking
> 　　　　　eat　　eating　　eaten

(1) Jeremy에게 그 일에 대해 물어봐도 소용없다.
→ It is no use _____ Jeremy about the matter.
(2) 나는 달콤한 것을 먹고 싶어.
→ I feel like _____ something sweet.

14 다음 문장의 밑줄 친 부분을 바르게 고쳐 문장을 다시 쓰시오.

> Keeping pets <u>are</u> helpful to the patients.

→ _____

》 실전 Tip 문장의 주어가 동사와 일치하는지 확인한다.

15 주어진 우리말과 일치하도록 괄호 안의 표현을 이용하여 영작하시오. (단, 조건에 맞게 쓸 것)

[조건] 1. 6단어로 쓸 것
　　　 2. 동명사를 사용할 것

> 아이들을 돌보는 것은 힘들다.
> (take care of, children, hard)

→ _____

대표유형 02 동명사의 쓰임 출제율 30%

01 다음 중 밑줄 친 부분의 쓰임이 같은 것끼리 짝지어진 것은?

> ⓐ My plan is <u>exercising</u> every morning.
> ⓑ <u>Being</u> diligent is important for success.
> ⓒ Kate keeps <u>buying</u> new products.
> ⓓ Do you mind <u>opening</u> the window?

① ⓐ, ⓒ   ② ⓑ, ⓓ   ③ ⓒ, ⓓ
④ ⓐ, ⓒ, ⓓ   ⑤ ⓐ, ⓑ, ⓒ, ⓓ

02 다음 문장에서 어법상 어색한 부분을 바르게 고친 것은?

> Eating too many candies make you fat.

① Eating → Eat   ② many → much
③ candies → candy   ④ make → makes
⑤ you → to you

03 다음 중 어법상 어색한 것은?

① Mom enjoys growing plants.
② She denied meeting him before.
③ He went on sing songs.
④ Finally, Mr. Kim quit smoking.
⑤ Cathy avoids doing outdoor activities.

대표유형 03 동명사와 현재분사의 구별 출제율 25%

04 다음 중 밑줄 친 부분의 쓰임이 나머지 넷과 <u>다른</u> 것은?

① Do you mind <u>joining</u> the hiking club?
② He stopped <u>talking</u> and looked at her.
③ I spent much time on <u>building</u> the house.
④ The singers are <u>shaking</u> their heads and hands.
⑤ My mom began to hate <u>driving</u> after she had a car accident.

05 다음 중 밑줄 친 부분이 동명사인 문장끼리 짝지어진 것은?

> ⓐ My cousin is <u>taking</u> pictures.
> ⓑ His job is <u>guiding</u> foreign tourists.
> ⓒ <u>Being</u> a good student is not difficult.
> ⓓ The firefighters are <u>trying</u> to put out the forest fire.

① ⓐ, ⓑ   ② ⓑ, ⓒ   ③ ⓐ, ⓓ
④ ⓐ, ⓑ, ⓓ   ⑤ ⓑ, ⓒ, ⓓ

대표유형 05 동명사와 to부정사를 목적어로 쓰는 동사 출제율 30%

06 다음 빈칸에 알맞은 말이 순서대로 짝지어진 것은?

> Some people like _____ to the movies, and others enjoy _____ soccer or basketball.

① go – play   ② go – playing
③ going – to play   ④ to go – playing
⑤ to go – to play

07 다음 문장의 빈칸에 알맞은 것을 <u>모두</u> 고르면?

> What makes you give up _____?

① to skate   ② your dream
③ play the piano   ④ to be kind
⑤ exercising every day

신유형

08 다음 문장의 빈칸에 들어갈 수 있는 말을 <보기>에서 <u>모두</u> 고른 것은?

> I want you to _____ lying to me.

| 보기 | ⓐ stop | ⓑ quit | ⓒ avoid |
| | ⓓ finish | ⓔ pretend | |

① ⓐ, ⓑ   ② ⓐ, ⓒ, ⓓ
③ ⓐ, ⓑ, ⓒ, ⓓ   ④ ⓑ, ⓒ, ⓓ, ⓔ
⑤ ⓐ, ⓑ, ⓒ, ⓓ, ⓔ

대표유형 02 동명사의 쓰임 출제율 30%

09 주어진 우리말과 일치하도록 괄호 안의 표현을 바르게 배열하시오.

나는 그림들 사이의 차이점 찾기를 잘한다.
(differences, the pictures, I, good, am, between, at, finding)

→ _____

10 주어진 우리말과 일치하도록 괄호 안의 단어를 바르게 배열하시오.

잠시 기다려 주시겠어요?
(moment, you, would, a, for, mind, waiting)

→ _____

11 괄호 안의 단어를 이용하여 주어진 우리말을 영작하시오. (단, 7단어로 쓸 것)

그의 꿈은 자신의 책을 출판하는 것이다.
(dream, publish, own, book)

→ _____

대표유형 05 동명사와 to부정사를 목적어로 쓰는 동사 출제율 30%

12 주어진 우리말과 일치하도록 괄호 안의 단어를 이용하여 영작하시오.

너는 극장에서 Paul을 본 것을 기억하니?
(remember, see, the theater)

→ _____

통합형

13 다음 대화의 빈칸에 들어갈 단어를 〈보기〉에서 골라 각각 알맞은 형태로 쓰시오.

A Kelly, aren't you hungry?
B I don't know.
A Umm, how about _____ lunch with me?
B I don't know.
A Why do you avoid _____ my questions today? Are you angry?

보기 answer   have   read   like

14 다음 대화를 읽고 주어진 문장을 완성하시오.

Mom You played computer games again. I think it's a serious problem.
Bill I won't do it again. Don't worry, Mom.

→ Bill promised to _____ _____ _____
   _____.

통합형

15 다음 중 어법상 어색한 문장을 두 개 골라 기호를 쓰고, 바르게 고쳐 문장 전체를 다시 쓰시오.

ⓐ I can finish cook the pizza soon.
ⓑ People hate to tell their secrets to others.
ⓒ Don't drink too much water before to go to bed.

• _____ → _____
• _____ → _____

01 다음 빈칸에 들어갈 수 있는 단어를 〈보기〉에서 <u>모두</u> 고른 것은?

> She _____ to watch the soccer match.

보기   ⓐ stopped   ⓑ decided   ⓒ avoided
　　 ⓓ finished   ⓔ planned

① ⓐ, ⓑ

② ⓐ, ⓒ, ⓔ

③ ⓑ, ⓒ, ⓓ

④ ⓑ, ⓒ, ⓓ, ⓔ

⑤ ⓐ, ⓑ, ⓔ

02 다음 중 어법상 옳은 문장의 개수는?

> ⓐ Dorothy hates being treated like a child.
> ⓑ The men were afraid of know the truth.
> ⓒ Do you mind close the door?
> ⓓ The players decided to end the fight.
> ⓔ Losing weight is not easy.
> ⓕ She refused answering the question.

① 2개　　　② 3개　　　③ 4개

④ 5개　　　⑤ 6개

신유형

03 다음 중 우리말과 이에 맞는 영어 문장을 바르게 짝지은 것은?

> (가) 나는 그에게 편지 쓰는 것을 그만뒀다.
> (나) 그는 자전거를 한 번 타 봤다.
> --
> ⓐ I stopped writing a letter to him.
> ⓑ I stopped to write a letter to him.
> ⓒ He tried riding a bike.
> ⓓ He tried to ride a bike.
> ⓔ He tried and rode a bike once.

① (가) – ⓐ, (나) – ⓒ　　② (가) – ⓑ, (나) – ⓒ

③ (가) – ⓐ, (나) – ⓓ　　④ (가) – ⓐ, (나) – ⓔ

⑤ (가) – ⓑ, (나) – ⓓ

04 다음 우리말과 일치하도록 어법상 <u>어색한</u> 부분을 찾아 바르게 고쳐 쓰시오.

(1)

> 우리는 이 비행기를 만드는 것에 어려움을 겪었다.
> → We had difficulty in to make this plane.

_____ → _____

(2)

> 공항에 도착하면 내게 전화하는 것을 잊지 마.
> → Don't forget calling me when you arrive
> 　 at the airport.

_____ → _____

05 괄호 안의 동사를 알맞은 형태로 바꿔 글을 완성하시오.

> 　　Mr. Thompson works at an art museum.
> His job is (1) _____ (explain) the
> artworks to the visitors. He is good at
> (2) _____ (deal) with young visitors. He
> likes (3) _____ (talk) with children.

(1) _____

(2) _____

(3) _____

06 다음 대화의 밑줄 친 우리말을 동명사를 이용하여 영작하시오.

> **A** What's Amy's plan this year?
> **B** <u>그녀의 계획은 부모님과 함께 더 많은 시간을 보
> 내는 거야.</u>

→ _____

최종 선택 QUIZ

어법상 옳은 문장에 ✔ 표시하세요.

01
a Get up early is hard for some people.

b Getting up early is hard for some people.

02
a Ted's dream for the future is becoming a scientist.

b Ted's dream for the future is to becoming a scientist.

03
a The chef was making special desserts for the children.

b The chef was made special desserts for the children.

04
a Watching comedies is my favorite hobby.

b Watching comedies are my favorite hobby.

05
a Don't be afraid of trying new things.

b Don't be afraid of to try new things.

06
a You must avoid using smartphones too often.

b You must avoid to use smartphones too often.

07
a My brother decided learning economics at the university.

b My brother decided to learn economics at the university.

08
a Taking care of animals is his favorite free-time activity.

b Taking care of animals are his favorite free-time activity.

유형별 기출 적용 빈도

유형 01 현재분사와 과거분사의 형태   10%

유형 02 현재분사와 과거분사의 쓰임   30%

유형 03 현재분사와 동명사 구분하기   25%

유형 04 감정을 나타내는 분사   35%

>> 출제 포인트

현재분사와 과거분사, 현재분사와 동명사의 쓰임을 구분하는 문제는 항상 출제된다. 감정을 나타내는 분사의 올바른 형태를 묻는 문제도 자주 출제된다.

>> 정답률 100% Tip

1 현재분사(능동과 진행) vs. 과거분사(수동과 완료)
2 감정을 나타내는 과거분사는 주로 사람과 함께 쓴다.

Grammar Point

Point 1 현재분사와 과거분사의 형태와 쓰임

	현재분사	과거분사
형태	동사원형+-ing	동사원형+-ed/ 불규칙 과거분사형
의미	① 능동 (~하는) ② 진행 (~하고 있는)	① 수동 (~되는, 당하는) ② 완료 (~된)
역할	① 명사 앞이나 뒤에서 명사 수식 ② 주격 보어나 목적격 보어 역할 ③ 시제 표현에 쓰임	

- The girl dancing with Matt is his daughter. 〈현재분사: The girl 수식〉
- I had my hair cut yesterday. 〈과거분사: 목적격 보어〉

Point 2 현재분사와 동명사 구분하기

위치 \ 쓰임	현재분사	동명사
명사 앞	명사 수식	명사의 용도 설명
be동사 뒤	진행 시제 표현에 쓰임	주격 보어

- I am planting roses in my garden. 〈현재분사: 현재진행 시제〉
- I bought an electric boiling pot. 〈동명사: 명사의 용도 설명〉

Point 3 감정을 나타내는 분사

현재분사는 주어가 감정을 일으키는 대상일 때 쓰고, 과거분사는 주어가 감정을 느끼는 주체일 때 쓴다.

- Mr. Howard's history class is really interesting.
- People were disappointed with his new novel.

✅ **바로 체크**

01 use: using – _____

02 make: _____ – made

03 go: _____ – gone

04 break: _____ – _____

05 take: _____ – _____

06 My hobby is (done / doing) yoga.

07 I feel (depressing / depressed) on cloudy days.

08 She is interested in (make / making) clothes.

09 There was a truck (parks / parked) in front of my house.

10 I'm (satisfied / satisfying) with the taste of the food.

STEP 1 만만한 **기초** 유형으로 다져라

대표유형 01 현재분사와 과거분사의 형태 출제율 10%

01 다음 중 '동사원형 – 현재분사 – 과거분사'의 연결이 <u>잘못</u>된 것은?

① write – writing – written
② sleep – sleeping – slept
③ read – reading – red
④ do – doing – done
⑤ make – making – made

02 다음 표에서 옳지 <u>않은</u> 것은?

	동사원형	현재분사	과거분사
①	play	playing	played
②	tell	telling	told
③	put	putting	put
④	see	seeing	sawn
⑤	break	breaking	broken

03 다음 표에서 옳지 <u>않은</u> 것은?

	동사원형	과거	과거분사	현재분사
①	come	came	come	coming
②	love	loved	loved	loving
③	hit	hit	hit	hitting
④	take	took	took	taking
⑤	go	went	gone	going

04 다음 문장의 밑줄 친 부분 중 어법상 <u>어색한</u> 것은?

①There was a ②sail ship ③going ④through a ⑤violent storm.

대표유형 02 현재분사와 과거분사의 쓰임 출제율 30%

05 다음 빈칸에 들어갈 말이 바르게 짝지어진 것은?

- Birds sitting on the branch are _____.
- William had her car _____.

① sing – repair
② singing – repairing
③ singing – repaired
④ sang – repairing
⑤ sang – to repair

06 다음 문장의 밑줄 친 부분과 쓰임이 같은 것은?

I like <u>cooked</u> fish more than raw fish.

① The table was <u>made</u> by my father.
② I would like to find my <u>lost</u> wallet.
③ Andy has <u>been</u> to Italy two times.
④ They have just <u>finished</u> the work.
⑤ The box was <u>moved</u> there by Julie.

[07-08] 다음 우리말과 일치하도록 괄호 안의 단어를 변형하여 빈칸에 쓰시오.

07
춤을 추고 있는 여성은 내 엄마이다.
→ The _____ woman is my mom. (dance)

08
웃고 있는 소녀는 내 여동생이다.
→ The _____ girl is my sister. (smile)

09 다음 우리말을 영어로 바르게 옮긴 것은?

그는 떨어지는 나뭇잎을 잡았다.

① He caught a fallen leaf.
② He caught a falling leaf.
③ He caught a leaf was falling.
④ He catches a fallen leaf.
⑤ He catches a leaf fallen.

10 다음 우리말과 같은 뜻이 되도록 괄호 안의 단어를 바르게 배열하여 문장을 완성하시오.

> 저 건물에는 깨진 유리창이 세 개 있었다.
> → _____ in that building.
> (three, were, there, windows, broken)

대표유형 03 현재분사와 동명사 구분하기　　출제율 25%

11 다음 표를 보고 밑줄 친 부분에 해당하는 것을 고르시오.

	현재분사	동명사
명사 수식	ⓐ	
진행 시제	ⓑ	
주격 보어		ⓒ
명사의 용도 설명		ⓓ

(1) The running child is my daughter. _____
(2) Jenny was knitting a sweater. _____
(3) My dream is being an announcer. _____
(4) I rented a sleeping car for my vacation. _____
(5) Mom really wants to buy a new washing machine. _____
(6) My brother is watching TV in the living room. _____

[12-13] 다음 중 밑줄 친 부분의 쓰임이 나머지 넷과 다른 것을 고르시오.

12 ① She is sleeping in her room.
② Telling white lies is not that bad.
③ Learning English is not easy.
④ Being a conductor is hard.
⑤ Playing baseball is always fun.

13 ① Seeing is believing.
② My hobby is dancing.
③ Look at the smiling dog.
④ Running is a good sport.
⑤ Reading this book is interesting.

---

14 다음 〈보기〉의 밑줄 친 부분과 쓰임이 같은 것은?

> 보기　Driving a taxi is his job.

① Look at that weeping girl.
② I am afraid of the barking dog.
③ Be careful with the boiling water.
④ Brian suggested going for a walk.
⑤ Don't go near the burning building.

15 다음 〈보기〉에서 알맞은 말을 골라 문장을 완성하시오.

> 보기　collect　　collected　　collecting
> 　　　　climb　　climbed　　climbing

(1) 그의 유일한 즐거움은 신발을 모으는 것이다.
　　→ His only pleasure is _____ shoes.
(2) 그녀는 친구들과 에베레스트 산을 오르고 있다.
　　→ She is _____ Mt. Everest with her friends.

16 다음 중 밑줄 친 부분의 쓰임이 어법상 나머지 넷과 다른 것은?

① I like listening to music.
② My father loves sending cards.
③ Jane is fond of watching movies.
④ They are walking in the park.
⑤ Her hobby was playing with the dog.

[17-18] 다음 문장의 빈칸에 들어갈 말로 알맞은 것을 고르시오.

17
> She makes her living by _____ novels.

① writes　　② writer　　③ writing
④ wrote　　⑤ written

18

My grandfather is _____ the plants in the garden.

① water   ② watering   ③ waters
④ watered   ⑤ to water

대표유형 04 감정을 나타내는 분사   출제율 35%

19 다음 빈칸에 알맞은 말이 순서대로 짝지어진 것은?

• She was _____ to see the actor.
• Soccer is an _____ game to watch.

① excite – excite   ② exciting – exciting
③ exciting – excited   ④ excited – exciting
⑤ excited – excited

---

20 다음 우리말과 일치하도록 괄호 안의 단어를 활용하여 문장을 완성하시오.

그 영화에는 매우 흥미로운 장면이 있다.

→ The movie has a very _____ _____.
(interest, scene)

[21-22] 다음 괄호 안의 단어를 알맞은 형태끼리 짝지은 것을 고르시오.

21

A I heard a (shock) rumor about Tim.
B I heard it, too. I was (disappoint) in him.

① shock – disappoint
② shocked – disappointed
③ shocked – disappointing
④ shocking – disappointed
⑤ shocking – disappointing

22

A Did you find the book (interest)?
B No, I didn't. It was very (bore).

① interested – bored
② interested – boring
③ interesting – boring
④ interesting – bored
⑤ interest – bored

---

23 다음 중 밑줄 친 부분의 쓰임이 어색한 것은?

① The news was surprising to me.
② I was excited at the experiments.
③ The movie was so thrilled.
④ Computer games are interesting.
⑤ She was pleased to hear that.

---

24 다음 문장 중 어법상 어색한 것은?

① Emma was very satisfied.
② I am interesting in pop music.
③ She was very surprised at the result.
④ The cartoon was boring.
⑤ His story was touching.

---

25 다음 중 밑줄 친 부분의 쓰임이 어색한 것은?

① The report was shocking.
② Her performance was amazing.
③ The doctors were exciting by the news.
④ Dick made an embarrassing mistake.
⑤ The noise from outside is really annoying.

대표유형 02 현재분사와 과거분사의 쓰임 　　출제율 30%

01 다음 중 밑줄 친 부분의 쓰임이 나머지 넷과 <u>다른</u> 것은?

① The man hosting the talk show is Mr. Ray.
② Who is the woman standing next to John?
③ That singing boy looks very happy.
④ Dana is fixing her old car in the garage.
⑤ The girl sitting on the bench is Yura.

02 다음 문장 중 어법상 어색한 것은?

① Do you know that laughing man?
② Jun likes that girl played the piano.
③ How can I open this locked door?
④ Look at those running people in the park.
⑤ She pointed at the children lying on the beach.

03 다음 중 밑줄 친 부분의 쓰임이 어색한 것은?

① Lack of sunlight makes people depressed.
② Don't sit on the newly painting bench.
③ The man wearing a white shirt is Martin.
④ You must not open this closed box.
⑤ This is an old building built 100 years ago.

대표유형 03 현재분사와 동명사 구분하기 　　출제율 25%

04 다음 〈보기〉의 밑줄 친 부분과 쓰임이 다른 것은?

보기　　Writing poems helps me relax.

① I am writing an email now.
② My hobby is writing a card.
③ I like writing a letter to my kids.
④ My father is good at writing.
⑤ Reading is very helpful for writing.

05 다음 〈보기〉의 밑줄 친 부분과 쓰임이 같은 것은?

보기　　I bought a sleeping bag to go camping.

① Sally was reading a book in a coffee shop.
② We should clean the dining room.
③ I saw you crossing the street.
④ The firefighter ran into the burning house.
⑤ The woman making a speech is the boss of this company.

06 다음 밑줄 친 부분의 우리말 해석이 옳지 <u>않은</u> 것은?

① Meeting new people is fun.
　(새로운 사람들을 만나는 것은)
② Having two eyes helps us.
　(두 눈을 가진 것은)
③ Their goal was helping the homeless.
　　　　　(노숙인들을 돕는 것)
④ Jane is talking about how to dance better.
　　　　(춤을 더 잘 추는 법에 관해 이야기하는 것)
⑤ Keeping pets can be hard work.
　(애완동물을 키우는 것은)

07 다음 중 밑줄 친 부분의 쓰임이 나머지 넷과 <u>다른</u> 것은?

① Mina is not good at playing the piano.
② My father quit smoking last month.
③ We were watching TV last night.
④ He likes buying dolls and robots.
⑤ Learning Chinese is not easy.

08 다음 중 밑줄 친 부분의 문법적 성격이 <u>다른</u> 하나는?

① Skating is really interesting.
② Did you enjoy traveling that country?
③ My brother is proud of passing the test.
④ The woman riding a bike is Ms. Brett.
⑤ Her next plan is learning tennis.

대표유형 02 현재분사와 과거분사의 쓰임 출제율 30%

09 다음 괄호 안의 단어를 변형하여 두 문장에 공통으로 들어갈 알맞은 말을 쓰시오.

> (invite)
> • I was _____ to Matt's wedding.
> • The children _____ to the party were Jenny's friends.

10 다음 〈보기〉에서 알맞은 말을 골라 문장을 완성하시오.

> 보기 draw drawing drawn to draw
>   use   using   used   to use

(1) The boy _____ a picture is my nephew.

(2) I can't afford to buy a new car. Where can I buy a _____ car?

≫ 실전 Tip 수식하는 명사와의 관계가 능동이면 현재분사를, 수동이면 과거분사를 쓴다.

11 다음 글의 밑줄 친 부분 중 어법상 어색한 것을 골라 번호를 쓰고 바르게 고쳐 쓰시오.

> There ①was a car accident ②on the street. The driver ③injuring ④in the accident was ⑤taken to the hospital.

번호: _____ → _____

대표유형 04 감정을 나타내는 분사 출제율 35%

12 다음 괄호 안의 동사를 변형하여 문장을 완성하시오.

> The drama is so _____ that I want to see it again. (interest)

13 다음 문장에서 어법상 어색한 부분을 찾아 바르게 고쳐 쓰시오.

> She was confusing by his guidance.

_____ → _____

14 괄호 안의 우리말을 참고하여 〈보기〉에서 알맞은 말을 골라 문장을 완성하시오.

> 보기 shocked shocking shaken shaking

→ Alex must be _____. Look at his _____ hands.
(Alex는 충격을 받은 게 틀림없어. 그의 떨리는 손을 봐.)

15 다음 대화의 밑줄 친 부분을 바르게 고쳐 쓰시오.

> A I'm really (1)depressing these days. I don't know the reason.
> B Why don't you do (2)excited things when you feel down?

(1) _____
(2) _____

대표유형 02 현재분사와 과거분사의 쓰임   출제율 30%

01 다음 밑줄 친 동사의 형태로 알맞은 것은?

> These days, she keeps all the windows of her house lock all day because of yellow dust.

① locked   ② locking   ③ are locked
④ to lock   ⑤ has locked

02 다음 밑줄 친 동사의 형태가 바르게 짝지어진 것은?

> The woman wear a black dress is play Bach.

① worn – play   ② worn – playing
③ wearing – played   ④ wears – playing
⑤ wearing – playing

03 다음 〈보기〉의 밑줄 친 부분과 쓰임이 같은 것을 모두 고르면?

> 보기   Give me some boiled eggs.

① I received a written message.
② There is a big house built in 1890.
③ Alicia has lost her new smartphone.
④ The table made with marble is expensive.
⑤ We have known each other since we were young.

04 다음 글의 빈칸에 공통으로 들어갈 말로 알맞은 것은?

> I was sad when I saw geese _____ away. My mother said that most of the birds were _____ south to be warm.

① fly   ② flying   ③ flew
④ to fly   ⑤ flown

대표유형 04 감정을 나타내는 분사   출제율 35%

05 다음 빈칸에 들어갈 disappoint의 형태가 순서대로 짝지어진 것은?

> The test result disappointed Eric.
> → The test result was _____.
> → Eric was _____ at the test result.

① disappoint – disappointing
② disappointing – disappointing
③ disappointing – disappointed
④ disappointed – disappointed
⑤ disappointed – disappointing

06 다음 문장의 빈칸에 알맞은 말이 순서대로 짝지어진 것은?

> I am very _____ these days because the soccer games are so _____.

① excited – exciting   ② excited – excited
③ excited – excite   ④ exciting – excited
⑤ exciting – exciting

07 다음 문장 중 어법상 어색한 것은?

① She is a boring person.
② The music video is interested to me.
③ Tom was excited by the new discovery.
④ I am very pleased with your success.
⑤ They were tired of his endless speech.

대표유형 03 현재분사와 동명사 구분하기   출제율 25%

08 다음 〈보기〉의 밑줄 친 부분과 쓰임이 같은 것을 두 개 고르면?

> 보기   The girl laughing over there is my sister.

① Listening to the sound makes me dizzy.
② He is reading a novel in his room.
③ Where can I find a changing room?
④ She gave up playing the flute last year.
⑤ The bus taking us to school broke down.

09 주어진 문장의 밑줄 친 부분과 구성 요소가 같은 것을 〈보기〉에서 찾아 기호를 쓰시오.

> 보기
> ⓐ Mr. Smith is looking for a smoking room.
> ⓑ That smoking man is a famous baseball player.

(1) I had fun with my friends in the swimming pool. _____
(2) There is a swimming dog in the pool. _____

10 다음 우리말과 같은 뜻이 되도록 괄호 안의 동사를 변형하여 문장을 완성하시오.

> 저는 제 침낭을 찾고 있습니다.

→ I'm _____ for my _____ bag. (look, sleep)

대표유형 02　현재분사와 과거분사의 쓰임　출제율 30%

11 다음 빈칸에 들어갈 말을 괄호 안의 동사를 활용하여 각각 한 단어로 쓰시오.

(1) People _____ in the country usually live long. (live)
(2) A team of scientists, led by John Mauchly, built a machine _____ ENIAC in 1946. (call)
(3) People hard of _____ had to use the hearing aid. (hear)

통합형

12 다음 우리말과 일치하도록 괄호 안에 주어진 표현을 활용하여 문장을 완성하시오. (단, 필요한 경우 형태를 변형할 것)

> 그는 그의 스웨터가 세탁되게 했다.

→ He _____.
(have, his sweater, clean)

13 다음 글의 밑줄 친 부분 중 어법상 어색한 것을 골라 번호를 쓰고 바르게 고쳐 쓰시오.

> Yesterday I was ①waiting for a bus at the bus stop. ②To my surprise, I saw a wallet ③lied ④in front of me. It looked very old and ⑤worn out.

번호: _____ → _____

대표유형 04　감정을 나타내는 분사　출제율 35%

14 다음 대화의 빈칸에 알맞은 말을 괄호 안의 동사를 변형하여 쓰시오.

> (interest)
> A What are you _____ in these days?
> B I'm _____ in reading webtoons. How about you?
> A I like to read _____ webtoons, too.

》 실전 Tip 주어가 감정을 '일으키는' 대상인지, 감정을 '느끼는' 주체인지를 파악한다.

15 다음 우리말과 같은 뜻이 되도록 조건에 맞게 영작하시오.

[조건] 1. 괄호 안의 동사를 알맞은 현재분사나 과거분사로 변형해서 사용할 것
2. 각각 5단어로 쓸 것

(1) 나는 감동적인 영화를 한 편 보았다. (move)
→ _____

(2) 그 의사는 왜 당황했니? (embarrass)
→ _____

01 다음 빈칸에 들어갈 말이 바르게 짝지어진 것은?

> • I have a goldfish ___(A)___ Nimo.
> • ___(B)___ a diary in English is not easy.
> • I was ___(C)___ to go to the amusement park.

	(A)	(B)	(C)
①	called	Kept	excited
②	called	Keeping	excited
③	calling	Kept	exciting
④	calling	Keeping	excited
⑤	calling	Keeping	exciting

통합형

02 다음 중 빈칸에 들어갈 make의 형태가 〈보기〉와 같은 것을 모두 고르면?

> **보기** Mark works at a factory _____ cars.

① Jonathan is interested in _____ mobile applications.

② I need boiling water _____ a cup of tea.

③ My hobby is _____ cupcakes and eating them.

④ Yesterday the teacher _____ me do my homework again.

⑤ Hurricane Rita is _____ New Orleans a sad city.

03 다음 글의 밑줄 친 부분에서 어법상 어색한 것을 골라 번호를 쓰고 바르게 고쳐 쓰시오.

> This is the book ①writing by Mr. Brown. I've ②known him for a long time. We ③met at a seminar about English poems for the first time. We soon ④became good friends and often ⑤met to talk about literature.

번호: _____ → _____

04 〈보기〉의 밑줄 친 부분과 쓰임이 같은 것을 모두 골라 기호를 쓰시오.

> **보기** (A) The baby is crying on the bed.
> (B) She is good at swimming in the sea.

> ⓐ He was singing alone yesterday.
> ⓑ They enjoyed watching sci-fi movies.
> ⓒ I am afraid of going there by myself.
> ⓓ Put a little cooking oil in the pan and heat it for a while.
> ⓔ The man's hobby was collecting famous works of art.
> ⓕ I know the boy playing basketball.

(A) _____

(B) _____

05 〈보기〉와 같이 주어진 두 문장을 한 문장으로 바꿀 때 빈칸에 알맞은 말을 쓰시오.

> **보기** My friend is pointing at a girl. The girl is jogging in the park.
> → My friend is pointing at a girl jogging in the park.

(1) A girl is walking around the house. I know the girl.
→ I know the girl _____.

(2) The nice laptop was made in China. She has it.
→ She has a nice laptop _____.

(3) Look at the boy. He is playing the guitar.
→ Look at the boy _____.

최종 선택 QUIZ

어법상 옳은 문장에
✔ 표시하세요.

01
a There must be hidden secrets.

b There must be hiding secrets.

02
a Don't touch the break dishes.

b Don't touch the broken dishes.

03
a Last night, I ate a baked potato.

b Last night, I ate a baking potato.

04
a The language spoke in Mexico is Spanish.

b The language spoken in Mexico is Spanish.

05
a Look at the cute baby sleeping in the cradle.

b Look at the cute baby slept in the cradle.

06
a The man playing the piano is my uncle.

b The man played the piano is my uncle.

07
a The child was frighten to see the dentist.

b The child was frightened to see the dentist.

08
a I felt disappointed when he did not remember my name.

b I felt disappointing when he did not remember my name.

유형별 기출 적용 빈도

유형 01 분사구문 만들기 `35%`

유형 02 분사구문의 부정과 생략 `10%`

유형 03 분사구문의 의미 `25%`

유형 04 접속사가 있는 문장으로 전환하기 `25%`

유형 05 현재분사 vs. 동명사 `5%`

≫ 출제 포인트

분사구문을 만드는 문제와 의미를 묻는 문제는 꼭 출제된다. 분사구문의 의미를 파악해 접속사가 있는 부사절로 바꾸는 문제도 자주 출제된다.

≫ 정답률 100% Tip

1 분사구문의 의미를 명확하게 하기 위해 접속사를 남겨두기도 한다.

2 Being이 생략된 분사구문은 진행 시제나 수동태가 쓰인 부사절로 바꿀 수 있다.

Grammar Point

Point 1 분사구문 만들기

When I entered the room, I saw my sister dancing.	
~~When~~ I entered the room, I saw my sister dancing.	① 부사절의 접속사 생략
~~I~~ entered the room, I saw my sister dancing.	② 부사절의 주어 생략 (주절의 주어와 같을 때)
Entering the room, I saw my sister dancing.	③ 부사절의 동사를 현재분사로 바꾸기 (주절의 시제와 같을 때)

Point 2 분사구문의 부정과 생략

분사구문의 부정은 분사 앞에 not이나 never를 쓴다. 분사구문이 「Being+분사」 형태일 때 Being은 생략할 수 있다.

- Not having money, I can't buy a car.
- (Being) Written in English, the book is not easy.

Point 3 분사구문의 의미

분사구문은 시간, 이유, 조건, 동시동작, 양보 등 다양한 의미를 나타낸다.

- After I put down my cup, I walked over to the window.
  → Putting down my cup, I walked over to the window. 〈시간〉
- If you turn to the left, you will see the shop.
  → Turning to the left, you will see the shop. 〈조건〉
- While he watched TV, he ate potato chips.
  → Watching TV, he ate potato chips. 〈동시동작〉

주의 동명사는 현재분사와 형태가 같으므로 혼동하지 않도록 유의한다.

- Lying to hide the truth is bad. 〈동명사: 주어〉
- Lying to hide the truth, I was pretty upset. 〈현재분사〉

✅ 바로 체크

01 Being poor, she couldn't buy it. [○ | ×]

02 Reading the book, I found some good words. [○ | ×]

03 Having not lunch, I was really hungry. [○ | ×]

04 When you prepare for an exam, try to do your best.

= (Preparing / Prepared) for an exam, try to do your best.

05 Smiling brightly, she held out her hand.

= (If / As) she was smiling brightly, she held out her hand.

06 Because she was impressed by my portfolio, she employed me.

= (Be / Being) impressed by my portfolio, she employed me.

대표유형 01 분사구문 만들기   출제율 35%

01 다음 문장의 빈칸에 들어갈 말로 알맞은 것은?

> She listened to music, _____ letters.

① write   ② is writing   ③ writes
④ writing   ⑤ written

02 다음 문장의 빈칸에 들어갈 말로 알맞은 것은?

> _____ computer games all day, I was very tired.

① Play   ② Played   ③ Playing
④ To play   ⑤ I play

03 다음 문장의 밑줄 친 동사의 형태로 알맞은 것은?

> He stood there in the rain, wait for the sun to come out.

① wait   ② waited   ③ waiting
④ being wait   ⑤ having wait

04 다음 괄호 안에서 알맞은 말을 고르시오.

> (Be / To be / Being) exhausted, she fell asleep without washing her face.

05 다음을 분사구문이 있는 문장으로 만들 때 생략되는 것은?

> Though I sit in the sun, I still feel cold.
>   ①②   ③   ④   ⑤

06 다음 문장의 밑줄 친 부분을 분사구문으로 만들 때 생략할 수 있는 것을 쓰시오.

> When I saw the singer, I was so excited.

_____

07 다음 괄호 안의 단어를 변형하여 문장을 완성하시오.

> Jane worked late into the night, _____ a long speech. (prepare)

08 다음 두 문장이 같은 뜻이 되도록 할 때 빈칸에 들어갈 말로 알맞은 것은?

> If you take this train, you will get to Seoul Station.
> = _____ this train, you will get to Seoul Station.

① Take   ② Took   ③ Taking
④ Being take   ⑤ Being taken

09 다음 두 문장이 같은 뜻이 되도록 빈칸에 알맞은 말을 한 단어로 쓰시오.

> As I felt tired, I went to bed early.
> = _____ tired, I went to bed early.

10 다음 문장의 밑줄 친 부분을 분사구문으로 바꿀 때 빈칸에 알맞은 말을 쓰시오.

> Because I was sick, I stayed at home.
> → _____ _____, I stayed at home.

11 다음 문장의 밑줄 친 부분 중 어법상 어색한 것은?

After <u>buy</u> a new pen, I <u>found</u> <u>my</u> old <u>one</u>.
①　②　　　　　　　③　④　　⑤

대표유형 02　분사구문의 부정과 생략　　출제율 10%

12 다음 문장의 부사절을 분사구문으로 바꿀 때 빈칸에 들어갈 말로 알맞은 것은?

As she wasn't well, she went to a doctor.
→ _____ well, she went to a doctor.

① As not be　② As being　③ She wasn't
④ Not was　⑤ Not being

13 다음 괄호 안에서 알맞은 말을 고르시오.

(Not know / Not knowing / Knowing not) what to say, I just kept smiling.

14 다음 두 문장이 같은 뜻이 되도록 할 때 밑줄 친 부분 중 생략할 수 있는 것은?

While he was eating his bread, he breathed in the smell for some time.
= ①Being ②eating ③his bread, ④he ⑤breathed in the smell for some time.

대표유형 03　분사구문의 의미　　출제율 25%

15 다음 두 문장이 같은 뜻이 되도록 할 때 빈칸에 들어갈 말로 가장 알맞은 것은?

Getting up early, you will not be late for school.
= _____ you get up early, you will not be late for school.

① If　　　② Though　　③ Before
④ While　　⑤ That

16 다음 두 문장이 같은 뜻이 되도록 할 때 빈칸에 알맞은 말을 모두 고르면?

Being a little girl, she could not carry the big bag.
= _____ she was a little girl, she could not carry the big bag.

① Before　　② As　　　③ Although
④ Because　　⑤ If

[17-18] 두 문장이 같은 뜻이 되도록 빈칸에 알맞은 접속사를 〈보기〉에서 골라 쓰시오.

보기　　as　　though　　while　　where　　if

17

Turning to the left, you can find the stairs.
= _____ you turn to the left, you can find the stairs.

18

Not feeling well, Laura left work early.
= _____ Laura didn't feel well, she left work early.

대표유형 04 접속사가 있는 문장으로 전환하기 출제율 25%

19 다음 〈보기〉의 밑줄 친 부분과 의미가 가장 가까운 것은?

> 보기 Doing her best, she failed the exam.

① Because she does her best
② When she does her best
③ Though she did her best
④ As she did her best
⑤ If she did her best

20 다음 〈보기〉의 밑줄 친 부분과 의미가 가장 가까운 것은?

> 보기 Arriving at the restaurant, I called her.

① Before she arrived
② Though I arrive
③ If I arrive
④ Because she arrives
⑤ When I arrived

21 다음 두 문장이 같은 뜻이 되도록 할 때 빈칸에 들어갈 말로 알맞은 것은?

> Feeling sick, he went to the hospital yesterday.
> = _____, he went to the hospital yesterday.

① If he feels sick
② While he feels sick
③ Before he felt sick
④ Because he felt sick
⑤ Though he was feeling sick

22 다음 중 밑줄 친 부분과 바꿔 쓸 수 있는 것은?

> Visiting his blog, you'll find his interesting paintings.

① As you visited
② If you visit
③ As you will visit
④ If you visited
⑤ Although you visit

23 다음 두 문장이 같은 뜻이 되도록 빈칸에 알맞은 말을 쓰시오.

> Having an appointment, I can't accept the invitation.
> = Because _____ _____ an appointment, I can't accept the invitation.

대표유형 05 현재분사 vs. 동명사 출제율 5%

24 다음 중 밑줄 친 부분의 성격이 나머지 넷과 다른 것은?

① Having no time, I had to run fast.
② Watching sci-fi movies is very exciting.
③ Taking this subway, you will get to the museum.
④ Going to school this morning, I saw Sara.
⑤ Checking the gift box, he found it was empty.

25 다음 중 밑줄 친 부분의 쓰임이 나머지 넷과 다른 것은?

① Running after him was difficult.
② Drinking too much soda is bad for our health.
③ Climbing the mountain is not easy.
④ Traveling by bus is very interesting.
⑤ Finishing his work, he was able to help me.

대표유형 01 분사구문 만들기   출제율 35%

01 다음을 분사구문이 있는 문장으로 바꿀 때 빈칸에 들어갈 말로 알맞은 것은?

> Though he was young, he could do it.
> → _____ _____, he could do it.

① Was young　　　　② Be young
③ He being　　　　　④ Being young
⑤ Been young

02 다음 두 문장이 같은 뜻이 되도록 할 때 빈칸에 들어갈 말이 바르게 연결된 것은?

> While we sang and danced together, we had a good time.
> = _____ and _____ together, we had a good time.

① Sing – dance　　　　② Sing – dancing
③ Sang – danced　　　 ④ Singing – danced
⑤ Singing – dancing

03 다음 문장을 분사구문이 있는 문장으로 바르게 바꾼 것은?

> Because I caught a cold, I couldn't go camping.

① Caught a cold, I couldn't go camping.
② Catching a cold, I couldn't go camping.
③ I catching a cold, I couldn't go camping.
④ Being caught a cold, I couldn't go camping.
⑤ Because caught a cold, I couldn't go camping.

대표유형 05 현재분사 vs. 동명사   출제율 5%

04 다음 〈보기〉의 밑줄 친 부분과 쓰임이 같은 것은?

> 보기　Wanting to see the Eiffel Tower, he went to Paris.

① While reading the book, he felt happy.
② Looking after children requires patience.
③ Driving in the rush hour is exhausting.
④ Not getting the expected result made him sad.
⑤ Being a hero does not mean doing great things.

05 다음 〈보기〉의 밑줄 친 부분과 쓰임이 다른 것은?

> 보기　Running fast, we went home.

① Taking a walk in the park, I met my friend.
② Making a mobile application is not hard.
③ Picking up the phone, Emma dialed his number.
④ Walking along the street, I saw something strange.
⑤ Being very small, the dog could pass through the hole in the fence.

≫ 실전 Tip 밑줄 친 부분을 삭제했을 때 문장의 성립 여부를 확인한다.

대표유형 02 분사구문의 부정과 생략   출제율 10%

06 다음 두 문장이 같은 뜻이 되도록 할 때 괄호 안의 단어가 들어갈 위치로 알맞은 것은?

> As I didn't know what to do, I remained silent.
> = ① Knowing ② what to ③ do, ④ I ⑤ remained silent. (not)

07 다음 우리말과 같은 뜻이 되도록 괄호 안의 동사를 활용하여 분사구문을 완성하시오.

> 나는 은행에 가는 길을 몰라서 그녀에게 전화했다.
> → _____ _____ the way to the bank, I called her. (know)

08 다음 괄호 안의 단어를 바르게 배열하여 문장을 완성하시오.

> _____, he didn't know about it. (listening, to, news, the, not)

대표유형 01　분사구문 만들기　출제율 35%

09 다음 밑줄 친 부분을 분사구문으로 바꿔 문장을 완성하시오.

> When she saw her family, she shouted with joy.
> → _____, she shouted with joy.

10 다음 문장을 분사구문이 있는 문장으로 바꿀 때 빈칸에 알맞은 말을 쓰시오.

> If you miss the chance, you will regret it.
> → _____ the chance, _____
> _____ _____ it.

11 다음 우리말과 같은 뜻이 되도록 어법상 잘못 쓰인 한 단어를 찾아 바르게 고쳐 쓰시오.

> 라디오를 들으면서 나는 바닥을 청소했다.
> → I cleaned the floor, listened to the radio.

_____ → _____

대표유형 03　분사구문의 의미　출제율 25%

12 다음 문장의 밑줄 친 부분을 바르게 해석하시오.

> Getting up late, I was late for the meeting.

→ _____

13 다음 문장의 밑줄 친 부분을 바르게 해석하시오.

> Opening the window, I heard a strange sound.

→ _____

대표유형 04　접속사가 있는 문장으로 전환하기　출제율 25%

14 다음 두 문장이 같은 뜻이 되도록 〈보기〉에서 알맞은 말을 골라 빈칸에 쓰시오.

> Waiting for the bus, I talked with Jisu.
> = _____ I _____ for the bus, I talked with Jisu.

보기	while	because	although
	wait	waited	waiting

15 다음 두 문장이 같은 뜻이 되도록 빈칸에 알맞은 말을 쓰시오.

> Thinking my mother was asleep, I walked quietly.
> = _____ my mother was asleep, I walked quietly.

≫ 실전 Tip 분사구문의 주어는 주절의 주어와 같을 때 생략한다는 것을 기억한다.

대표유형 01 분사구문 만들기   출제율 35%

01 주어진 문장을 분사구문 문장으로 <u>잘못</u> 바꾼 것은?

① When she saw me, she said hello.
   → When seeing me, she said hello.
② While he was going home, he met her.
   → While going home, he met her.
③ When she feels lonely, she plays the cello.
   → Feeling lonely, she plays the cello.
④ Because she was hungry, she ate the soup.
   → Being hungry, she ate the soup.
⑤ As he was a wise man, he thought of a good plan.
   → A wise man, he thought of a good plan.

02 다음 우리말을 바르게 영작한 것을 <u>모두</u> 고르면?

> Christine은 돈을 충분히 갖고 잊지 않아서 새 신발을 살 수 없었다.

① As Christine didn't have enough money, she couldn't buy new shoes.
② Before Christine didn't have enough money, she couldn't buy new shoes.
③ Not having enough money, Christine couldn't buy new shoes.
④ Having enough money, Christine never could buy new shoes.
⑤ Because Christine couldn't buy new shoes, she didn't have enough money.

대표유형 03 분사구문의 의미   출제율 25%

03 다음 두 문장이 같은 뜻이 되도록 할 때 빈칸에 알맞은 말을 <u>모두</u> 고르면?

> Not finding the key, he couldn't get into his house.
> = _____ he didn't find the key, he couldn't get into his house.

① As   ② Because   ③ Before
④ Though   ⑤ If

04 다음 문장과 의미가 가장 가까운 것은?

> Turning left, you'll see the pharmacy.

① If you turn left, you'll see the pharmacy.
② As you don't turn left, you'll see the pharmacy.
③ You turn left, but you'll see the pharmacy.
④ Unless you turn left, you'll see the pharmacy.
⑤ You turning left, and see the pharmacy.

대표유형 04 접속사가 있는 문장으로 전환하기   출제율 25%

05 다음 분사구문을 부사절로 전환한 것 중 옳지 <u>않은</u> 것은?

① <u>Seeing the police officer</u>, he ran away.
   → When he saw the police officer
② <u>Having dinner</u>, she watched a show.
   → While she was having dinner
③ <u>Being late</u>, she was scolded by her teacher.
   → Because she was late
④ <u>Visiting the gallery</u>, I saw many great paintings. → If I visited the gallery
⑤ <u>Listening to the music</u>, she studied English.
   → While she was listening to the music

(신유형)

06 다음 두 문장이 같은 뜻이 되도록 할 때 빈칸 (A), (B)에 들어갈 말이 순서대로 연결된 것은?

> Studying hard, she didn't get an A.
> = _____ (A) _____ , _____ (B) _____ .

ⓐ Though she studied hard
ⓑ As she studied hard
ⓒ When she studied hard
ⓓ she didn't get an A
ⓔ she got an A
ⓕ she doesn't get an A

① ⓐ - ⓓ   ② ⓐ - ⓔ   ③ ⓑ - ⓓ
④ ⓒ - ⓔ   ⑤ ⓒ - ⓕ

[07-08] 다음 두 문장이 같은 뜻이 되도록 빈칸에 알맞은 말을 쓰시오.

07

Seeing the fireworks, he began to cry.
= _____ ,
he began to cry.

08

Not knowing her address, I couldn't deliver the box.
= Because _____ , I
_____ the box.

>> 실전 Tip 부사절과 주절의 시제에 유의한다.

대표유형 01, 02 | 분사구문 만들기/분사구문의 부정과 생략 | 출제율 35%

09 다음 문장의 밑줄 친 부분을 분사구문으로 바르게 바꿔 쓰시오.

As she didn't know the password, she couldn't enter the room.

→ _____

---

10 다음을 분사구문을 사용한 문장으로 바꿔 쓰시오.

Because she didn't want to go to school, she pretended to be sick.
→ _____ , she
pretended to be sick.

---

11 다음을 분사구문을 사용한 문장으로 바꿔 쓰고, 생략할 수 있는 부분을 괄호로 표시하시오.

While he was reading the novel, he fell asleep.

→ _____

---

12 다음 우리말과 같은 뜻이 되도록 빈칸에 알맞은 말을 한 단어로 쓰시오.

산책하러 갔을 때 나는 아름다운 꽃을 많이 보았다.
→ _____ for a walk, I saw many beautiful flowers.

>> 실전 Tip 동사와 접속사의 역할을 동시에 할 수 있는 형태는 무엇일지 생각한다.

---

13 다음 문장에서 어법상 어색한 곳을 찾아 바르게 고쳐 쓰시오.

Being felt very hungry, I wanted to eat something.

_____ → _____

---

14 다음 문장을 분사구문을 넣어 바꿔 쓰시오.

As I answered the phone, I heard a loud noise.
→ _____

---

15 다음 우리말과 같은 뜻이 되도록 문장에서 어법상 어색한 부분을 찾아 바르게 고쳐 다시 쓰시오. (단, 분사구문을 쓸 것)

그녀는 차가 없어서 버스를 타야 했다.
→ Having not a car, she had to take a bus.

→ _____

신유형

01 다음 빈칸에 들어갈 말로 알맞지 <u>않은</u> 것은?

> • ____①____ feeling well, I went home early.
> → ____②____ I didn't feel well, I went home early.
> • ____③____ alone, she solves the same questions repeatedly.
> → ____④____ she studies alone, she solves the same questions repeatedly.
> • As he wrote a letter, he thought about his hometown.
> → ____⑤____ a letter, he thought about his hometown.

① Not   ② Because   ③ Studying
④ When   ⑤ Written

02 다음 〈보기〉의 밑줄 친 부분과 쓰임이 같은 문장의 개수는?

> 보기 <u>Turning</u> to the right, you will find a market.

> ⓐ <u>Being</u> twenty years old, he joined the army.
> ⓑ <u>Spending</u> your free time doing your hobby can be a joy.
> ⓒ <u>Entering</u> the room, he saw a strange sight.
> ⓓ Ann is sitting on the chair, <u>looking</u> out of the window.
> ⓔ <u>Washing</u> the dishes after the party is the last thing I have to do.

① 1개   ② 2개   ③ 3개
④ 4개   ⑤ 5개

03 그림을 보고 〈보기〉와 같이 괄호 안의 표현들을 활용하여 문장을 완성하시오.

> 보기  **Being very sick**, he went home early.
> (very, be, sick)

(1)  _____, she got a 100 on the final exam. (study, very hard)

(2)  _____, I met an old friend. (along the street, walk)

04 짝지어진 두 문장의 의미가 같도록 할 때 빈칸에 공통으로 들어갈 말을 쓰시오.

> • Arriving at the terminal, I bought a ticket.
> = _____ I arrived at the terminal, I bought a ticket.
> • Not being tall, he needed a chair to change the light bulb.
> = _____ he was not tall, he needed a chair to change the light bulb.

05 주어진 조건에 맞게 우리말을 영작하시오.

> 그 공포 영화를 보았을 때 나는 매우 무서웠다.

[조건] **1.** 8단어로 쓸 것
    2. watch, horror movie, scared를 사용할 것
    3. 분사구문을 사용할 것

_____

01 ☐ Taking off his hat, he walked into the house.

= As he took off his hat, he walked into the house.

02 ☐ Riding the bike, I sang my favorite songs.

= Although I rode the bike, I sang my favorite songs.

03 ☐ Not working hard, you can't expect a good result.

= While you work hard, you can't expect a good result.

04 ☐ Because I was very fat, I tried my best to lose weight.

= Being very fat, I tried my best to lose weight.

05 ☐ If you go up the hill, you can see the river.

= Going up the hill, you can see the river.

06 ☐ As I didn't feel like talking with her, I remained silent.

= Feeling like talking with her, I didn't remain silent.

07 ☐ Though very tired, they went on playing soccer.

= Though they were very tired, they went on playing soccer.

08 ☐ Being a little boy, he could not move the big stone.

= Though he was a little boy, he could not move the big stone.

유형별 기출 적용 빈도

유형 01 부정대명사의 의미와 쓰임 `30%`

유형 02 짝을 이루는 부정대명사 `25%`

유형 03 재귀대명사의 형태와 용법 `35%`

유형 04 재귀대명사의 관용적 표현 `10%`

》 출제 포인트

부정대명사 one과 대명사 it의 쓰임을 구별하는 문제와 짝을 이루는 부정대명사를 알고 있는지 확인하는 문제, 또한 재귀대명사의 형태와 쓰임을 정확히 파악하고 있는지 묻는 문제가 주로 출제된다.

》 정답률 100% Tip

1 부정대명사 one 앞에는 관사가 올 수 있다.

2 부정대명사와 동사의 수 일치에 유의한다.

Grammar Point

Point 1 부정대명사의 의미와 쓰임

정해지지 않은 막연한 대상을 가리키는 명사를 부정대명사라고 하며, one, another, the other, some, others 등이 있다.

주의 부정대명사 one은 앞에서 말한 명사와 같은 종류의 불특정한 것, 대명사 it은 앞에서 말한 특정한 것을 가리킨다.

• I have a blue pen. He has a yellow one. 〈one: 불특정한 pen을 나타냄〉

• I have a blue pen. He gave it to me. 〈it: 앞의 a blue pen을 가리킴〉

Point 2 짝을 이루는 부정대명사

one ~ the other ...	(둘 중) 하나는 ~, 다른 하나는 ⋯
one ~ another ... the other ~	(셋 중) 하나는 ~, 또 하나는 ⋯, 나머지 하나는 ~
one ~ the others ...	(여럿 중) 하나는 ~, 나머지 전부는 ⋯
some ~ others ...	(불특정한 여럿 중) 일부는 ~, 또 다른 일부는 ⋯
some ~ the others ...	(특정한 여럿 중) 일부는 ~, 나머지 전부는 ⋯

Point 3 재귀대명사의 형태와 용법

재귀대명사는 '~ 자신, ~ 자체'라는 의미이다.

I	you	he/she	it	we	you(복수)	they
myself	yourself	himself/ herself	itself	ourselves	yourselves	themselves

재귀 용법: 동사나 전치사의 목적어로 쓰임, 생략할 수 없음

강조 용법: 주어, 목적어 등과 동격으로 쓰여 의미 강조, 생략 가능

Point 4 재귀대명사의 관용적 표현

• by oneself: 혼자서(= alone)

• for oneself: 혼자 힘으로

• help oneself (to): (~을) 마음껏 먹다

• enjoy oneself: 즐겁게 지내다

• between ourselves: 우리끼리 이야기지만

✓ 바로 체크

01 This is my new hat. Do you like (it / one)?

02 That red bag is mine. The blue (it / one) is hers.

03 There are two boats on the river. One is big, and (other / the other) is small.

04 There are five students in the classroom. One is a boy, and (the other / the others) are girls.

05 I (myself / mineself) prepared dinner.

06 They (theirselves / themselves) believed the news.

07 Help (you / yourself) to the cake.

08 We enjoyed (ourself / ourselves) at the party.

대표유형 01   부정대명사의 의미와 쓰임   출제율 30%

01 다음 문장의 빈칸에 들어갈 말로 알맞은 것은?

> This shirt is too small for me. Show me a
> big _____.

① it   ② one   ③ ones
④ them   ⑤ thing

02 다음 대화의 밑줄 친 부분이 가리키는 것은?

> **A** Do you need tickets to the concert?
> **B** Yes! Can you get one for me?
> **A** No problem.

① a letter   ② an address   ③ a problem
④ a ticket   ⑤ the concert

03 다음 두 문장의 빈칸에 공통으로 알맞은 것은?

> • He lost his umbrella, so he wants to buy
>   a new _____.
> • She has a blue cap, and I have a yellow
>   _____.

① it   ② one   ③ them
④ that   ⑤ this

04 다음 대화의 빈칸에 들어갈 말로 알맞은 것은?

> **A** Is this your new cell phone?
> **B** Yes, I bought _____ last week.

① it   ② one   ③ other
④ some   ⑤ another

05 다음 밑줄 친 부분 중 어법상 어색한 것을 찾아 번호를 쓰고 바르게 고치시오.

> ①I am ②looking for ③a warm coat. Could
> you ④show me ⑤it?

번호: _____ → _____

대표유형 02   짝을 이루는 부정대명사   출제율 25%

06 다음 빈칸에 알맞은 말이 순서대로 짝지어진 것은?

> There are two men near the tree.
> _____ is sitting, and _____ is
> standing.

① He – other   ② Some – another
③ One – two   ④ One – the other
⑤ Some – the other

07 다음 빈칸에 알맞은 말이 순서대로 짝지어진 것은?

> Our class was divided into two groups.
> _____ group liked basketball, and
> _____ didn't like basketball.

① A – one   ② One – the other
③ One – two   ④ One – others
⑤ Some – others

08 다음 글의 빈칸에 들어갈 말로 알맞은 것은?

> I watched three movies today. One was
> an action movie, _____ was a sci-fi
> movie, and the other was a horror movie.

① one   ② another   ③ other
④ others   ⑤ the other

09 다음 빈칸에 공통으로 들어갈 말로 알맞은 것은?

> • _____ is green. The other is red.
> • Which _____ looks heavier?

① This [this]　　　② That [that]
③ One [one]　　　④ Ones [ones]
⑤ It [it]

[10-11] 다음 빈칸에 들어갈 말로 알맞은 것을 고르시오.

10

> Everyone has different tastes. Some like coffee, and _____ like tea.

① other　　　　② the other
③ ones　　　　④ another
⑤ others

11

> There are six pairs of socks in the drawer. Two pairs are my sister's, and _____ are mine.

① ones　　　　② the other
③ the others　　④ another
⑤ some

12 다음 빈칸에 공통으로 들어갈 말을 주어진 철자로 시작하여 한 단어로 쓰시오.

> • I ate a hamburger and ordered _____.
> • I have three friends. One is from China, and _____ is from Japan. The other is from England.

→ a_____

13 다음 빈칸에 알맞은 말이 순서대로 짝지어진 것은?

> Look at those beautiful apple trees. My grandmother planted _____ of them, and my mother planted _____.

① one – it　　　　② one – another
③ some – others　　④ a tree – trees
⑤ some – the others

14 다음 중 대명사와 재귀대명사의 연결이 <u>잘못된</u> 것은?

① you – yourselves　　② he – himself
③ I – myself　　　　　④ they – theirselves
⑤ it – itself

15 다음 문장의 빈칸에 들어갈 말로 알맞은 것은?

> We have to protect _____.

① we　　　② our　　　③ us
④ my　　　⑤ ourselves

16 다음 괄호 안의 단어를 어법상 알맞은 형태로 고쳐 쓰시오.

> (1) Mom (she) baked the cookies.
> (2) Mr. Louis talked to (Mr. Louis) for a while.

(1) _____　　(2) _____

17 주어진 우리말과 일치하도록 빈칸에 알맞은 말을 한 단어로 쓰시오.

> 이번에는 너 스스로 그 일을 해. 지금 나는 너를 도울 수 없어.
> → Do it _____ this time. I can't help you now.

18 다음 중 밑줄 친 부분을 생략할 수 없는 것은?

① I don't compare myself to others.

② I cooked this pasta myself.

③ I myself wrote the poem.

④ I myself grow those plants.

⑤ I can do this work myself.

19 다음 중 밑줄 친 부분의 쓰임이 나머지 넷과 다른 것은?

① Mary herself said that.

② Do you love yourself?

③ I just wanted to introduce myself.

④ Please help yourself to the cookies.

⑤ He found himself caught in the trap.

20 다음 중 밑줄 친 부분이 어법상 어색한 것은?

① I cut me with a knife.

② I saw him yesterday.

③ I'll speak to her myself.

④ I'll help him to do his homework.

⑤ I'd like to see you again soon.

21 다음 우리말과 일치하도록 괄호 안의 단어를 바르게 배열하시오.

> 우리는 모든 것을 직접 한다.
> (do, we, ourselves, everything)

→ _____

대표유형 04 재귀대명사의 관용적 표현　　　　출제율 10%

22 다음 문장의 빈칸에 들어갈 말로 알맞은 것은?

> She is enjoying _____ at the party.

① she　　　② myself　　　③ oneself

④ herself　　⑤ yourself

23 다음 문장의 밑줄 친 우리말을 재귀대명사를 포함하는 알맞은 표현으로 바꿔 쓰시오.

> Emily has to prepare for her future 혼자 힘으로.

→ _____ _____

24 다음 대화의 빈칸에 들어갈 말로 알맞은 것은?

> **A** We have enough food for the guests.
>
> _____
>
> **B** Thank you. There is lots of delicious food here.

① I'll help you.　　　② Help yourself.

③ Help the guests.　　④ Enjoy myself.

⑤ Help us with the food.

25 다음 문장을 우리말로 해석하시오.

> She decided to travel around the world by herself.

→ _____

대표유형 01 부정대명사의 의미와 쓰임   출제율 30%

01 다음 대화의 빈칸에 들어갈 말로 알맞은 것은?

> **A** John, I don't have a pencil. Will you please lend me _____?
> **B** Sure. Which pencil do you want?
> **A** Anything is okay.

① it   ② other   ③ one
④ another   ⑤ the other

02 다음 괄호 안에서 알맞은 말이 순서대로 짝지어진 것은?

> • I read a fantasy novel. (One / It / Some) was exciting.
> • I want to read a fantasy novel. Can you recommend (one / it / the other)?

① One – one   ② One – it   ③ It – one
④ Some – it   ⑤ It – the other

03 다음 문장의 빈칸에 들어갈 말로 알맞은 것은?

> I don't like this hat. Can you show me another _____?

① one   ② ones   ③ some
④ the other   ⑤ others

≫ 실전 Tip another는 단수 명사로 쓰이거나 단수 명사를 꾸민다.

대표유형 02 짝을 이루는 부정대명사   출제율 25%

04 다음 빈칸에 들어갈 말로 알맞은 것은?

> I've been to two foreign countries. One is Japan, and _____ is Vietnam.

① one   ② another   ③ other
④ the other   ⑤ the others

[05-06] 다음 빈칸에 알맞은 말이 순서대로 짝지어진 것을 고르시오.

05

> Two tennis players are playing the game. Some of the people are cheering for _____ player, and others are cheering for _____.

① one – other   ② one – another
③ one – the other   ④ the other – another
⑤ the other – some

06

> There are five balls on the table. _____ is red, _____ is yellow, and _____ are blue.

① One – another – others
② One – other – the others
③ One – another – the others
④ Some – other – the other
⑤ Some – another – others

≫ 실전 Tip 부정대명사가 가리키는 대상이 속한 범위를 확인하고, 동사의 수에 유의한다.

대표유형 03 재귀대명사의 형태와 용법   출제율 35%

07 다음 중 밑줄 친 부분의 쓰임이 나머지 넷과 <u>다른</u> 것은?

① Did you enjoy <u>yourself</u>?
② I made the miniatures <u>myself</u>.
③ Did he <u>himself</u> do his homework?
④ My little brother wrote the letter <u>himself</u>.
⑤ Eva <u>herself</u> prepared for the party for her family.

08 다음 중 밑줄 친 부분을 생략할 수 있는 것은?

① He introduced <u>himself</u> to us.
② She looked at <u>herself</u> in the water.
③ I comforted <u>myself</u> with the memories.
④ We found <u>ourselves</u> in a dark room.
⑤ They did not understand the situation <u>themselves</u>.

09 괄호 안에 주어진 우리말과 같도록 밑줄 친 단어를 알맞은 형태로 변형하여 쓰시오.

> When we try to do something and fail, we have to ask us the reason.
>
> (우리가 무언가를 시도했으나 실패할 때에는 우리 스스로에게 그 이유를 물어야 한다.)

→ _____

10 다음 대화를 읽고, 흐름에 맞도록 빈칸에 알맞은 말을 한 단어로 쓰시오.

> A What a mess! What are you doing?
> B I'm cutting and pasting this paper for my art homework.
> A Be careful with the knife! Don't hurt _____.
> B OK.

≫ 실전 Tip 명령문에서 생략된 주어가 무엇인지 생각한다.

11 괄호 안에 주어진 우리말과 같은 의미가 되도록 빈칸에 알맞은 말을 쓰시오.

(1) My dad cut _____ with a knife.
  (아빠는 칼에 베이셨다.)

(2) Jane was very _____ of _____.
  (Jane은 그녀 자신이 매우 자랑스러웠다.)

(3) I do not _____ _____.
  (나 자신은 동의하지 않는다.)

12 다음 우리말과 같도록 괄호 안의 말을 이용하여 영작하시오.

> 내가 직접 그 사고를 보았다.
> (see, the accident, myself)

→ _____

대표유형 04 재귀대명사의 관용적 표현 출제율 10%

13 다음 밑줄 친 부분을 어법에 맞게 고쳐 쓰시오.

> Don't eat the whole pizza by you.

→ _____

14 괄호 안의 말을 바르게 배열하여 문장을 완성하시오.

> (learned, the, she, for, skill, herself)

→ _____

15 주어진 우리말과 같은 의미가 되도록 빈칸에 알맞은 말을 쓰시오. (단, 재귀대명사를 포함할 것)

> 이건 우리끼리만 아는 이야기예요, 그렇죠?
> → This is _____ _____, right?

대표유형 01 부정대명사의 의미와 쓰임   출제율 30%

01 다음 중 밑줄 친 부분의 쓰임이 **잘못된** 것은?

① My bike is broken. I will buy a new <u>one</u>.

② <u>One</u> should obey traffic rules.

③ Please show me some large <u>ones</u>.

④ I have a red shirt and three yellow <u>one</u>.

⑤ My brother has a white bag, and I have a black <u>one</u>.

02 다음 대화의 밑줄 친 부분과 쓰임이 같은 것은?

> **A** Can I help you?
> **B** Yes, I'm looking for sneakers.
> **A** How about these?
> **B** Oh, they are black. I'd like those white <u>ones</u>.

① We are of <u>one</u> age.

② My brother gave me <u>one</u> dollar.

③ <u>One</u> of the boys lost his ticket.

④ <u>One</u> day I met a young man.

⑤ I want an apple. May I take <u>one</u>?

≫ 실전 Tip 밑줄 친 부분이 문장에서 어떤 역할을 하는지 확인한다. 대화의 밑줄 친 부분은 동사의 목적어로 쓰였다.

03 다음 중 밑줄 친 부분의 쓰임이 〈보기〉와 같은 것은?

> 보기   This is a cheap car, and that is an expensive <u>one</u>.

① Vincent van Gogh's famous painting, *The Potato Eaters*, is <u>one</u> good example.

② Some say <u>one</u> thing, others another.

③ All of my pants are very old. I need to buy new <u>ones</u>.

④ We treated the dog as <u>one</u> of our family.

⑤ The baby girl is just <u>one</u> year old.

04 다음 중 어법상 **어색한** 것은?

① I need a large pan. Do you have it?

② I have a spare battery. I can lend it to you.

③ I lost my key. I have to find it.

④ I have no pen. Could you give me one?

⑤ I bought two watches. One is for my mom, and the other is for my dad.

05 다음 글의 빈칸에 들어갈 말로 알맞은 것은?

> I lost my wallet two days ago. But I found _____ this morning. It was under the sofa.

① it   ② them   ③ one

④ the one   ⑤ the other

06 다음 밑줄 친 우리말에 해당하는 문장으로 알맞은 것은?

> I am looking for a big backpack. <u>하나 보여주시겠어요?</u>

① Could you show me it?

② Could you show me one?

③ Could you show me the other?

④ Could you show me another?

⑤ Could you show me for yourself?

대표유형 03 재귀대명사의 형태와 용법   출제율 35%

07 다음 글의 빈칸에 알맞은 말이 순서대로 짝지어진 것은?

> I didn't help _____ at all, but they solved the problem on their own. They must be proud of _____.

① them – them   ② them – theirselves

③ them – themselves   ④ themselves – them

⑤ themselves – themselves

신유형

08 다음 밑줄 친 ⓐ와 ⓑ가 가리키는 것을 각각 글에서 찾아 쓰시오.

> Brian and Jack are sitting on the sofa. Brian is looking at ⓐhimself in the mirror and Jack is looking at ⓑhim.

ⓐ _____ ⓑ _____

≫ 실전 Tip 재귀대명사의 재귀 용법은 행위의 결과가 주어에게 돌아올 때 쓴다.

09 주어진 우리말과 일치하도록 밑줄 친 부분을 바르게 고쳐 쓰시오.

> 그들 중 많은 사람들이 그들 스스로를 좋은 요리사라고 생각한다.
> → Many of them consider them good cooks.

→ _____

대표유형 02 짝을 이루는 부정대명사   출제율 25%

10 다음 빈칸에 알맞은 말을 〈보기〉에서 골라 쓰시오.

> 보기   another   others   the other   the others

> • John has two backpacks. One is red, and _____ is blue.
> • I have five elder sisters. One is taller and _____ are shorter than me.

≫ 실전 Tip 부정대명사를 쓸 때에는 대상이 속한 집단의 범위가 정해져 있는지 확인한다.

[11-12] 괄호 안의 우리말과 같은 뜻이 되도록 문장을 완성하시오. (단, 부정대명사를 사용할 것)

11

> There are three fruits on the plate. One is an apple, _____ is a kiwi, and _____ is an orange.
> (접시 위에 과일이 세 개 있다. 하나는 사과, 다른 하나는 키위, 그리고 나머지 하나는 오렌지이다.)

12

> **A** These cell phones look nice. Are they new models?
> **B** _____ is new, but _____ are old. (하나는 새 모델이지만, 나머지는 모두 예전 모델입니다.)

13 다음 빈칸에 들어갈 말로 알맞은 것을 쓰시오.

> • There are many people in the park. _____ are jogging, and others are taking a walk.
> • There are eight students in the classroom. Some are moving desks and chairs, and _____ are mopping the floor.

대표유형 04 재귀대명사의 관용적 표현   출제율 10%

14 다음 〈보기〉에서 알맞은 표현을 골라 문장을 완성하시오. (단, 필요한 경우 형태를 변형할 것)

> 보기   of oneself   for oneself
>   between ourselves

(1) It's just _____. Don't tell anyone.

(2) You should write your essay _____.

15 주어진 문장과 같은 의미가 되도록 괄호 안의 동사를 이용하여 바르게 영작하시오. (단, 재귀대명사를 사용할 것)

> We had a good time.
> = _____ (enjoy)

01 다음 중 어느 빈칸에도 들어갈 수 <u>없는</u> 것은?

> • She washed the dishes by _____ .
> • He never thinks about other people. He only thinks about _____ .
> • My brother and I helped _____ to the food.
> • The cat seated _____ on the cushion.

① himself ② herself ③ itself
④ themselves ⑤ ourselves

02 다음 빈칸에 알맞은 말이 순서대로 짝지어진 것은?

> • Do you have pens? Lend me _____ .
> • Green apples are better than red _____ .
> • There are a lot of foreign students. Some are from Denmark and _____ are from Brazil.

① one – ones – others
② one – ones – the other
③ it – ones – others
④ it – them – the other
⑤ one – them – another one

03 다음 대화의 빈칸에 공통으로 들어갈 말로 알맞은 것은?

> **A** Good morning. How are you today?
> **B** I'm not _____ today.
> **A** Why? What's wrong with you?
> **B** I left my key in my room and I've locked _____ out.

① me ② myself ③ you
④ yourself ⑤ itself

04 괄호 안의 우리말과 같은 의미가 되도록 빈칸에 알맞은 말을 〈보기〉에서 골라 쓰시오.

> 보기 one   another   others
>   the other   the others

(1) There are four balls in the box. _____ is a baseball, and _____ are tennis balls. (상자 안에 공이 네 개 있다. 하나는 야구공이고 나머지 세 개는 테니스공이다.)

(2) I don't like the color. Please show me _____ one. (그 색이 마음에 안 들어요. 다른 것을 하나 보여 주세요.)

05 다음 글에서 어법상 <u>어색한</u> 부분을 한 군데 찾아 바르게 고쳐 쓰시오.

> It was my birthday. My mother bought me a nice bike. I really liked one and I was very happy.

_____ → _____

06 다음을 읽고 밑줄 친 우리말을 조건에 맞게 영작하시오.

> I saw three animals. <u>하나는 원숭이였고, 다른 하나는 코끼리였고, 나머지 하나는 호랑이였다.</u>

[조건] 1. 부정대명사를 사용할 것
       2. 14단어로 쓸 것

→ _____

최종 선택 QUIZ

어법상 옳은 문장에 ✔ 표시하세요.

01
a I have a blue shirt, and I need a yellow it.

b I have a blue shirt, and I need a yellow one.

02
a Would you introduce yourself in front of the class?

b Would you introduce you in front of the class?

03
a He built this house for hisself.

b He built this house for himself.

04
a Make myself at home.

b Make yourself at home.

05
a There are two rackets. One is for badminton, and another is for tennis.

b There are two rackets. One is for badminton, and the other is for tennis.

06
a Some students like math. Others don't.

b Some students like math. Others doesn't.

07
a We will enjoy ourself on Christmas Eve.

b We will enjoy ourselves on Christmas Eve.

08
a I am alone at home. I am by myself.

b I am alone at home. I am for oneself.

유형별 기출 적용 빈도

유형 01 수동태의 의미와 형태   35%

유형 02 능동태의 수동태 전환 1   28%

유형 03 수동태의 시제   11%

유형 04 수동태의 부정문과 의문문   17%

유형 05 조동사가 있는 수동태   9%

>> 출제 포인트

능동태와 수동태의 쓰임을 구별할 수 있는지 확인하는 문제와 능동태 문장을 수동태 문장으로 바르게 바꿀 수 있는지 확인하는 문제가 주로 출제된다.

>> 정답률 100% Tip

1 수동태의 시제는 be동사로 나타낸다.
2 수동태의 부정문은 be동사 뒤에 not을 쓰고, 의문문은 be동사를 주어 앞에 쓴다.
3 조동사 뒤에는 동사원형을 써야 한다.

Grammar Point

Point 1 수동태의 의미와 형태

수동태는 행위의 대상을 주어로 하는 동사의 형태로, 「be동사＋과거분사」로 쓴다. 행위의 주체는 「by＋행위자」로 쓴다.

• She is loved by everybody. 〈행위의 대상: She, 행위의 주체: everybody〉
└• 행위자가 일반적이거나 알려지지 않았을 때 생략 가능

Point 2 능동태의 수동태 전환 1

능동태의 목적어가 수동태의 주어, 능동태의 주어가 수동태의 행위자가 된다.

People recycle cans and bottles.

Cans and bottles are recycled (by people).

Point 3 수동태의 시제

현재	주어＋am/is/are＋과거분사 ...
과거	주어＋was/were＋과거분사 ...
미래	주어＋will be＋과거분사 ...

Point 4 수동태의 부정문과 의문문

부정문	주어＋be동사＋not＋과거분사 ...
의문문	Be동사＋주어＋과거분사 ...?

• The sculpture was not created by the artist.

Point 5 조동사가 있는 수동태

긍정문	주어＋조동사＋be＋과거분사 ...
부정문	주어＋조동사＋not＋be＋과거분사 ...
의문문	조동사＋주어＋be＋과거분사 ...?

• Could the machine be fixed?

✅ 바로 체크

01 The novel (loved / was loved) by many people.

02 The door (broke / was broken) by the police.

03 I (wrote / was written) the card.

04 He (saw / was seen) me.

05 These movies (was made / were made) in India.

06 The room will (be / being) cleaned.

07 Jason (watered / was watered) the plants.

08 The computer is (not fixed / fixed not) yet.

09 (Were they put / Were put they) into the pot?

10 Their project should (be / is) completed by next week.

대표유형 01 수동태의 의미와 형태   출제율 35%

01 다음 중 어법상 <u>어색한</u> 것은?

① I baked the cake this morning.
② The song was sung by a famous singer.
③ The movie enjoyed by children.
④ The fish was eaten by the bear.
⑤ The man was found by the neighbors.

02 다음 문장의 빈칸에 들어갈 말로 알맞은 것은?

> *Sunflowers* _____ by Vincent van Gogh.

① paints   ② paint   ③ painted
④ was painted   ⑤ be painted

03 다음 대화의 빈칸에 들어갈 말로 알맞은 것은?

> **A** Who designed the building?
> **B** It _____ by Mr. Rodgers.

① designed   ② is designed
③ was designed   ④ was designing
⑤ has designed

04 다음 중 어법상 <u>어색한</u> 것을 <u>모두</u> 고르면?

① The girl is looked so pretty.
② She was bought some bananas.
③ They were invited to the party.
④ These lyrics were written by the singer.
⑤ The book was sold to lots of people.

05 다음 우리말과 같도록 괄호 안의 동사를 알맞은 형태로 바꿔 문장을 완성하시오.

> 그 차는 한 여자에 의해 도난당했다.
> → The car was _____ by a woman.
>   (steal)

대표유형 02 능동태의 수동태 전환 1   출제율 28%

06 다음 두 문장이 같은 의미가 되도록 빈칸에 알맞은 말을 쓰시오.

> Ms. Wells built the art gallery.
> = The art gallery _____ by Ms. Wells.

07 다음 짝지어진 두 문장의 의미가 <u>다른</u> 것은?

① My father painted this picture.
    = This picture was painted by my father.
② Tom opened the door.
    = The door was opened by Tom.
③ The dog followed the cat.
    = The dog was followed by the cat.
④ Sujin read this book.
    = This book was read by Sujin.
⑤ Bell invented the telephone.
    = The telephone was invented by Bell.

08 다음 〈보기〉와 같이 주어진 문장을 바꿔 쓸 때 빈칸에 알맞은 말을 쓰시오.

> 보기   John broke the window.
>   → The window was broken by John.

The teacher praised Brian for his polite behavior.
→ Brian _____ _____ for his polite
    behavior _____ the teacher.

[09-10] 주어진 문장을 수동태로 바꿔 쓸 때 빈칸에 알맞은 말을 쓰시오.

09

> Mark folded the laundry.
> → The laundry _____ Mark.

10

> Hemingway wrote *The Old Man and the Sea*.
> → *The Old Man and the Sea* _____ Hemingway.

[11-12] 다음 문장을 수동태로 전환하시오.

11

> I made those pencil cases.
> → _____

12

> The bird caught a small worm.
> → _____

대표유형 03 수동태의 시제   출제율 11%

13 다음 중 밑줄 친 부분이 어법상 **어색한** 것은?

① It <u>will be decided</u> by tomorrow.
② The pictures <u>were taken</u> years ago.
③ The deer <u>was killed</u> on the road.
④ This car <u>will driven</u> by the racer.
⑤ The furniture in this room <u>was bought</u> by him last year.

14 다음 밑줄 친 부분을 바르게 고쳐 문장 전체를 다시 쓰시오.

> My glasses <u>are broken</u> by my dog this morning.

→ _____
_____

15 다음 두 문장의 빈칸에 들어갈 말이 순서대로 바르게 짝지어진 것은?

> • Some workers _____ next year.
> • This cartoon _____ by Mr. Ahn last month.

① will employ – drew
② will employ – draws
③ is employed – is drawn
④ is employing – was drawn
⑤ will be employed – was drawn

16 다음 밑줄 친 동사를 바르게 고쳐 쓰시오.

> The invention <u>use</u> by many people around the world someday.

→ _____

17 다음 우리말과 같은 뜻이 되도록 괄호 안의 단어를 이용하여 빈칸에 알맞은 말을 쓰시오.

> 노래 경연 대회는 5월 23일에 열릴 것이다.
> → The singing contest _____ _____ _____ on May 23rd. (hold)

대표유형 04　수동태의 부정문과 의문문　　출제율 17%

18 다음 중 어법상 <u>어색한</u> 것은?

① These things will not be recycled.

② Were the passengers saved by the man?

③ You didn't be invited to the reception.

④ Her homework was not finished on time.

⑤ Was the festival canceled because of rain?

19 다음 문장을 의문문으로 바꿔 쓰시오.

> The theater is visited by many tourists all year round.

→ _____

_____

20 다음 우리말과 같은 뜻이 되도록 괄호 안의 말을 바르게 배열하시오.

> 저녁 식사는 Bill에 의해 준비되는 것이 아니다.
> (not, dinner, Bill, prepared, is, by)

→ _____

21 주어진 문장을 괄호 안의 지시에 맞게 바꿔 쓰시오.

(1) The email was sent by her yesterday.

→ _____

(부정문으로)

(2) The bakery is closed.

→ _____

(의문문으로)

대표유형 05　조동사가 있는 수동태　　출제율 9%

22 다음 밑줄 친 부분을 바르게 고쳐 쓰시오.

> When you play soccer, the ball <u>must not handle</u> by hands.

→ _____

23 다음 우리말을 바르게 영작한 것은?

> 바닥은 즉시 청소되어야 한다.

① The floor can cleaned up right now.

② The floor should be clean up right now.

③ The floor should be cleaned up right now.

④ The floor will be cleaned up right now.

⑤ The floor will be cleaning up right now.

24 다음 중 어법상 <u>어색한</u> 것은?

① Can be the mistake corrected?

② Our plan cannot be changed easily.

③ The treasures should be returned to the country.

④ Some of the items will be made in Italy.

⑤ Should the process be repeated again?

25 다음 글의 밑줄 친 부분 중 어법상 <u>어색한</u> 것은?

> ①Polar bears ②must be protect by humans. ③If they ④are not protected, they ⑤will soon disappear from the earth.

대표유형 01   수동태의 의미와 형태   출제율 35%

01 다음 문장의 빈칸에 들어갈 말로 알맞은 것은?

> English is _____ by many people around the world.

① speak   ② speaks   ③ spoke
④ spoken   ⑤ speaking

02 다음 중 밑줄 친 부분이 어색한 것을 모두 고르면?

① I was hit by a car a month ago.
② The question was answered.
③ The story was loved children.
④ The wall was paint by volunteers.
⑤ The boxes was delivered by the driver.

03 다음 글의 빈칸에 알맞은 말이 순서대로 짝지어진 것은?

> The fabric is _____ to T-shirt factories. It is _____ into T-shirts. Then they are _____ to stores.

① move – make – send
② moved – made – sending
③ moving – making – sent
④ moved – made – sent
⑤ moving – making – sending

대표유형 03   수동태의 시제   출제율 11%

04 다음 중 밑줄 친 부분의 쓰임이 어색한 것은?

① The watch is bought by me last month.
② The teacher will be missed so much.
③ The house was built by two brothers.
④ The school rules are followed by the students.
⑤ The potatoes will be fried in olive oil.

05 다음 중 어법상 어색한 것은?

① Her aunt was born in 1978.
② *Harry Potter* was written by J. K. Rowling.
③ The piano will played by Mary soon.
④ The song was recorded by him last year.
⑤ The IT company is run by Mr. Gates.

》 실전 Tip 조동사 뒤에는 항상 동사원형이 쓰인다는 것을 기억한다.

대표유형 04   수동태의 부정문과 의문문   출제율 17%

06 다음 문장에서 not이 들어갈 위치로 알맞은 곳은?

> The robbers ① were ② found ③ by ④ the police ⑤ yesterday.

07 다음 우리말을 바르게 영작한 것은?

> 그 강은 오수에 의해 오염되는가?

① The river is polluted by wastewater.
② Is the river polluted by wastewater?
③ Are the river polluted by wastewater?
④ Is polluted the river by wastewater?
⑤ Is by wastewater the river polluted?

08 다음 문장과 의미가 같은 것은?

> She didn't make this pizza.

① This pizza is not made by her.
② This pizza is not make by her.
③ This pizza was not made by her.
④ This pizza was not be made by her.
⑤ This pizza not was made by her.

》 실전 Tip 수동태의 시제는 be동사로 나타낸다는 것에 유의한다.

대표유형 02, 05 능동태의 수동태 전환 1 / 조동사가 있는 수동태 출제율 28%

09 'Sam can solve the science problem.'이라는 능동태 문장을 수동태 문장으로 고쳐 쓰시오.

The science problem _____.

10 다음 〈보기〉를 참고하여 두 문장의 의미가 같도록 빈칸에 알맞은 말을 쓰시오.

보기 Jack gave a pencil to me.
= A pencil was given to me by Jack.

We wrote a thank-you card to her.
= A thank-you card _____
by us.

11 다음 문장을 수동태로 바꿔 쓰시오.

We should not touch the old paintings.
→ _____

12 다음 〈보기〉와 같이 주어진 문장을 바꿔 쓰시오.

보기 My homework was destroyed by my little brother.
→ My little brother destroyed my homework.

A new planet was discovered by an unknown scientist.
→ _____

대표유형 03 수동태의 시제 출제율 11%

13 다음 괄호 안에 주어진 단어를 알맞은 형태로 바꿔 문장을 완성하시오.

The shopping center (1) (build) last year and the hospital (2) (build) next year.

(1) _____

(2) _____

14 다음 〈보기〉와 같이 주어진 단어를 이용하여 수동태 미래 시제 문장을 완성하시오.

보기 (cookies, bake, Jane)
→ Cookies will be baked by Jane.

(two new albums, release, the band)
→ _____

15 다음 〈보기〉와 같이 괄호 안의 동사를 이용하여 그림과 일치하는 문장을 완성하시오. (단, 과거 시제로 쓸 것)

보기
The vase was broken by Mina. (break)
Mina

(1)
The room _____
_____. (clean)
Steve

(2)
The car _____
_____. (wash)
Kate

대표유형 01 수동태의 의미와 형태 　　　　출제율 35%

01 다음 대화의 빈칸에 알맞은 말이 순서대로 짝지어진 것은?

> **A** Did you find your cell phone?
> **B** Yes. It _____ behind the desk.
> **A** Behind the desk?
> **B** I think it _____ there by my dog.

① is found – is put 　　② was found – put
③ found – was put 　　④ finds – puts
⑤ was found – was put

신유형

02 다음 글의 빈칸에 들어갈 수동태의 형태가 **잘못**된 것은?

> Trees ① _____ into very small pieces. These small pieces ② _____ to the paper factory. A lot of chemicals ③ _____ to make them into white paper. The paper ④ _____ into rolls. Then they ⑤ _____ to many cities.

① are cut 　　② are moved 　　③ is used
④ is rolled 　　⑤ are sent

≫ 실전 Tip 수동태를 쓸 때 주어의 수에 항상 유의한다.

03 다음 중 밑줄 친 부분을 생략할 수 있는 것은?

① The school will be designed <u>by Ms. Gang</u>.
② Lucas wasn't invited <u>by the couple</u>.
③ The book was written <u>by Mr. Spencer</u>.
④ French is spoken in Canada <u>by people</u>.
⑤ Your bag will be carried <u>by the robot</u>.

대표유형 02, 05 능동태의 수동태 전환 1 / 조동사가 있는 수동태 　출제율 28%

04 다음 중 어법상 자연스러운 것은?

① This picture were not painted by Mike.
② The shoes will not be delivered tomorrow.
③ The plants have to been water by you.
④ Should be the packages moved by the staff?
⑤ The students were taken all the seats.

05 다음 우리말과 의미가 같은 것은?

> 보고서를 금요일까지 제출해야 합니다.

① The report should hand in by Friday.
② The report should be hand by Friday.
③ The report should be handed in by Friday.
④ The report will be hand in by Friday.
⑤ The report will be handed by Friday.

06 다음을 수동태 문장으로 알맞게 바꾼 것은?

> Will Santa Clause bring presents?

① Will be Santa Clause brought presents?
② Will Santa Clause be brought presents?
③ Will presents be brought by Santa Clause?
④ Will be presents brought by Santa Clause?
⑤ Is presents will be brought by Santa Clause?

07 다음 중 능동태 문장을 수동태로 **잘못** 바꾼 것은?

① The boy might throw the ball.
　→ The ball might be thrown by the boy.
② She brought the flowers to me.
　→ The flowers were brought to her by me.
③ Maria makes the traditional dolls.
　→ The traditional dolls are made by Maria.
④ Anyone can enjoy the party.
　→ The party can be enjoyed by anyone.
⑤ Mr. Kim would write the email.
　→ The email would be written by Mr. Kim.

대표유형 02 능동태의 수동태 전환 1　　출제율 28%

08 주어진 문장을 괄호 안의 지시에 맞게 바꿔 쓰시오.

(1) The clerk cut the bread.

→ _____

(수동태 문장으로)

(2) The sweater was put in the closet by John.

→ _____

(능동태 문장으로)

09 다음 문장을 수동태로 바꿔 쓰시오.

We can make art out of all kinds of old things around us.

→ _____

_____

≫ 실전 Tip 문장의 목적어를 파악하여 수동태 문장의 주어로 쓴다.

(신유형)

10 질문에 〈보기〉와 같이 두 가지 방법으로 답하시오.

보기　**Q** Who created this painting?

A (1) Pablo Picasso created it.

(2) It was created by Pablo Picasso.

Q Who designed the Eiffel Tower?

A (1) Gustave Eiffel _____ .

(2) It _____ .

대표유형 03 수동태의 시제　　출제율 11%

11 다음 문장의 밑줄 친 동사를 알맞은 형태로 고쳐 쓰시오.

• The tree <u>plant</u> by my father in 2010.

• Some pictures <u>steal</u> from the museum last year.

• plant → _____

• steal → _____

12 다음 〈보기〉에서 알맞은 동사를 골라 문장을 완성하시오.

보기　　destroy　speak　do　wash

(1) Chinese _____ in China.

(2) The work _____ by volunteer workers tomorrow.

(3) The building _____ by fire in 1970.

대표유형 05 조동사가 있는 수동태　　출제율 9%

13 괄호 안의 표현을 활용하여 주어진 우리말을 바르게 영작하시오. (단, 수동태 문장으로 쓸 것)

소리는 전기로 바뀔 수 있다.

(sound, change into, electricity)

→ _____

14 다음 캠핑장 표지판의 밑줄 친 부분을 어법상 자연스러운 형태로 고쳐 쓰시오.

Camping Rules

(1) The environment <u>should protect</u>.

(2) The camping site <u>should clean up</u> after it is used.

(3) The trash <u>must pick up</u>.

(1) _____

(2) _____

(3) _____

15 다음 글에서 어법상 틀린 부분을 찾아 바르게 고쳐 쓰시오.

Lots of old things can recycle. For example, these napkins were made of old shirts. This bag was made of an old tent.

_____ → _____

01 다음 네모 (A)~(C) 안에서 알맞은 것끼리 순서대로 짝지어진 것은?

(A) All things will ⏐explain / be explained⏐ in detail later.

(B) The campaign ⏐created / was created⏐ by the students.

(C) They ⏐didn't order / weren't ordered⏐ the steak.

① explain – created – weren't ordered

② explain – was created – weren't ordered

③ be explained – created – didn't order

④ be explained – was created – didn't order

⑤ be explained – created – weren't ordered

02 다음 짝지어진 두 문장의 뜻이 서로 <u>다른</u> 것을 <u>두 개</u> 고르면?

① We will catch lots of salmon here.
   = Lots of salmon will be caught here.

② My mother sent a cake to me.
   = A cake was made for me by my mother.

③ The report will be finished by Josh.
   = Josh will finish the report.

④ He showed some photos to you.
   = Some photos were shown to you by him.

⑤ I think this computer can be fixed by her.
   = I want her to fix this computer.

신유형

03 다음 대화의 흐름에 맞게 빈칸에 알맞은 말을 쓰시오.

A Have you ever read this short story?

B Yes, I have. It _____
   O. Henry, wasn't it?

A You're right. Its author is O. Henry.

04 다음 A, B, C에서 각각 어울리는 말을 골라 〈보기〉와 같이 문장을 쓰시오.

보기 Mother's Day was started by an American woman.

A	Shakespeare	a French man	~~an American woman~~	Leonardo da Vinci
B	draw	make	~~start~~	write
C	The Statue of Liberty	~~Mother's Day~~	Hamlet	Mona Lisa

- _____
- _____
- _____

05 괄호 안의 표현을 배열하여 문장을 완성하시오. (단, 과거 시제의 문장으로 쓰고 필요할 경우 단어를 추가할 것)

Thanks to the scientist's prediction, _____
_____.

(a lot of, lives, people's, saved)

06 다음 글의 밑줄 친 우리말을 영작하시오.

I heard the news about the three travelers. They were lost on their trip to England. Luckily, <u>그들은 어제 경찰에 의해 발견되었다.</u>

→ _____

01

a   The branches should be cutted.

b   The branches should be cut.

02

a   Was it hid in the forest by the thief?

b   Was it hidden in the forest by the thief?

03

a   This song will be enjoyed by everybody.

b   This song will enjoy by everybody.

04

a   The leaves turned red and yellow.

b   The leaves were turned red and yellow.

05

a   Something should be done by the company.

b   Something should be doing by the company.

06

a   I put some rice into the pot.

b   I was put some rice into the pot.

07

a   I was not impressed by his words.

b   I was not be impressed by his words.

08

a   Were arrested they at the airport together?

b   Were they arrested together at the airport?

유형 01 능동태의 수동태 전환 2 | 56%

유형 02 동사구의 수동태 | 24%

유형 03 by 이외의 전치사를 쓰는 수동태 | 20%

》 출제 포인트
수동태를 써야 할지 판단하는 문제와 능동태 문장을 수동태 문장으로 바꾸는 문제가 주로 출제된다.

》 정답률 100% Tip
동사구를 수동태로 쓸 때 전치사나 부사 등은 과거분사 바로 뒤에 쓴다.

Grammar Point

Point 1 능동태의 수동태 전환 2 (4, 5형식의 수동태)

(1) 4형식의 수동태

• He gave me an umbrella.

→ I was given an umbrella by him. 〈간접목적어를 주어로 쓸 때〉
An umbrella was given to me by him. 〈직접목적어를 주어로 쓸 때〉

4형식의 직접목적어를 주어로 하는 수동태 문장은 간접목적어였던 말 앞에 동사에 따라 전치사 to, for, of를 쓴다.

to를 쓰는 동사	give, teach, bring, send, show, tell, lend, write 등
for를 쓰는 동사	buy, choose, find, get, make, cook 등
of를 쓰는 동사	ask 등

*동사 buy, get, make, write 등은 직접목적어만 주어로 쓴다.

(2) 5형식의 수동태

목적어를 수동태 문장의 주어로 쓰고 목적격 보어는 동사 바로 뒤에 쓴다.

• They call the dog Jack. → The dog is called Jack by them.

지각동사나 사역동사가 쓰였을 때 목적격 보어인 동사원형은 수동태 문장에서 to부정사로 쓰되, 지각동사의 목적격 보어가 현재분사이면 그대로 쓴다.

I heard him cry. → He was heard to cry by me.

Point 2 동사구의 수동태

'동사＋전치사/부사'가 하나의 동사 역할을 할 때 수동태는 「be동사＋과거분사＋전치사/부사」로 쓴다.

Point 3 by 이외의 전치사를 쓰는 수동태

be surprised at	~에 놀라다	be interested in	~에 흥미가 있다
be tired of	~에 싫증나다	be worried about	~에 관해 걱정하다
be covered with	~으로 덮여 있다	be filled with	~으로 가득 차다
be made of＋ 성질이 변하지 않는 재료	~으로 만들어지다	be made from＋ 성질이 변하는 재료	~으로 만들어지다

✅ 바로 체크

01 She (gave / was given) some water to me.

02 Cookies (made / were made) for my mother by me.

03 He (calls / is called) Doctor by me.

04 I was made (run / to run) by my dog.

05 The cup is filled (by / with) warm milk.

06 The computer was turned (by on / on by) her.

07 A long letter was written (to / with) Bill by Jane.

08 The food was cooked (for / of) me by my brother.

09 The question was asked (at / of) Helen by her friend.

10 The boys were seen (play / playing) soccer in the rain.

대표유형 01 능동태의 수동태 전환 2   출제율 56%

01 다음 두 문장이 같은 뜻이 되도록 빈칸에 알맞은 말을 쓰시오.

> My brother brought me a chair.
> → A chair was ＿＿＿＿＿＿ ＿＿＿＿＿＿
> ＿＿＿＿＿＿ by my brother.

02 다음을 수동태 문장으로 바르게 바꾼 것은?

> I saw her get off the train.

① I was saw her get off the train.
② I was seen her to get off the train.
③ She saw me get off the train.
④ She was seen get off the train by me.
⑤ She was seen to get off the train by me.

03 다음 문장의 빈칸에 들어갈 말로 알맞은 것은?

> Some Christmas cards ＿＿＿＿＿＿ to
> Mr. Robinson by the children.

① send   ② sent
③ was sent   ④ were sent
⑤ were sending

04 다음 문장의 빈칸에 알맞은 말을 쓰시오.

> Was the desk made ＿＿＿＿＿ her by her
> father?

[05-06] 주어진 우리말과 같도록 괄호 안의 말을 바르게 배열하시오.

05

> 그 모자는 Jenny가 Tom에게 사 주었다.
> (the hat, for, Jenny, Tom, bought, was, by)

→ ＿＿＿＿＿＿＿＿＿＿＿＿＿＿＿＿＿＿＿＿＿

06

> 그 개는 우리 가족에게 Newton이라고 불린다.
> (Newton, the dog, called, my family, by, is)

→ ＿＿＿＿＿＿＿＿＿＿＿＿＿＿＿＿＿＿＿＿＿

07 다음 중 밑줄 친 부분의 쓰임이 <u>어색한</u> 것은?

① The story was told <u>of us</u> by Ms. Green.
② The present was sent <u>to me</u> by Andy.
③ The question was asked <u>of him</u> by Dean.
④ The room was lent <u>to the family</u> by her.
⑤ The boxes were made <u>for the cats</u> by Amy.

08 다음 문장의 밑줄 친 부분을 어법상 바르게 고친 것은?

> I was made <u>clean</u> the bathroom by my
> parents.

① cleans   ② cleaned   ③ cleaning
④ to clean   ⑤ was cleaned

09 다음 문장을 수동태 문장으로 바꿀 때 빈칸에 알맞은 말을 쓰시오.

> I gave the baby a cute doll.
> → The baby was given _____
>   by me.

10 주어진 우리말과 같은 뜻이 되도록 괄호 안의 단어를 활용하여 빈칸에 알맞은 말을 쓰시오.

> 식품은 냉장고에 의해 차갑게 유지된다.
> → The foods are _____ _____
>   by the refrigerator. (keep, cold)

[11-12] 다음 문장을 수동태 문장으로 바꿔 쓰시오.

11

> John heard the dog barking loudly.
> → The dog _____
>   by John.

12

> They made the girl sing the song.
> → The girl _____
>   by them.

대표유형 02   동사구의 수동태   출제율 24%

13 다음 빈칸에 알맞은 말을 쓰시오.

> He turned off my cell phone.
> → My cell phone _____ _____
>   _____ by him.

14 다음 문장의 밑줄 친 부분을 수동태 형태로 고쳐 문장 전체를 다시 쓰시오.

> The teacher <u>looks up to</u> by many students.

> → _____

15 다음 문장의 밑줄 친 부분 중 어법상 어색한 것은?

> ①The car ②must be ③caught up ④with the police ⑤quickly.

[16-17] 두 문장이 같은 의미가 되도록 할 때 빈칸에 알맞은 말을 고르시오.

16

> The man took care of the dogs.
> = The dogs were taken _____ the man.

① care by   ② by care
③ by care of   ④ cared of by
⑤ care of by

17

> His mother picked him up at the airport.
> = He was picked _____ his mother at the airport.

① by   ② him up   ③ up him
④ up by   ⑤ up for

18 다음 중 어법상 자연스러운 것은?

① Sam thrown away the old clothes.
② Sam was thrown the old clothes away.
③ The old clothes was thrown by Sam away.
④ The old clothes were thrown away by Sam.
⑤ The old clothes were thrown by away Sam.

대표유형 03 by 이외의 전치사를 쓰는 수동태　　　출제율 20%

19 다음 중 밑줄 친 부분의 쓰임이 <u>어색한</u> 것은?

① I <u>was satisfied with</u> my test results.
② <u>Were you surprised at</u> the news?
③ She <u>was given</u> a scarf by Jiho.
④ The bottle <u>is filled by</u> small pebbles.
⑤ The toy <u>is made of</u> plastic and wood.

---

20 다음 두 문장의 빈칸에 알맞은 말이 순서대로 짝지어진 것은?

• I'm tired _____ this boring music.
• He was pleased _____ the gifts.

① by – by　　② by – up　　③ of – up
④ from – for　　⑤ of – with

---

21 다음 중 빈칸에 들어갈 말이 나머지 넷과 <u>다른</u> 것은?

① The floor was covered _____ flowers.
② I was called Tony _____ my parents.
③ The car was driven _____ Mr. Brighton.
④ The cake was baked for me _____ Yuna.
⑤ The novel is read _____ many teens.

---

22 주어진 우리말과 같은 뜻이 되도록 빈칸에 알맞은 말을 쓰시오.

치즈는 우유로 만들어진다.
→ Cheese is _____ _____ milk.

---

23 다음 문장의 빈칸에 들어갈 말로 알맞은 것은?

Why are you worried _____ the girl?

① by　　　　② at　　　　③ with
④ about　　　⑤ from

---

24 다음 중 어법상 <u>어색한</u> 것은?

① I'm tired of doing the same things.
② Are you interested to his paintings?
③ Was this wine made in Korea?
④ The beach was covered with birds.
⑤ The poem was written by a young girl.

---

25 다음 글에서 어법상 <u>틀린</u> 부분을 찾아 번호를 쓰고 바르게 고쳐 쓰시오.

①There is a big basket ②on the table. It is ③covered from ④a thick cloth now, but it was ⑤filled with fresh oranges.

번호: _____ → _____

대표유형 01 능동태의 수동태 전환 2   출제율 56%

01 다음 우리말과 같은 뜻이 되도록 할 때 빈칸에 들어갈 말로 알맞은 것은?

> 그 이메일은 Ali가 내게 보냈다.
> → The email was _____ me by Ali.

① send to ② sent to ③ sending to
④ sent to by ⑤ to send to

02 다음 빈칸에 알맞은 말이 순서대로 짝지어진 것은?

> This dog _____ to me by my father. I _____ it Mike.

① brought – call ② brought – is called
③ is brought – calls ④ was brought – call
⑤ was brought – is called

03 다음 문장을 수동태로 바르게 전환한 것은?

> The teacher made me memorize words.

① I memorized words by the teacher.
② I made to memorize words by the teacher.
③ I was made memorize words by the teacher.
④ I was made to memorize words by the teacher.
⑤ Words were made to memorize by me by the teacher.

04 다음 빈칸에 들어갈 말로 알맞은 것은?

> She made her son the toy house.
> = The toy house _____ her son by her.

① made by ② is made for
③ was made for ④ was made to
⑤ were made to

≫ 실전 Tip make가 쓰인 4형식 문장이 직접목적어를 주어로 하는 수동태 문장이 되었으므로 간접목적어 앞에 전치사를 써야 한다.

05 다음 중 빈칸에 들어갈 말이 나머지 넷과 다른 것은?

① It was made _____ me by my father.
② The shirt was bought _____ him by Ann.
③ The food was cooked _____ the kids by their father.
④ The book was given _____ Henry by his brother.
⑤ This place was found _____ the students by their teacher.

대표유형 02, 03 동사구 / by 이외의 전치사를 쓰는 수동태   출제율 24%

06 주어진 문장을 수동태로 바르게 바꾼 것은?

> The nurse took care of the patient during the night.

① The nurse was taken care of the patient during the night.
② The patient was taken by the nurse care of during the night.
③ The patient was taken care by the nurse of during the night.
④ The patient was taken care of by the nurse during the night.
⑤ During the night was taken care of the patient by the nurse.

통합형

07 다음 중 어법상 자연스러운 것은?

① I was pleased by the gift.
② I am worried about the final test.
③ The city was covered by hot ash.
④ His interesting novel will be read by lots of people.
⑤ The airplane was invent by a certain German.

대표유형 01 능동태의 수동태 전환 2 　출제율 56%

08 다음 두 문장이 같은 뜻이 되도록 빈칸에 알맞은 말을 쓰시오.

> Anna heard Robin shout in his room.
> = Robin was heard _____ in his room by Anna.

12 다음 문장의 밑줄 친 부분 중 어법상 어색한 것을 찾아 번호를 쓰고 바르게 고쳐 쓰시오.

> They ①were ②heard to ③arguing ④with the manager ⑤in the lobby.

번호: _____ → _____

[09-10] 다음 문장을 수동태로 바꿔 쓸 때 빈칸에 알맞은 말을 쓰시오.

09
> My grandmother showed me some old photos.

→ I was _____ by my grandmother.

대표유형 02, 03 동사구 / by 이외의 전치사를 쓰는 수동태 　출제율 24%

13 다음 두 문장의 빈칸에 각각 알맞은 말을 쓰시오.

> • Are you interested _____ her plans?
> • His heart is filled _____ joy.

10
> The chef made the guests delicious soup.

→ Delicious soup was _____ by the chef.

14 다음 문장을 수동태로 바꿔 쓸 때 빈칸에 알맞은 말을 쓰시오.

> Mina's report satisfied her history teacher.
> → Mina's history teacher _____ _____ _____ her report.

15 다음 〈보기〉와 같이 주어진 문장을 바꿔 쓸 때 빈칸에 알맞은 말을 쓰시오.

> 보기　Jenny will look after the cat.
> → The cat will be looked after by Jenny.

11 다음 문장의 밑줄 친 부분을 바르게 고쳐 문장 전체를 다시 쓰시오.

> I was made to left the town by those people.

→ _____

Someone turned off the radio.
→ The radio was _____ someone.

≫ 실전 Tip 동사 역할을 하는 어구를 먼저 파악한다.

대표유형 01 능동태의 수동태 전환 2   출제율 56%

01 다음 중 능동태 문장을 수동태 문장으로 <u>잘못</u> 바꾼 것은?

① I found him a safe place.
  → A safe place was found for him by me.
② Rena made me a pretty necklace.
  → A pretty necklace was made for me by Rena.
③ He saw Sarah crossing the street.
  → Sarah was seen crossing the street by him.
④ We heard Noah sing a song.
  → Noah was heard to sing a song by us.
⑤ Someone asked me a question.
  → I was asked of a question by someone.

02 주어진 문장을 수동태로 바르게 바꾼 것은?

> They saw him enter the house.

① The house was seen enter by him.
② The house was entered by him seeing.
③ He was seen entered the house by them.
④ He was seen to enter the house.
⑤ He was seen to entering the house.

≫ 실전 Tip 행위자가 they, we, you, people 등과 같은 일반적인 명사일 때 「by + 행위자」는 생략할 수 있다.

03 다음 문장을 수동태로 바꿀 때 빈칸에 알맞은 말이 순서대로 짝지어진 것은?

> The company gave her a prize.
> → She was given _____ by the company.
> → A prize was given _____ by the company.

① a prize – her   ② a prize – to her
③ to a prize – to her   ④ to a prize – for her
⑤ to a prize – to by her

04 다음 우리말을 영작할 때 빈칸에 들어갈 말로 알맞은 것은?

> 차 한 잔이 그에게 전달되었다.
> → A cup of tea _____ him.

① brought for   ② brought to
③ was brought to   ④ was brought by
⑤ was brought of

05 다음 우리말을 바르게 영작한 것은?

> 그가 바다에서 수영하는 것이 많은 사람들에게 목격되었다.

① He saw many people swim in the sea.
② He was seen many people swim in the sea.
③ He was seen swimming in the sea by many people.
④ Many people swam seeing him in the sea.
⑤ Many people was seen swim in the sea by him.

대표유형 02, 03 동사구 / by 이외의 전치사를 쓰는 수동태   출제율 24%

06 다음 빈칸에 들어갈 말로 알맞은 것은?

> The workers cut down the trees.
> → The trees _____.

① was cut by the workers down
② were cut down by the workers
③ were cut by down the workers
④ have been cut by the workers
⑤ was to cut down by the workers

07 다음 중 빈칸에 들어갈 말이 나머지 넷과 <u>다른</u> 것은?

① Are you satisfied _____ your hairstyle?
② I'm not pleased _____ the news.
③ The box was filled _____ useless things.
④ They were not interested _____ my book.
⑤ The windows are covered _____ the blue curtain.

대표유형 01 능동태의 수동태 전환 2 출제율 56%

08 다음 문장을 수동태로 바꿔 쓰시오.

> Did you hear James close the door?

→ _____

09 다음 문장을 주어진 주어로 시작하는 두 개의 수동태 문장으로 바꿔 쓰시오.

> Claire told us a mysterious story.

→ We _____ .

→ A mysterious story _____ .

10 다음 대화의 밑줄 친 우리말을 조건에 맞게 영작하시오.

> **A** Did you buy the flowers?
> **B** Yes, 그 꽃들은 내가 어머니께 사 드렸어.

[조건] 1. 수동태 문장으로 쓸 것
　　　 2. 9단어로 쓸 것

→ _____

11 괄호 안의 단어를 활용하여 다음 우리말을 영작하시오.
(단, 수동태 문장으로 쓸 것)

(1) 그들은 헬멧을 쓰도록 해야 한다.
　　(should, make, wear, helmets)

　　→ _____

(2) 너는 Mr. Jones에게 수학을 배웠니?
　　(teach, math)

　　→ _____

≫ 실전 Tip 동사의 종류와 능동태일 때의 문장의 형식에 유의하여 영작한다.

대표유형 02, 03 동사구 / by 이외의 전치사를 쓰는 수동태 출제율 24%

12 다음 문장을 수동태로 바꿔 쓸 때 빈칸에 알맞은 말을 쓰시오.

> You should clean up after your dog.

→ Your dog should _____ .

13 주어진 말을 바르게 배열하여 문장을 완성하시오.

> picked, the coin, him, was, up, by

→ _____

14 〈보기〉에서 적절한 표현을 골라 주어진 우리말을 영작하시오. (단, 필요할 경우 형태를 변형할 것)

| 보기 | make | worry | future | cherries |

(1) 너는 네 미래가 걱정되지 않니?

　　→ _____

(2) 그 와인은 체리로 만들어진다.

　　→ _____

통합형

15 괄호 안의 단어를 활용하여 다음 우리말을 영작하시오.

> 너는 야구하는 것이 싫증나지 않니? (tired, play)

→ _____

01 다음 짝지어진 두 문장의 뜻이 서로 <u>다른</u> 것을 <u>모두</u> 고르면?

① The surprise party pleased me.

= I was pleased with the surprise party.

② People saw him walk around the park.

= He was seen to walk around the park.

③ Nick brought me some photos.

= Some photos were brought to Nick by me.

④ I heard Nigel talking on the phone.

= Nigel was talking on the phone with me.

⑤ We will be asked questions by them.

= They will ask us questions.

02 다음 글의 내용과 일치하도록 문장을 완성하시오. (단, 조건에 맞게 쓸 것)

> This is a flower vase. My little sister made it for me.

[조건] **1.** 수동태로 쓸 것

　　　2. 주어진 글의 동사를 활용할 것

→ This flower vase _____

_____.

03 다음 문장을 주어진 주어로 시작하는 수동태 문장으로 바꿔 쓰시오.

> Jane's sister will pick her up at the station.

→ Jane _____

_____.

≫ 실전 Tip 능동태 문장의 끝어와 목적어를 수동태 문장의 주어와 행위자로 바꿔 쓸 때, 쓰이는 순서에 따른 인칭대명사의 쓰임을 주의한다.

04 다음 대화를 읽고, 주어진 말로 시작하는 문장을 완성하시오. (단, 동사 give를 이용하여 현재 시제로 쓸 것)

> **Chris** Happy birthday, Anne! This is a present for you.
>
> **Anne** Thank you, Chris.

(1) A present _____.

(2) Anne _____.

05 다음 문장은 수동태가 잘못 쓰인 문장이다. 올바른 수동태 문장으로 고쳐 쓰시오.

> I was bought a pair of sneakers by my mom.

→ _____

≫ 실전 Tip 4형식 문장은 두 가지의 수동태 문장으로 쓸 수 있지만, 간접목적어를 주어로 쓰기 어색한 동사는 직접목적어만 주어로 하여 수동태 문장을 쓴다.

06 〈보기〉에 주어진 표현을 활용하여 다음 대화의 괄호 속 우리말을 영작하시오.

> **A** (1) _____ ?
>
> 　　(너희는 힙합 음악에 관심이 있니?)
>
> **B** Yes, I like it very much.
>
> **C** No, (2) _____.
>
> 　　(나는 그것을 듣는 것에 싫증이 나.)

보기	tired	interested	hear
	it	hip hop music	

01
a I was worried about my dog's health.

b I was worried by my dog's health.

02
a He read an interesting article to me.

b An interesting article was read me by him.

03
a We were heard talk in the room.

b We were heard to talk in the room.

04
a The students were made to wear school uniforms.

b The students were made wearing school uniforms.

05
a It was bought to me by my father.

b It was bought for me by my father.

06
a Bill was sent an email by Ms. Harrison.

b Bill was sent to an email by Ms. Harrison.

07
a She was seen breaking the window by a police officer.

b She was seen to be broken the window by a police officer.

08
a They must be looked by after the government.

b They must be looked after by the government.

유형별 기출 적용 빈도

유형		빈도
유형 01	주격 관계대명사	40%
유형 02	주격 관계대명사절의 동사	10%
유형 03 「주격 관계대명사＋be동사」 생략		15%
유형 04	관계대명사 vs. 의문사/지시사/접속사	25%
유형 05	소유격 관계대명사	10%

≫ 출제 포인트
선행사에 따라 알맞은 주격 관계대명사를 찾는 문제나 관계대명사를 사용하여 두 문장을 한 문장으로 바꿔 쓰는 문제가 주로 출제된다.

≫ 정답률 100% Tip
1 「주격 관계대명사＋be동사」는 생략할 수 있다.
2 주격 관계대명사가 이끄는 절의 동사는 선행사의 인칭과 수에 일치시킨다.
3 관계대명사 뒤의 절은 불완전한 형태이다.

Grammar Point

Point 1 주격 관계대명사

주격 관계대명사는 관계사절 안에서 주어 역할을 한다. 주격 관계대명사 뒤에는 동사가 오며, 이때 동사는 선행사의 인칭과 수에 일치시킨다.

선행사	주격 관계대명사	
사람	who	that
사물, 동물	which	

• She owns a dog which[that] can herd sheep.

주의 「주격 관계대명사＋be동사＋분사(형용사)」 구문에서 「주격 관계대명사＋be동사」는 생략할 수 있다.

• The girl (who is) singing on the stage is my sister.

Point 2 관계대명사 vs. 의문사/지시사/접속사

관계대명사 who나 which는 의문사와, that은 지시사나 접속사와 형태가 같으므로 문장 안에서의 쓰임에 유의한다.
① 관계대명사는 앞에 선행사인 명사(구)가 온다.
② 관계대명사는 관계사절 안에서 주어, 목적어 역할을 하거나 소유격을 대신하므로 뒤에 불완전한 절이 온다.

Point 3 소유격 관계대명사

소유격 관계대명사는 관계사절 안에서 소유격을 대신하며, 뒤에 명사가 온다. 소유격 관계대명사는 생략하거나 that과 바꿔 쓸 수 없다.

선행사	소유격 관계대명사
사람	whose
사물, 동물	whose [of which]

• I have several friends whose jobs are musicians.

✔ 바로 체크

01 I know a girl (who / which) runs 100m in 12 seconds.

02 Martin has a bag (who / which) has many pockets.

03 I saw a dog (which / whose) tail was black.

04 Christine likes movies (who / which) have sad endings.

05 He is a teacher (which / that) is very kind to the students.

06 This is the tower (who / which) represents the whole town.

07 The man (who / whose) is wearing a hat is my father.

08 The baby (who / whose) hair is brown is my niece.

09 The family lives in a house (which / whose) roof is blue.

10 Those cows (eat / eating) grass are Mr. Frank's.

| 대표유형 01 | 주격 관계대명사 | 출제율 40% |

01 다음 문장의 빈칸에 들어갈 말로 알맞은 것은?

> I heard the news _____ made me happy.

① who   ② and   ③ when
④ which   ⑤ whom

02 다음 문장의 빈칸에 들어갈 말로 알맞은 것은?

> This is a bird _____ understands sign language.

① which   ② what   ③ who
④ how   ⑤ why

[03-04] 다음 문장의 빈칸에 알맞은 관계대명사를 쓰시오.

03
> The nurses _____ work in that hospital are very kind.

04
> You can stay in the room _____ is next to mine.

05 다음 문장에서 관계대명사 who가 들어갈 위치로 알맞은 것은?

> ① The man was ② an inventor ③ first made ④ the light bulb ⑤.

06 다음 중 밑줄 친 부분이 어법상 어색한 것은?

① Angela is a girl who enjoys ice hockey.
② I saw a statue which is made of stone.
③ She knew a boy who loved pop music.
④ You are the only one that understands me.
⑤ My brother bought a house it has a red roof.

07 다음 두 문장을 한 문장으로 쓸 때 빈칸에 알맞은 관계대명사를 쓰시오.

> I will watch a horror movie. It is based on a true story.
> → I will watch a horror movie _____ is based on a true story.

08 다음 우리말과 일치하도록 빈칸에 알맞은 말을 쓰시오.

> 나는 5개 국어를 말할 수 있는 소녀를 안다.
> → I know a _____ _____ can speak five languages.

09 다음 두 문장의 빈칸에 알맞은 말이 순서대로 짝지어진 것은?

> • A farmer is a person _____ grows crops.
> • Brazil is a county _____ is famous for coffee.

① who – who   ② what – which
③ who – which   ④ which – that
⑤ that – who

10 다음 두 문장의 빈칸에 공통으로 알맞은 관계대명사를 쓰시오.

- The lady _____ wears glasses is my English teacher.
- A sea horse is a fish _____ is the slowest in the sea.

대표유형 02 주격 관계대명사절의 동사   출제율 10%

11 다음 문장의 빈칸에 들어갈 말로 알맞은 것은?

Kate is a beautiful girl who _____ blond hair.

① have   ② has   ③ like
④ were   ⑤ are

---

12 다음 두 문장을 한 문장으로 바꿀 때 빈칸에 알맞은 말을 쓰시오.

Look at the man. He is talking to the police officer.

→ Look at the man who _____ to the police officer.

---

13 다음 문장에서 괄호 안의 동사를 알맞은 형태로 고쳐 쓰시오. (단, 과거 시제로 쓸 것)

I have two books which (be) written by Roald Dahl.

→ _____

대표유형 03 「주격 관계대명사＋be동사」 생략   출제율 15%

14 다음 중 밑줄 친 부분을 생략할 수 없는 것은?

① This is a watch which is made of silver.
② The girl who is waving her hand is Jenny.
③ Look at the man who is sitting alone.
④ The house which was next to the school was Ms. Clark's.
⑤ Anyone who is interested in baseball can join the club.

---

15 다음 중 밑줄 친 부분을 생략할 수 있는 것은?

① I have a doll which can talk.
② This is the man who saved the child.
③ The cap that is on the table is mine.
④ I try to eat foods that are rich in vitamins.
⑤ The birds which are flying over the river are wild geese.

---

16 다음 문장에서 어법상 생략할 수 있는 부분에 밑줄을 치시오.

The apples which were picked today look delicious.

---

17 다음 중 밑줄 친 부분을 생략할 수 있는 것을 모두 골라 기호를 쓰시오.

ⓐ That is the tree which was planted by Erin.
ⓑ The girl that is playing tennis is Selena.
ⓒ There are many people who love sports.
ⓓ Pink is a color which is mixed from red and white.
ⓔ Do you know the boy who is standing in front of the gate?

대표유형 04　관계대명사 vs. 의문사 / 지시사 / 접속사　출제율 25%

18 다음 중 밑줄 친 부분의 쓰임이 나머지 넷과 다른 것은?

① Who is the best player?

② I can't remember who she is.

③ Do you know who is going to come?

④ Who gave you this expensive coat?

⑤ The woman who is carrying books is the librarian.

19 다음 중 밑줄 친 부분의 쓰임이 나머지 넷과 다른 것은?

① This is the house which was built by me.

② I don't know which scarf is yours.

③ He bought a T-shirt which was too big for him.

④ I want to see a movie which makes me laugh.

⑤ The river which runs through the city is beautiful.

20 밑줄 친 that 중 쓰임이 나머지 넷과 다른 것은?

① We know that boy is your brother.

② Did you want to hear that song?

③ That man at the bus stop was Elliot.

④ This is the problem that puzzled me.

⑤ Yuna called that cat "Spider."

21 다음 문장의 빈칸에 들어갈 말로 알맞은 것은?

> "Hope" is a word _____ brightens my day.

① that ② how to ③ who
④ about ⑤ when

22 다음 대화의 빈칸에 공통으로 알맞은 것은?

> **A** _____ car do you want to buy?
> **B** I want a car _____ is fun to drive.

① Who [who] ② That [that]
③ Whose [whose] ④ Which [which]
⑤ Of [of] which

대표유형 05　소유격 관계대명사　출제율 10%

23 다음 문장의 빈칸에 들어갈 말로 알맞은 것은?

> There were lots of people _____ houses were destroyed in the war.

① who ② that ③ whose
④ which ⑤ of which

24 다음 문장의 빈칸에 알맞은 말을 쓰시오.

> Ms. Roland met a girl _____ father is a famous singer.

25 다음 두 문장을 한 문장으로 바꿀 때 빈칸에 알맞은 말을 쓰시오.

> She is holding a bag. Its handles are made of wood.

→ She is holding a bag _____ handles are made of wood.

대표유형 01, 05 주격/소유격 관계대명사   출제율 40%

01 다음 밑줄 친 부분의 쓰임이 어색한 것은?

① Bill found the house <u>whose</u> door was broken.
② Winter is the season <u>who</u> comes after fall.
③ I met a boy <u>who</u> came from New Zealand.
④ I'm looking for the person <u>who</u> first spread the rumor.
⑤ My father will buy a car <u>which</u> has seven seats.

02 다음 빈칸에 알맞은 말이 순서대로 짝지어진 것은?

- He is the person _____ walked through the entire country to draw a map.
- A reindeer is an animal _____ horns look like branches.

① who – whose
② who – which
③ which – whose
④ which – which
⑤ which – of which

03 다음 두 문장을 한 문장으로 바르게 연결한 것은?

A hippo is an animal. It has a big mouth.

① A hippo is an animal has a big mouth.
② A hippo is which has a big mouth.
③ A hippo is an animal which has a big mouth.
④ It has a big mouth which a hippo is an animal.
⑤ It has a big mouth of which a hippo is an animal.

>> 실전 Tip 두 문장의 공통 요소를 찾은 뒤, 그것이 각 문장에서 하는 역할을 확인한다.

대표유형 02 주격 관계대명사절의 동사   출제율 10%

04 다음 문장의 밑줄 친 부분 중 필요 없는 것은?

①A clown ②is someone ③who ④he makes ⑤you laugh.

>> 실전 Tip 주격 관계대명사는 관계사절 안에서 주어 역할을 한다.

05 다음 문장의 밑줄 친 동사의 형태로 알맞은 것은?

The students in the room who <u>study</u> math are very diligent.

① study
② studying
③ studies
④ to study
⑤ is studying

>> 실전 Tip 선행사와 수식어구를 혼동하지 않도록 한다.

06 다음 문장의 빈칸에 들어갈 말로 알맞은 것은?

We went to the concert which _____.

① was free for everyone
② were loved by my parents
③ are famous for great dancing
④ be full of young singers
⑤ give us a CD as a gift

07 다음 중 밑줄 친 부분의 쓰임이 어법상 올바른 것은?

① I bought a clock which <u>were</u> very big.
② A canary is a bird which <u>sing</u> beautifully.
③ It's a refrigerator which <u>keeps</u> food cold.
④ People who can't walk very well <u>uses</u> canes.
⑤ A small machine that <u>dry</u> hair is a hair dryer.

대표유형 01 주격 관계대명사 | 출제율 40%

08 다음 〈보기〉에서 알맞은 말을 골라 문장을 완성하시오.

> 보기   girl   candies   who
>   whose   which   of which

(1) I ate _____ which tasted like yogurt.

(2) That's the _____ _____ can speak three languages.

---

09 다음 괄호 안의 표현을 배열하고 알맞은 관계대명사를 추가하여 문장을 완성하시오.

> (my help, needs, my sister, most, is)
> → The person _____
> _____.

≫ 실전 Tip 문장의 동사와 관계대명사절 안의 동사를 파악한다.

---

10 다음 두 문장을 알맞은 관계대명사를 사용하여 한 문장으로 바꿔 쓰시오.

> • There is a boy.
> • The boy is called Dylan.

→ There is a boy _____

---

11 우리말과 같도록 괄호 안의 표현을 바르게 배열하시오.

> 아프리카에 사는 기린은 키가 큰 동물이다.
> (a tall animal, a giraffe, lives, is, in Africa, which)

→ _____

---

12 다음 관계대명사절을 알맞은 곳에 넣어 우리말과 같도록 문장을 다시 쓰시오.

> who lives across from my house

The boy is my classmate.
(내 집의 건너편에 살고 있는 그 소년은 내 반 친구이다.)
→ _____
_____

대표유형 04 관계대명사 vs. 의문사 / 지시사 / 접속사 | 출제율 25%

13 다음 빈칸에 공통으로 알맞은 말을 쓰시오.

> • A cook is the person _____ makes food in a restaurant.
> • I don't know _____ you are talking about.

---

14 다음 빈칸에 공통으로 알맞은 말을 쓰시오.

> • _____ do you want to eat, a pie or a sandwich?
> • There were lots of paintings _____ looked wonderful to me.

---

15 〈보기〉의 밑줄 친 부분과 쓰임이 같은 문장의 기호를 쓰시오.

> 보기   (A) The man who called me yesterday was Mr. Smith.
>   (B) Do you know who wrote the song?

> ⓐ Who will you invite to your birthday party?
> ⓑ A vet is a person who treats sick animals.

(A) _____   (B) _____

대표유형 01, 05 주격/소유격 관계대명사 출제율 40%

01 다음 중 우리말을 영작한 문장이 어법상 <u>어색한</u> 것은?

① 저 사람은 옆집에 사는 여자이다.
→ That is the woman that lives next door.

② 나는 먹이를 먹고 있는 고양이를 보고 있다.
→ I am watching the cat which is eating.

③ 하늘을 날고 있는 저 새들을 보아라.
→ Look at those birds that they are flying in the sky.

④ 저기에 서 있는 남자는 유명한 배우이다.
→ The man who is standing over there is a famous actor.

⑤ 거북이는 딱딱한 껍질을 가진 동물이다.
→ The turtle is an animal which has a hard shell.

≫ 실전 Tip 관계대명사 뒤의 절의 구조에 유의한다.

02 다음 중 어법상 <u>어색한</u> 문장을 <u>모두</u> 고르면?

① This is a cake which is made of rice.

② I have a friend of whom hobby is skating.

③ The bird whose feathers are colorful is a peacock.

④ They are staying in the house which windows are broken.

⑤ The man whose wallet was stolen went to the police station.

03 다음 문장 중 어법상 <u>어색한</u> 것은?

① You're the one that leads the company.

② Find the house whose door is green.

③ The cat on the sofa is small and cute.

④ Did you meet the boy whose name is Ben?

⑤ There lived a young girl in the village which had very long hair.

대표유형 04 관계대명사 vs. 의문사/지시사/접속사 출제율 25%

04 다음 〈보기〉의 밑줄 친 부분과 쓰임이 같은 것은?

보기 He has a cat <u>that</u> has brown eyes.

① Take a look at <u>that</u> car.

② I want to visit <u>that</u> city someday.

③ I think <u>that</u> she is so cute and sweet.

④ The pen <u>that</u> is on the desk is not mine.

⑤ <u>That</u> man who is wearing a suit is my English teacher.

05 다음 〈보기〉의 밑줄 친 부분과 쓰임이 같은 것을 <u>모두</u> 고른 것은?

보기 I have a friend <u>that</u> is very smart.

ⓐ "I" is the letter <u>that</u> comes after "H."

ⓑ There is a man <u>that</u> wants to see you.

ⓒ I want to visit an island <u>that</u> has beautiful beaches.

ⓓ I'm sure <u>that</u> you will get good grades on the science exam.

① ⓐ   ② ⓐ, ⓑ   ③ ⓐ, ⓑ, ⓒ
④ ⓐ, ⓒ, ⓓ   ⑤ ⓑ, ⓒ, ⓓ

≫ 실전 Tip 관계대명사 뒤의 절은 불완전한 형태이다.

06 다음 문장의 빈칸에 들어갈 말로 알맞은 것은?

I'm looking for the man that _____.

① you liked him

② sent me the letter

③ who helped me yesterday

④ he told an interesting story

⑤ singer, Ryan is very handsome

대표유형 01, 05 주격/소유격 관계대명사   출제율 40%

07 괄호 안의 동사를 활용하여 다음 대화를 완성하시오.

> **A** What is that?
> **B** It's *songpyeon*. It's a small rice cake
> _____ _____ honey, beans,
> or nuts in it. (have)

08 다음 우리말과 같도록 관계대명사를 사용하여 문장을 완성하시오. (단, 5단어로 쓸 것)

> 문 앞에 서 있는 그 여자는 Jackson 선생님이다.

→ _____ in front
  of the door is Ms. Jackson.

09 다음을 주격 관계대명사를 사용하여 한 문장으로 쓰시오.

> The book was full of useful information. I read it.

→ _____

  _____

10 다음 문장에서 어법상 어색한 부분을 찾아 바르게 고쳐 문장 전체를 다시 쓰시오.

> Ms. Dalton took them to the house which garden was beautiful.

→ _____

  _____

신유형

11 관계대명사절에 밑줄을 치고, 문장 전체를 해석하시오.

> I know a man whose dream was to be a famous pianist.

→ _____

12 〈보기〉의 동사와 관계대명사를 사용하여 그림의 현재 상황을 묘사하는 문장을 완성하시오.

| 보기 | ride | play | sleep |

(1) There is a boy _____.
(2) There are two girls _____.
(3) There is a dog _____.

13 알맞은 관계대명사를 사용하여 다음 우리말을 영작하시오. (단, 8단어로 쓸 것)

> 그 창문을 깬 소녀는 Alice였다.

→ _____

대표유형 03 「주격 관계대명사 + be동사」 생략   출제율 15%

14 다음 문장에서 생략된 관계대명사와 be동사를 넣어 문장 전체를 다시 쓰시오.

> Do you know the player running on the track now?

→ _____

≫ 실전 Tip 관계대명사의 선행사가 될 말을 먼저 찾는다.

15 다음 두 문장을 관계대명사를 사용하여 한 문장으로 쓴 뒤, 생략이 가능한 부분에는 괄호로 표시하시오.

> The boy is my cousin. He is reading a book.

→ _____

01 다음 빈칸에 알맞은 말이 순서대로 짝지어진 것은?

- Bring me the book _____ cover is red.
- The mountain range _____ separates Europe from Asia is the Urals.
- Mr. Howard has two sons _____ want to be singers.

① which – who – that
② who – which – who
③ whose – that – who
④ of which – that – whose
⑤ whose – which – which

02 다음 중 어법상 어색한 문장을 모두 고르면?

① It is the story about a king whose name is Midas.
② I have some friends in school that is very kind.
③ Elephants are the animals that help each other very well.
④ "Ten" is the number that comes before "Eleven."
⑤ The police are looking for the man that were hurt in the accident.

03 다음 중 빈칸에 들어갈 말의 성격이 〈보기〉와 다른 것은?

보기 We should find a restaurant _____ opens at a very early hour.

① I have a friend _____ is from Ireland.
② The man _____ is jogging is my father.
③ He saw a garden _____ was full of flowers.
④ The hat _____ is floating on the water is mine.
⑤ Do you know _____ he is going to move to Ulsan next week?

04 다음 표의 A와 B에서 어울리는 표현끼리 짝지어, 주어진 조건에 맞게 〈보기〉와 같은 문장을 완성하시오.

A	B
a teacher	don't tell the truth
a dentist	teach students
a liar	treat people's teeth

보기 A teacher is a person who teaches students.

[조건] 1. that을 제외한 관계대명사를 사용할 것
     2. 필요하면 동사의 형태를 변형할 것

- _____
- _____

05 다음 그림을 보고, 〈보기〉와 같이 사람들이 하는 일을 나타내는 문장을 완성하시오.

Nancy   Ed   Mia

보기 Nancy is a pilot who flies an airplane.

(1) Ed is a baker _____.
(2) Mia is a driver _____.

06 다음 메모를 읽고 Brian을 소개하는 문장을 완성하시오. (단, 주격 관계대명사를 사용할 것)

Brian
 - a singer and songwriter
 - born in Korea in 1999

→ Brian is _____
_____

최종 선택 QUIZ

어법상 옳은 문장에
✔ 표시하세요.

01
 a I know a boy which loves art.

 b I know a boy that loves art.

02
 a I will invite anyone that wants to meet me.

 b I will invite anyone wants to meet me.

03
 a Look at the birds who are singing on the roof.

 b Look at the birds singing on the roof.

04
 a She has a cat who has a long big tail.

 b She has a cat whose tail is long and big.

05
 a Do you know the guy who painted on the wall?

 b Do you know the guy whose painted on the wall?

06
 a The girls who played basketball is my students.

 b The girls who played basketball are my students.

07
 a I don't see movies that has sad endings.

 b I don't see movies that have sad endings.

08
 a We live in a house which door is blue.

 b We live in a house whose door is blue.

UNIT 15 목적격 관계대명사

유형별 기출 적용 빈도

유형 01 목적격 관계대명사의 종류와 쓰임 · 45%

유형 02 목적격 관계대명사의 생략 · 35%

유형 03 주격 관계대명사와 목적격 관계대명사의 구분 · · · · · · · 20%

>> **출제 포인트**
선행사와 어울리는 목적격 관계대명사를 묻는 문제는 반드시 출제된다. 목적격 관계대명사가 생략이 가능한지, 주격과 목적격 관계대명사를 구분할 수 있는지 묻는 문제도 자주 출제된다.

>> **정답률 100% Tip**
전치사 뒤에 오는 관계대명사 who(m), which는 생략하거나 that으로 바꿔 쓸 수 없다.

Grammar Point

Point 1 목적격 관계대명사의 종류와 쓰임

① 목적격 관계대명사는 관계사절 안에서 목적어 역할을 한다.

선행사	목적격 관계대명사	
사람	who(m)	that
사물, 동물	which	

- She is the woman who(m) [that] I helped yesterday.
- The pictures which [that] Emily took are very impressive.

② 관계대명사가 전치사의 목적어일 때 전치사를 관계대명사 앞에 쓸 수 있다. 이 경우에는 who(m)이나 which 대신 that을 쓸 수 없다.

- The train which [that] I'm waiting for is late.
- → The train for which I'm waiting is late.

Point 2 목적격 관계대명사의 생략

목적격 관계대명사는 생략할 수 있다. 단, 「전치사+목적격 관계대명사」의 형태일 때에는 생략할 수 없다.

- Chris is the boy (who(m) [that]) my sister likes.
- This is the old palace (which [that]) they visited last week.
- The chair on which he is sitting is very old.
  └ which는 생략할 수 없음

Point 3 주격 관계대명사와 목적격 관계대명사의 구분

주격 관계대명사 뒤에는 동사가 오고, 목적격 관계대명사 뒤에는 「주어+동사」가 온다.

- Do you know the people who live in the house? 〈주격 관계대명사〉
- Do you remember the people who we met in Cuba? 〈목적격 관계대명사〉

✅ 바로 체크

01 Daniel likes the cookies (which / who) I baked.

02 She lost the gift (whom / which) I gave to her.

03 He is the boy (that / which) I saw in the park.

04 I'm looking for the bag (whom / which) I bought last Sunday.

05 The woman (whom / which) he met yesterday works for a bank.

06 It is the house (which / in which) my aunt lives.

07 The person (who / which) John respects most is his father.

08 I remember the name of the hotel at (which / that) I stayed.

09 She is wearing a jacket which is too small for her. (주격 / 목적격)

10 She is wearing a jacket which I made for her. (주격 / 목적격)

대표유형 01 목적격 관계대명사의 종류와 쓰임   출제율 45%

01 다음 문장의 빈칸에 들어갈 말로 알맞은 것은?

> The concert _____ I saw today was disappointing.

① which   ② who   ③ whom
④ what   ⑤ whose

02 다음 두 문장을 한 문장으로 바꿀 때 빈칸에 알맞은 말을 <u>모두</u> 고르면?

> The doll is cute. + My uncle made it.
> → The doll _____ my uncle made is cute.

① which   ② who   ③ whom
④ that   ⑤ and it

03 다음 중 밑줄 친 부분을 whom으로 바꿔 쓸 수 있는 것은?
① She's a writer <u>that</u> likes traveling.
② Is that the person <u>that</u> I should meet?
③ The letter <u>that</u> I wrote him is in the drawer.
④ The sports <u>that</u> I like are basketball and soccer.
⑤ This article is about the scientist <u>that</u> invented the device.

04 다음 두 문장의 빈칸에 알맞은 말이 순서대로 짝지어진 것은?

> • The girl is Mia _____ I told you about.
> • David is reading the book _____ he bought yesterday.

① which – which   ② whom – who
③ whom – which   ④ which – that
⑤ that – whom

05 다음 우리말을 바르게 영작한 것은?

> Lucy가 소파 아래에서 찾은 목걸이는 내 것이다.

① The necklace who Lucy found under the sofa is mine.
② The necklace which Lucy found under the sofa is mine.
③ The necklace which Lucy found it under the sofa is mine.
④ The necklace whom Lucy found under the sofa is mine.
⑤ The necklace that Lucy found it under the sofa is mine.

06 다음 중 밑줄 친 부분의 쓰임이 <u>잘못된</u> 것은?
① There are some people <u>whom</u> I believe.
② This is the problem <u>which</u> I can't solve.
③ He is the boy <u>which</u> I saw on the train.
④ The music <u>that</u> you played yesterday was touching.
⑤ The documentary film <u>that</u> I was watching on TV was *Into the World*.

07 다음 중 어법상 <u>어색한</u> 것은?
① The bike that Ann is riding is brand-new.
② The musical which I watched last night was boring.
③ The children who I played gave me cookies.
④ The novels which Charles Dickens wrote are read in many countries.
⑤ The woman whom I interviewed is a movie director.

08 다음 중 어법상 자연스러운 것은?

① This is the cap for that I'm looking.

② Justin is the leader which I respect most.

③ I'll give him the toy train whom I bought last week.

④ The lady whom I met her on the street was very kind.

⑤ Do you like the bag that Adrian designed for you?

09 다음 대화의 빈칸에 알맞은 관계대명사를 쓰시오.

> **A** I can't find the book _____ Tom put on the table.
> **B** It's on the bookshelf.

10 다음 문장의 밑줄 친 부분 중 어법상 어색한 것은?

> Do you ①know the man ②whom Angela ③is ④talking to ⑤him?

11 다음 우리말과 같도록 주어진 표현을 바르게 배열하시오.

> 그녀가 고른 강좌는 수영이었다.
> (the course, was, which, chose, swimming, she)

→ _____

12 다음 두 문장을 관계대명사를 이용하여 한 문장으로 바꿔 쓰시오.

> This is the house. Mason built the house three years ago.
> → This is _____
> _____.

대표유형 02 목적격 관계대명사의 생략   출제율 35%

13 다음 문장에서 관계대명사가 생략된 곳은?

> ① The store ② he often goes to ③ is ④ near the bus stop ⑤.

14 다음 밑줄 친 부분 중 생략할 수 있는 것은?

> The boy whom I want to meet isn't James.
> ①   ②   ③   ④   ⑤

15 다음 중 밑줄 친 부분을 생략할 수 <u>없는</u> 것은?

① The man <u>whom</u> I saw was Mr. Kim.

② It's the soap <u>which</u> I made myself.

③ Andy brought some soup <u>that</u> smelled nice.

④ The glasses <u>which</u> she is wearing look good.

⑤ Kevin liked the woman <u>whom</u> he worked with.

16 다음 두 문장을 한 문장으로 바르게 바꿔 쓴 것은?

> The vase was expensive. + Max broke it.

① The vase Max broke was expensive.

② The vase Max broke it was expensive.

③ The vase who Max broke was expensive.

④ The vase that Max broke it was expensive.

⑤ The vase whom Max broke was expensive.

17 다음 문장에서 괄호 안의 표현이 들어가기에 알맞은 곳은?

> ① The ② museum ③ was ④ closed ⑤ today. (I wanted to visit)

18 다음 문장에서 관계대명사가 생략된 곳에 ✔ 표시를 하고, 생략된 관계대명사를 쓰시오.

> This is the photo I like best.

19 다음 문장에서 생략할 수 있는 부분을 생략하여 문장 전체를 다시 쓰시오.

> The laptop that you're using now is really nice.

→ _____

[20-21] 주어진 우리말과 같도록 괄호 안의 표현을 바르게 배열하시오.

20

> 우리는 쇼에 사용할 물품들을 만들었다.
> (use, we, the show, the items, in, will)

→ We made _____.

21

> 손전등은 어둠 속에서 우리가 보기 위해 사용하는 도구이다. (a device, to see, use, is, we)

→ A flashlight _____ in the dark.

대표유형 03 주격 관계대명사와 목적격 관계대명사의 구분 　출제율 20%

22 다음 중 밑줄 친 부분의 쓰임이 나머지 넷과 <u>다른</u> 것은?

① I have a friend <u>who</u> lives in Paris.
② I know a girl <u>who</u> plays the piano well.
③ That is the woman <u>who</u> saved the people.
④ The guests <u>who</u> I invited came late.
⑤ The man <u>who</u> is standing there is my uncle.

23 다음 중 〈보기〉의 밑줄 친 which와 쓰임이 같은 것은?

> 보기　I like the coat <u>which</u> he's wearing.

① I like the tree <u>which</u> stands next to the gate.
② This is the painting <u>which</u> he painted last class.
③ Olivia visited the restaurant <u>which</u> opened yesterday.
④ A penguin is a bird <u>which</u> can't fly.
⑤ The bus <u>which</u> goes to the stadium runs every hour.

24 밑줄 친 관계대명사의 쓰임이 같은 것끼리 짝지어진 것은?

> ⓐ I have a friend <u>who</u> is a lawyer.
> ⓑ He takes photos of people <u>whom</u> he meets.
> ⓒ Here is the set of keys <u>that</u> she lost yesterday.
> ⓓ The apples <u>which</u> you bought are sweet.

① ⓐ / ⓑ, ⓒ, ⓓ　　② ⓐ, ⓑ / ⓒ, ⓓ
③ ⓐ, ⓓ / ⓑ, ⓒ　　④ ⓐ, ⓑ, ⓒ / ⓓ
⑤ ⓐ, ⓒ, ⓓ / ⓑ

통합형
25 다음 빈칸에 알맞은 관계대명사를 쓰고 문장을 해석하시오.

(1) These are the lemons _____ I picked myself.

→ _____

(2) That's the girl _____ moved near my house.

→ _____

대표유형 01 목적격 관계대명사의 종류와 쓰임 출제율 45%

01 다음 두 문장을 한 문장으로 쓸 때 빈칸에 들어갈 말로 알맞은 것은?

> This is the sweater. + I bought it in Italy.
> → This is the sweater _____.

① which I bought in Italy
② that I bought it in Italy
③ in which I bought Italy
④ whom I bought in Italy
⑤ who I bought it in Italy

02 다음 대화의 빈칸에 들어갈 말로 알맞은 것은?

> **A** What are you doing, Andy?
> **B** I'm looking for the bracelet _____ Dad made for me.

① who ② which ③ whom
④ whose ⑤ what

03 다음 빈칸에 알맞은 말이 순서대로 짝지어진 것은?

> • I need a pen with _____ I can write.
> • The artist _____ I met today is very popular.

① that – whom ② which – whom
③ which – which ④ that – that
⑤ whom – that

≫ 실전 Tip 관계대명사 자리 앞에 전치사가 있을 때 주의한다.

04 다음 우리말과 일치하도록 괄호 안의 표현을 배열할 때 다섯 번째로 오는 것은?

> 그는 그의 친구가 그에게 준 고양이를 좋아한다.
> (likes, he, gave, the cat, him, which, to, his friend)

① likes ② gave ③ the cat
④ which ⑤ his friend

05 다음 중 어법상 자연스러운 것은?

① This is the town which I was born.
② The school who we went to was small.
③ The sandwiches which made were good.
④ Did you see the movie ticket which I left on the desk?
⑤ She fell in love with the man whom she met him yesterday.

대표유형 02 목적격 관계대명사의 생략 출제율 35%

06 다음 중 밑줄 친 부분을 생략할 수 없는 것은?

① The people whom I work with are kind.
② The flowers that he gave me were roses.
③ The man at whom I was pointing saw me.
④ This is the guest house that my friend recommended to me.
⑤ The email which I got yesterday was from Frank.

07 다음 중 관계대명사를 생략할 수 있는 문장을 모두 고른 것은?

> ⓐ He is a singer whom many teens like.
> ⓑ I have a friend whose dream is to be a pilot.
> ⓒ Kate sat on a bench which looked like a turtle.
> ⓓ This is the computer game that Emily often plays.
> ⓔ The parcel which the company sent to us hasn't arrived yet.

① ⓑ, ⓓ ② ⓐ, ⓒ, ⓔ
③ ⓐ, ⓓ, ⓔ ③ ⓒ, ⓓ, ⓔ
⑤ ⓐ, ⓑ, ⓒ, ⓔ

≫ 실전 Tip 목적격 관계대명사는 생략할 수 있다.

08 다음 밑줄 친 부분 중 어법상 어색한 것을 골라 번호를 쓰고 바르게 고쳐 쓰시오.

> He ①knows ②a lot ③about the issue ④in I'm ⑤interested.

번호: _____ → _____

09 관계대명사를 이용하여 다음 두 문장을 한 문장으로 쓰고, 생략할 수 있는 부분을 괄호로 표시하시오.

> The story was not true. She told me the story.
>
> → _____

대표유형 03 주격 관계대명사와 목적격 관계대명사의 구분 출제율 20%

10 다음 두 문장의 빈칸에 공통으로 알맞은 말을 쓰시오.

> • The pizza _____ I ate was too salty.
> • I have a friend _____ is good at drawing cartoons.

11 다음 우리말과 같은 뜻이 되도록 괄호 안의 표현을 바르게 배열하시오.

(1) 그는 중학교에 다니는 딸이 하나 있다.

(he, who, has, middle school, goes to, a daughter)

→ _____

(2) 내가 어제 만났던 소년은 그의 동생이다.

(I, met, the boy, yesterday, his brother, is, whom)

→ _____

통합형

12 빈칸에 알맞은 관계대명사를 쓰고 역할이 무엇인지 동그라미 하시오.

(1) Look at the woman _____ is playing the piano on the stage. (주격 / 목적격)

(2) Are these the books _____ your sister borrowed from Melisa? (주격 / 목적격)

대표유형 01 목적격 관계대명사의 종류와 쓰임 출제율 45%

13 관계대명사를 이용하여 다음 두 문장을 한 문장으로 바꿔 쓰시오.

> The pencil case is under the chair.
> +He gave it to you as a gift.
>
> → The pencil case _____
> _____.

신유형

14 다음 두 문장을 조건에 맞게 한 문장으로 바꿔 쓰시오.

> The book was sold out.
> +They were talking about it.

[조건] 1. 목적격 관계대명사를 사용할 것 (단, 생략할 수 있다면 생략할 것)
　　　 2. (1)은 전치사를 관계사절 앞에 두지 말고 (2)는 전치사를 관계사절 앞에 둘 것

(1) _____

(2) _____

15 다음 우리말과 같은 뜻이 되도록 괄호 안의 표현을 이용하여 영작하시오.

> 브라질은 내가 방문하고 싶은 나라들 중 하나이다.
> (one of the countries, visit)
> → Brazil is _____.

대표유형 01 목적격 관계대명사의 종류와 쓰임   출제율 45%

01 다음 중 밑줄 친 부분의 쓰임이 어법상 어색한 것은?

① The fish which I caught was big.
② The novel which I read was funny.
③ That is the lady with that I was talking.
④ The singer who I want to see is not here.
⑤ A fridge is a machine that we use to keep food cold.

02 다음 문장의 빈칸에 들어갈 말로 알맞은 것은?

> The music to _____ they listened on the radio made them happy.

① who   ② whom   ③ which
④ that   ⑤ whose

신유형

03 다음 중 밑줄 친 부분을 잘못 고친 것은?

① He is my friend which I traveled with.
   (→ whom)
② The woman that you saw on TV is an astronaut. (→ 고칠 필요 없음)
③ What is the name of the gallery who you visited? (→ that)
④ The pictures which Eric took in Spain were wonderful. (→ with whom)
⑤ Where is the cake which I baked it for Tony?
   (→ it 삭제)

대표유형 02 목적격 관계대명사의 생략   출제율 35%

04 다음 중 밑줄 친 부분을 생략할 수 있는 것은?

① This is the table that is made of marble.
② Look at the dog whose tail is very short.
③ I know a girl who speaks three languages.
④ 1984 is the novel which I've read twice.
⑤ Those are the boys with whom Paul played basketball.

05 다음 대화의 빈칸에 들어갈 말로 알맞은 것은?

> A How did you like the paintings _____ at the exhibition yesterday?
> B I liked them. They were very beautiful.

① saw you   ② you saw
③ you saw them   ④ which saw
⑤ whom you saw

대표유형 03 주격 관계대명사와 목적격 관계대명사의 구분   출제율 20%

06 다음 중 〈보기〉의 밑줄 친 관계대명사와 쓰임이 같은 것은?

> 보기   The actor who I saw there is famous.

① I visited my friend who lives in Canada.
② I'll meet a foreigner who studies Korean.
③ Chris has a cousin who loves cooking.
④ Look at the people who are jumping rope.
⑤ There are many students who I don't know in the classroom.

07 다음 중 밑줄 친 부분의 쓰임이 나머지 넷과 다른 것은?

① The car which was made in Korea is good.
② The computer which I bought last month breaks down easily.
③ These are animals which live in the jungle.
④ Did you see the postcard which came this morning?
⑤ I will make a doll which has curly brown hair.

» 실전 Tip 관계대명사 뒤에 동사가 오는지, 「주어+동사」가 오는지 확인한다.

대표유형 02 목적격 관계대명사의 생략   출제율 35%

08 다음 우리말과 일치하도록 괄호 안의 단어를 바르게 배열하시오.

> 그들이 보고 있는 소년은 내 사촌이다.
> (they, cousin, looking, is, at, my, the, are, boy)

→ _____

09 주어진 표현을 바르게 배열하여 대화를 완성하시오.

> **A** What are you going to do after school?
> **B** (1) _____
> last night. (broke, to, fix, the robot, my little sister, going, I'm)
> **A** Do you mean (2) _____
> _____ a birthday gift?
> (made, as, you, the robot, her, for)
> **B** Yeah. She dropped it on the floor. I promised her to fix it today.

대표유형 01 목적격 관계대명사의 종류와 쓰임   출제율 45%

10 다음 우리말과 같은 뜻이 되도록 괄호 안의 표현과 알맞은 관계대명사를 이용하여 영작하시오.

> 나는 그가 쓴 추리 소설들을 읽어 본 적이 없다.
> (have, never, the mystery novels)

→ _____

11 다음 문장에서 어법상 <u>틀린</u> 부분을 <u>모두</u> 고쳐 문장 전체를 다시 쓰시오.

> The police officer wants to know about the woman which I talked to her.

→ _____
_____

신유형

12 다음 주어진 조건에 맞게 문장을 완성하시오.

> 보기
> • We can read books in this place.
> • We use this to talk to friends.
> • We see this person when we are sick.
> • We eat it with burgers or French fries.

[조건] 1. 〈보기〉에서 알맞은 설명을 골라 활용할 것
       2. 목적격 관계대명사를 사용할 것

(1) A library is the place _____
_____ .

(2) Ketchup is the sauce _____
_____ .

[13-14] 관계대명사를 사용하여 다음 우리말을 영작하시오.

13
> 어제 그들이 방문했던 그 박물관은 매우 오래됐다.
> → _____

14
> 나는 Lucas가 도와줬던 그 소녀를 기억한다.
> → _____

15 다음 글의 밑줄 친 우리말과 같은 뜻이 되도록 주어진 표현을 이용하여 영작하시오.

> Today I heard that Sandra Johnson would come to Korea next month. (1) <u>그녀는 내가 가장 좋아하는 가수이다.</u> I am really excited. (2) <u>내가 TV에서 본 그녀의 콘서트는 환상적이었다.</u> I hope I can go to her concert in Korea.

(1) _____
   (the singer, most)

(2) _____
   (her concert, on TV, fantastic)

01 다음 우리말을 영어로 바르게 옮긴 것을 <u>모두</u> 고르면?

> 나는 Billy와 이야기하고 있는 남자를 안다.

① I know the man Billy is talking.
② I know the man Billy is talking to.
③ I know the man which Billy is talking to.
④ I know the man whom Billy is talking to.
⑤ I know the man to whom Billy is talking him.

통합형
02 다음 중 목적격 관계대명사가 생략된 문장이 <u>아닌</u> 것은?

① The shirt Jenny bought fits her very well.
② This is the musical he was talking about.
③ Let's ask the girl standing there to take a picture of us.
④ Joseph is the boy we saw at the bus stop.
⑤ I got the same watch Mike has.

≫ 실전 Tip 명사와 명사를 수식하는 어구의 관계를 살펴본다.

03 다음 중 어법상 자연스러운 문장의 개수는?

> ⓐ This is the movie that I saw it with him.
> ⓑ The dress who she wore at the party was mine.
> ⓒ Italy is the country from which spaghetti comes.
> ⓓ That's the man whom I met at the summer festival.
> ⓔ I will return the books I checked out a week ago.
> ⓕ The girl that he came across her was not Sally.

① 1개　　② 2개　　③ 3개
④ 4개　　⑤ 5개

04 〈A〉와 〈B〉에서 서로 관계있는 두 문장을 찾아 관계대명사를 사용하여 한 문장으로 쓰시오.

A	• She wears a silver ring. • I told my friends about the kids. • The pasta was too salty.
B	• We ate it last night. • Her mother left it. • I saw them two days ago.

• _____
• _____
• _____

05 다음 우리말과 같은 뜻이 되도록 괄호 안의 표현을 이용하여 영작하시오.

(1) 모두가 좋아하는 Kevin은 인기 있는 작가이다.
→ _____
_____
(who, everyone, popular)

(2) 내가 사고 싶어 하는 그 자동차는 매우 비싸다.
→ _____
_____
(buy, expensive)

06 다음 글에서 어법상 <u>틀린</u> 문장을 찾아 바르게 고쳐 문장 전체를 다시 쓰시오.

> I will go on a picnic with my friends next Saturday. First, we will play sports we enjoy. Then we will ride bikes and have lunch. My friends like the sandwiches I make them with tuna, so I will make some. I'm looking forward to this picnic.

→ _____
_____

01
a I need a friend which I can trust.

b I need a friend that I can trust.

02
a The steak we had for lunch was really good.

b The steak who we had for lunch was really good.

03
a The song that my grandpa likes best is *Let It Be*.

b The song whom my grandpa likes best is *Let It Be*.

04
a The perfume she bought it was made in France.

b The perfume that she bought was made in France.

05
a I remember the name of the village which we stayed in last year.

b I remember the name of the village whose we stayed in last year.

06
a This is the car key for which Kate was looking.

b This is the car key for that Kate was looking.

07
a The book I'm reading about Greek mythology.

b The book I'm reading is about Greek mythology.

08
a Is this the book which you were interested in?

b Is this the book which you were interested?

유형별 기출 적용 빈도

유형 01 관계대명사 that 25%

유형 02 관계대명사 that vs. 접속사 that 15%

유형 03 관계대명사 what 35%

유형 04 관계대명사 what vs. 의문사 what 10%

유형 05 통합형 15%

≫ 출제 포인트

관계대명사 that을 쓸 수 없는 경우와 관계대명사 what의 쓰임을 묻는 문제는 자주 출제된다. 관계대명사 that과 접속사 that의 쓰임을 구분해야 풀 수 있는 문제도 잘 알아두어야 한다.

≫ 정답률 100% Tip

1 관계대명사 that은 소유격 관계대명사를 대신하거나 전치사의 목적어로 쓸 수 없다.

2 관계대명사 what 앞에는 선행사가 오지 않는다.

Grammar Point

Point ① 관계대명사 that

① 주격 또는 목적격 관계대명사 who, which, whom 대신 쓸 수 있다.

② 소유격 관계대명사를 대신하거나 전치사의 목적어로 쓰일 수 없다.

③ 선행사가 「사람 + 사물」 또는 「사람 + 동물」인 경우에 쓴다.

④ 선행사에 all, the only, the same, -thing, -body, -one, 최상급, 서수 등이 포함된 경우 주로 관계대명사 that을 쓴다.

• Ms. Anderson has something that I want to buy.

Point ② 관계대명사 that vs. 접속사 that

관계대명사 that	접속사 that
형용사절을 이끎	명사절을 이끎
선행사 있음	선행사 없음
관계대명사 that + 불완전한 문장	접속사 that + 완전한 문장

• I believe the man that I talked with yesterday. 〈관계대명사〉

• I believe that the rumor isn't true. 〈접속사〉

Point ③ 관계대명사 what

① '~하는 것'이라는 의미이며 선행사를 포함하므로 앞에 선행사가 없다.

② 명사절을 이끌며 문장에서 주어, 보어, 목적어로 쓰인다.

③ the thing(s) which [that]로 바꿔 쓸 수 있다.

• What I had for breakfast was a banana.

Point ④ 관계대명사 what vs. 의문사 what

관계대명사 what은 '~하는 것'으로 해석되며 의문사 what은 '무엇, 어떤 ~'으로 해석된다.

• She will buy what she has needed for a long time. 〈관계대명사〉

• Do you know what she wants? 〈간접의문문의 의문사〉

✓ 바로 체크

01 (That / What) he says doesn't make sense.

02 I always try to do (which / what) is right.

03 She is the most beautiful girl (that / what) I've ever seen.

04 This is (that / what) they want to buy for their new room.

05 Can you see the house (that / whose) front door is open?

06 My mom really likes the chair (what / that) I bought for her.

07 The music to (which / that) you listened last night was wonderful.

08 I hope that she will enjoy herself. (접속사 / 관계대명사)

09 The woman that I spoke to was very nice. (접속사 / 관계대명사)

10 What did you do on Saturday? (의문사 / 관계대명사)

대표유형 01 관계대명사 that 출제율 25%

01 다음 두 문장의 빈칸에 공통으로 알맞은 것은?

> • The only thing _____ matters is not to give up hope.
> • Do you know the name of the boy _____ you saw at the bus stop?

① who ② whose ③ that
④ whom ⑤ what

02 다음 문장에서 어법상 어색한 곳을 찾아 바르게 고쳐 문장 전체를 다시 쓰시오.

> The woman that wallet was stolen was very upset.

→ _____

03 다음 중 밑줄 친 부분의 쓰임이 어색한 것을 모두 고르면?

① Look at the car that bumper is broken.
② The hotel at that they stayed was great.
③ The art gallery that we visited was really interesting.
④ I'll help the children that lost their parents in the war.
⑤ Who is the first person that reached the North Pole?

04 다음 우리말과 같은 뜻이 되도록 괄호 안의 말을 바르게 배열하여 문장을 완성하시오.

> 이것은 내가 지금까지 들었던 것 중에서 가장 좋은 아이디어이다.
> (idea, that, best, the, ever heard, have, I)

→ This is _____ .

05 다음 두 문장의 빈칸에 공통으로 들어갈 말을 쓰시오.

> • There was no one _____ saw the boy.
> • Look at the man and the dog _____ are waiting at the door.

대표유형 02 관계대명사 that vs. 접속사 that 출제율 15%

06 다음 중 밑줄 친 부분의 쓰임이 나머지 넷과 다른 것은?

① I heard that you had a flu.
② My problem is that I'm too lazy.
③ I hope that Rachel will pass the exam.
④ It is strange that he didn't reply to my text message.
⑤ You can eat the apples that I put in the basket.

07 다음 〈보기〉의 밑줄 친 that과 쓰임이 다른 것은?

> 보기 I like the hat that I bought yesterday.

① She is an actress that many people like.
② I need to read the book that he wrote.
③ It is true that he can jump higher than me.
④ This is the cat that I lost three days ago.
⑤ Paul doesn't remember the girl that he met at the party.

08 다음 문장의 밑줄 친 부분이 접속사면 '접,' 관계대명사면 '관'이라고 쓰시오.

(1) The vegetables that are in the refrigerator are fresh. _____
(2) The movie that I watched at home was boring. _____
(3) He thinks that Sally will win first place at the speech contest. _____

09 다음 문장의 빈칸에 들어갈 말로 알맞은 것은?

> This pasta is _____ I want to eat for lunch.

① which   ② that   ③ whom
④ what   ⑤ whose

10 다음 빈칸에 들어갈 관계대명사가 나머지 넷과 <u>다른</u> 것은?

① _____ Kate wants most is a laptop.
② Joseph will do _____ was promised.
③ The sofa _____ I sat on was very hard.
④ The students ate _____ Mr. Brown made for them.
⑤ This is not _____ I expected from you.

11 다음 두 문장의 빈칸에 알맞은 말이 순서대로 짝지어진 것은?

> • The cap is _____ I am looking for.
> • The cap _____ is in the closet is very old.

① what – which   ② what – what
③ that – who   ④ which – which
⑤ which – that

12 다음 우리말과 같은 의미가 되도록 할 때 빈칸에 들어갈 말로 알맞은 것은?

> 내가 그에게서 좋아하는 점은 그의 정직함이다.
> → _____ I like about him is his honesty.

① Who   ② Which   ③ That
④ What   ⑤ Whom

13 다음 중 밑줄 친 부분의 쓰임이 <u>어색한</u> 것은?

① It is not <u>what</u> I ordered last week.
② <u>What</u> you should do first is to tidy up your room.
③ I found the girl <u>that</u> was jogging in the park.
④ The shirt <u>what</u> she is wearing looks nice.
⑤ Emily read the novel <u>which</u> was written by Raymond Chandler.

14 다음 두 문장을 관계대명사 what을 이용하여 한 문장으로 바꿔 쓰시오.

> I did something last night.
> +I can't remember that.

→ I can't remember _____.

15 다음 문장의 밑줄 친 부분을 한 단어로 바꿔 쓰시오.

> Can you show me <u>the things that</u> you have in your bag?

→ _____

16 다음 문장의 밑줄 친 부분 중 어법상 <u>어색한</u> 것은?

> Daisy ①wasn't ②interested in ③which Peter ④was talking ⑤about.

17 다음 두 문장의 의미가 통하도록 관계대명사 what을 이용하여 빈칸에 알맞은 말을 쓰시오.

> I would like to eat pizza now.
> → Pizza is _____.

18 다음 빈칸에 공통으로 알맞은 말을 한 단어로 쓰시오.

> · _____ Frank said surprised me.
> · My brother didn't hear _____ I said.
> · The store didn't have _____ I wanted.

19 다음 중 밑줄 친 부분의 쓰임이 나머지 넷과 <u>다른</u> 것은?

① She understood <u>what</u> I explained.
② I want to know <u>what</u> her name is.
③ I'm sorry for <u>what</u> I said to you yesterday.
④ <u>What</u> she borrowed from the library was that book.
⑤ The magic show is <u>what</u> my family watches every Sunday.

20 다음 중 밑줄 친 부분의 쓰임이 〈보기〉와 같은 것은?

> 보기　Swimming is <u>what</u> she likes to do.

① <u>What</u> kind of sports do you like?
② I don't know <u>what</u> to do for Mary.
③ <u>What</u> happened to your sister this morning?
④ This is <u>what</u> I can give to the poor children.
⑤ I asked Angela <u>what</u> her phone number was.

21 다음 문장을 밑줄 친 What의 쓰임에 유의하여 우리말로 해석하시오.

> <u>What</u> he said made me angry.

→ _____

22 다음 중 어법상 자연스러운 것은?

① Mike can't believe that he saw.
② That you heard from her is not true.
③ Is there anything that I can do for you?
④ It's a pity what he can't come with me.
⑤ In my town, there is a house that roof is blue.

23 다음 밑줄 친 부분의 쓰임을 잘못 나타낸 것은?

① I'll give him all the money <u>that</u> I saved. (접속사)
② The bridge <u>that</u> is in the picture was built in 2005. (관계대명사)
③ <u>What</u> happened to her was shocking. (관계대명사)
④ I asked her <u>what</u> she liked to eat. (의문사)
⑤ I think <u>that</u> she will agree with me. (접속사)

24 다음 두 문장이 어법상 자연스러운지 확인하고, 틀린 문장은 바르게 고쳐 다시 쓰시오.

> ⓐ I decided what I would have for dinner.
> ⓑ Who is the teacher that nickname is Iron Man?

→ _____

25 다음 대화의 빈칸에 각각 알맞은 말을 한 단어로 쓰시오.

> **A** I can't believe (1) _____ Nicole won the race today.
> **B** Me, too. She ran really fast.
> **A** Yeah, but she looks so tired now.
> **B** Right, (2) _____ she needs most is to take a rest.

대표유형 01 관계대명사 that　　　　　출제율 25%

01 다음 빈칸에 알맞은 말이 순서대로 짝지어진 것은?

> • This is the film in _____ I'm interested.
> • Pass me the book _____ cover is red.
> • It's the same bag _____ Rachel has.

① which – whose – that
② that – which – that
③ which – that – whose
④ what – that – that
⑤ that – whose – what

02 다음 중 어법상 어색한 것은?

① Kate lost glasses whose frames are red.
② The cake that my brother bought yesterday tasted good.
③ I saw a girl and a monkey that were running on the field.
④ The jackets that she designed are very popular.
⑤ Is this the magazine for that you're looking?

대표유형 02 관계대명사 that vs. 접속사 that　　　　출제율 15%

03 다음 중 밑줄 친 부분의 쓰임이 나머지 넷과 다른 것은?

① I thought that I heard her voice.
② I have something that you haven't seen yet.
③ The problem is that we don't have enough time to go there.
④ He doesn't know that his sister bought the expensive car.
⑤ It was surprising that she finished the work that quickly.

신유형

04 다음 중 밑줄 친 that을 which로 바꿔 쓸 수 있는 것은?

① It is not true that he passed the test.
② This is the song that I taught my daughter.
③ I don't think that there's a bank near here.
④ The important thing is that you're happy.
⑤ He knew that I had no other choice.

≫ 실전 Tip 관계대명사 that은 주격 또는 목적격 관계대명사 who(m)와 which를 대신할 수 있다.

대표유형 03 관계대명사 what　　　　　출제율 35%

05 다음 우리말을 영어로 바르게 옮긴 것은?

> 나는 쇼핑몰에서 봤던 것을 사고 싶다.

① I want to buy I saw at the mall.
② I want to buy I saw it at the mall.
③ I want to buy that I saw at the mall.
④ I want to buy what I saw at the mall.
⑤ I want to buy which I saw at the mall.

06 다음 대화의 빈칸에 공통으로 들어갈 말로 알맞은 것은?

> **A** Did you understand _____ the science teacher explained today?
> **B** No. It was too difficult. I think I should review _____ I learned.

① whom　　② which　　③ that
④ who　　⑤ what

07 다음 중 어법상 어색한 것은?

① This is exactly what he needed.
② What he told a lie was a shock to Amber.
③ The articles are what I wanted to read.
④ Please forget what I said to you last night.
⑤ Air pollution is what we should discuss in the meeting.

≫ 실전 Tip 관계대명사 what이 이끄는 절의 형태를 파악한다.

08 다음 두 문장을 관계대명사 what을 이용하여 한 문장으로 바꿔 쓰시오.

The thing is very useful.
+ Dr. Smith invented it.

→ _____ is very useful.

≫ **실전 Tip** 관계대명사 what은 the thing(s) which [that]로 바꿔 쓸 수 있음을 기억한다.

[09-10] 다음 우리말과 같은 뜻이 되도록 괄호 안의 표현을 바르게 배열하시오.

09

나를 행복하게 만드는 것은 내 가족이다.
(makes, happy, what, is, me, my family)

→ _____

10

나는 그녀에 대해서 알고 있는 것을 썼다.
(wrote, about her, knew, I, what, I)

→ _____

대표유형 05 통합형   출제율 15%

11 다음 빈칸에 공통으로 들어갈 말로 알맞은 것을 쓰시오.

• _____ boy is my friend, John.
• We should check everything _____ the manager ordered.
• I think _____ you don't have to water the plants today.

12 다음 문장에서 어법상 <u>어색한</u> 부분을 찾아 바르게 고쳐 쓰시오.

I'm sure that the woman that hair comes down to her waist is Harry's sister.

_____ → _____

[13-14] 다음 우리말과 같은 뜻이 되도록 괄호 안에서 알맞은 표현을 골라 바르게 배열하여 문장을 완성하시오.

13

나는 어머니가 유명한 바이올리니스트인 소녀를 알고 있다.
→ I know _____ .
(a famous violinist, mother, whose, is, what, a girl, that)

14

그는 내가 그 방에 숨긴 것을 찾을 수 있을까?
→ Can he _____ ?
(find, in, what, the room, I, hid, that, found)

15 다음 대화의 빈칸에 들어갈 말로 알맞은 것을 각각 한 단어로 쓰시오.

A (1) _____ did you buy at the mall?
B I bought this blue skirt.
A Is this (2) _____ you wanted to buy?
B No. I wanted to buy a gray skirt, but they didn't have one.
A I think (3) _____ the blue skirt looks good on you.
B Thank you.

대표유형 03 관계대명사 what 출제율 35%

01 다음 빈칸에 들어갈 관계대명사가 나머지 넷과 <u>다른</u> 것은?

① Can you show me _____ you made?

② I believe _____ Billy told me last night.

③ I remember _____ he asked me to do.

④ The items _____ the store sells are nice.

⑤ _____ surprised me was that the kid wrote a letter in English.

02 다음 우리말과 같은 뜻이 되도록 괄호 안의 단어를 배열할 때 다섯 번째로 오는 것은?

> 나는 네가 그 대회를 위해 그린 것을 보고 싶다.
> (want, I, what, you, for, to, drew, see, contest, the)

① want ② what ③ you
④ for ⑤ drew

>> 실전 Tip 문장의 주어와 동사가 될 말을 찾아 먼저 배열한다.

03 다음 빈칸에 알맞은 말이 순서대로 짝지어진 것은?

> • This is not the movie _____ he saw yesterday.
> • He didn't tell anyone _____ he saw yesterday.

① that – what ② what – what
③ that – that ④ what – that
⑤ which – that

04 다음 문장의 빈칸에 들어갈 수 <u>없는</u> 것은?

> I like the backpack _____.

① whose design is unique

② that I saw at the store

③ which has many pockets

④ my aunt bought for me last year

⑤ what I want to get as a birthday gift

05 다음 중 어법상 자연스러운 것을 <u>모두</u> 고르면?

① Those things are all that I have.

② What kept him awake was the loud sound from the TV.

③ Action movies are that Mr. Baker enjoys watching.

④ The boy what is dancing on the stage is my brother.

⑤ Look at the mountain that top is covered with snow.

대표유형 04 관계대명사 what vs. 의문사 what 출제율 10%

06 다음 중 밑줄 친 부분의 쓰임이 〈보기〉와 같은 것은?

> 보기 <u>What</u> we want right now is to take a short break.

① <u>What</u> caused the car accident?

② I asked Daniel <u>what</u> kind of music he liked.

③ We will discuss <u>what</u> happened to the animals.

④ She wonders <u>what</u> time the bank closes today.

⑤ I'm not sure <u>what</u> he will bring to school.

>> 실전 Tip 관계대명사 what은 '~하는 것'으로 해석되며 the thing(s) which [that]와 바꿔 쓸 수 있다는 점에 유의한다.

07 다음 중 밑줄 친 부분의 쓰임이 나머지 넷과 <u>다른</u> 것은?

① The robot is <u>what</u> my uncle made last year.

② I think Claire can give him <u>what</u> he needs.

③ <u>What</u> is important is your safety.

④ Listening to music is <u>what</u> I do in my free time.

⑤ I don't know <u>what</u> subject she enjoys most at school.

대표유형 01 관계대명사 that　　출제율 25%

08 다음 우리말과 같은 뜻이 되도록 괄호 안의 표현을 이용하여 문장을 완성하시오.

> Max는 그 반에서 Sue가 이야기를 하는 유일한 사람이다. (only, person, that, talk to)
> → Max is _____.
> in the class.

09 다음 빈칸에 공통으로 들어갈 말로 알맞은 것을 쓰시오.

> • I want to buy the house _____ has a beautiful garden.
> • Did you know _____ he likes to take pictures of wild flowers in the mountains?
> • We will provide all the things _____ you need to complete the work.

통합형

10 다음 우리말을 조건에 맞게 영작하시오.

> 그녀는 시카고(Chicago)에서 출발하는 첫 기차를 놓치지 않기 위해 일찍 일어나야 한다.

[조건] **1.** 관계대명사와 to부정사를 사용할 것
　　　 2. have to, miss, depart from을 활용할 것

→ _____

_____

≫ 실전 Tip the first train(첫 기차)이 선행사일 때 쓸 수 있는 관계대명사는 무엇일지 생각한다.

대표유형 03 관계대명사 what　　출제율 35%

11 괄호 안의 단어를 바르게 배열하여 문장을 완성하시오.

> _____ and say.
> (about, careful, what, be, think, you)

12 다음 대화에서 어법상 어색한 문장을 찾아 바르게 고쳐 문장 전체를 다시 쓰시오.

> **A** Mom, do you think that Santa Claus will give me a Christmas gift this year?
> **B** Of course. You're a good kid. What do you want? A toy airplane? Or a robot?
> **A** Oh, what I really want is Rudolph. It is the animal what I like best.

→ _____

[13-14] 괄호 안의 표현을 이용하여 다음 우리말을 영작하시오.

13
> 진실은 우리가 보는 것과 다르다.

→ _____

_____

(be different from, what)

14
> 내가 지금 하고 싶은 것은 Kate와 테니스를 치는 것이다.

→ _____

_____

(what, play tennis)

신유형

15 다음 상황에서 David가 할 말을 우리말을 참고하여 완성하시오. (단, what과 that을 사용하여 10단어로 쓸 것)

> Emma gets a bad grade on the math test, so she is disappointed. David knows she did her best and he wants to tell her that it is most important. In this situation, what would David say to Emma?

→ _____

(가장 중요한 것은 네가 최선을 다했다는 거야.)

통합형

01 다음 빈칸에 알맞은 말을 순서대로 짝지은 것은?

> • The shoes are _____ I want to buy.
> • He is holding a black cat of _____ the feet are white.
> • My grandma will sell all the paintings _____ she collected.
> • A girl _____ name is Emma is waiting for you over there.

① which – which – that – that
② what – which – that – whose
③ what – who – whose – who
④ that – whose – what – that
⑤ that – whose – what – whose

신유형

02 다음 중 밑줄 친 부분을 바르게 고친 것을 모두 고르면?

① I decided to choose which I like. (→ that)
② The black dress whose Jane is wearing looks nice. (→ what)
③ These are the songs to that he listened on the radio. (→ which)
④ The lady helped the boy of that arm is broken. (→ 고칠 필요 없음)
⑤ That makes me upset is your rudeness. (→ What)

03 조건에 맞게 다음 그림을 묘사하는 글을 완성하시오.

[조건]
1. 진행 시제와 관계대명사를 사용할 것
2. sit, run around를 활용할 것

> Andy is the man _____ _____. He is looking at a dog and a girl _____.

04 다음 중 어법상 어색한 문장을 두 개 찾고 바르게 고쳐 문장 전체를 다시 쓰시오.

> ⓐ Sci-fi movies are what I enjoy watching.
> ⓑ Don't believe what you heard from Melisa.
> ⓒ She doesn't remember that happened to her then.
> ⓓ This is the teddy bear with that the baby sleeps.
> ⓔ Did you see the house of which the door was yellow?

→ _____
_____

→ _____
_____

통합형

05 주어진 표현을 알맞게 배열하여 글을 완성하시오.

> Hello, everyone. (1) Please _____
> _____. (attention, what, pay, I'm, to, saying) We will read some interesting stories today. (2) _____ is just to love reading. (I, you, want, to, do, what) The first book (3) _____ is *Charlie and the Chocolate Factory*. (to, that, you, recommend, I'll) I'm sure that you will love it.

최종 선택 QUIZ

어법상 옳은 문장에
✔ 표시하세요.

01
a The kids with that I played yesterday are over there.

b The kids with whom I played yesterday are over there.

02
a Oliver can fix the door which you broke last weekend.

b Oliver can fix the door what you broke last weekend.

03
a Don't throw away the album that cover is torn.

b Don't throw away the album whose cover is torn.

04
a What he needs now is a glass of warm milk.

b That he needs now is a glass of warm milk.

05
a I told the police which I knew something about the accident.

b I told the police that I knew something about the accident.

06
a Did you see the man and his dog which were playing on the beach?

b Did you see the man and his dog that were playing on the beach?

07
a What Jason failed the test is surprising.

b That Jason failed the test is surprising.

08
a You can do anything that you want to do.

b You can do anything what you want to do.

유형별 기출 적용 빈도

- 유형 01 관계부사의 쓰임 — **10%**
- 유형 02 관계부사 when — **25%**
- 유형 03 관계부사 where — **20%**
- 유형 04 관계부사 why, how — **20%**
- 유형 05 통합형 — **25%**

≫ 출제 포인트

관계대명사와 관계부사를 구분하는 문제와 알맞은 관계부사를 선택하는 문제는 항상 출제된다. 관계부사를 「전치사 + 관계대명사」로 바꾸는 문제나 선행사의 생략 문제 등도 자주 출제된다.

≫ 정답률 100% Tip

1 관계부사절에는 완전한 문장이 온다.
2 관계부사 how는 선행사 the way와 함께 쓰지 않는다.

Grammar Point

Point 1 관계부사의 쓰임

관계부사는 선행사를 수식하는 절을 이끌며 접속사와 부사의 역할을 동시에 한다. 또한 「전치사 + 관계대명사」와 바꿔 쓸 수 있다.

- This is the hotel. + I stayed at the hotel for a month.
  → This is the hotel where I stayed for a month.
    = at which

Point 2 관계부사 when, where, why, how

	선행사	관계부사	전치사 + 관계대명사
시간	the time, the day, the week, the year 등	when	in / at / on + which
장소	the place, the house, the city, the country 등	where	in / at / on + which
이유	the reason	why	for which
방법	(the way)	how	in which

the time, the place, the reason 등이 선행사로 쓰이면 관계부사나 선행사 둘 중 하나를 생략할 수 있다.

- The day when I lost my cell phone was my birthday.
- Parking lot A is the place where he parked his car yesterday.
- Kevin knows the reason why she got so angry.

주의 the way와 how는 둘 중 하나만 써야 한다.

- Do you understand how he found the answer?
  └ 선행사 the way와 함께 쓰지 않는다.

✅ 바로 체크

01 Think about the time (when / which) we first met.

02 I don't know the reason (where / why) he didn't come to work.

03 Tell me (how / the way how) he fixed the machine.

04 Let's find a place (why / where) we can take a break.

05 I remember the day (when / how) he disappeared.

06 Can you show me (how / which) you made the bird house?

07 The park (where / when) I enjoy taking a walk is near here.

08 This will be the year (when / why) my dreams finally come true.

대표유형 01 관계부사의 쓰임 출제율 10%

01 다음 두 문장의 의미가 같도록 빈칸에 알맞은 말을 쓰시오.

> Winter is the season in which we can go skiing.
> = Winter is the season _____ we can go skiing.

02 다음 빈칸에 공통으로 들어갈 알맞은 말을 쓰시오.

> • _____ will you know your test results?
> • Can you tell me the time _____ you are free?

03 다음 중 〈보기〉의 밑줄 친 when과 쓰임이 같은 것은?

> 보기 I won't forget when our team won the final match.

① When Tim called, I was sleeping.
② Don't drive a car when you are tired.
③ I learned Japanese when I was young.
④ He didn't check the exact time when the email was read.
⑤ Lucas was seven years old when his sister was born.

04 다음 두 문장이 같은 의미가 되도록 빈칸에 알맞은 말을 쓰시오.

> The house where the writer was born was very small.
> = The house _____ _____ the writer was born was very small.

대표유형 02 관계부사 when 출제율 25%

05 다음 문장의 빈칸에 들어갈 말로 알맞은 것은?

> I'll ask him the exact time _____ the concert starts.

① when   ② where   ③ which
④ why   ⑤ how

06 주어진 우리말과 같도록 할 때 빈칸에 들어갈 말로 알맞은 것은?

> 나는 다큐멘터리가 끝난 때를 명확히 기억한다.
> → I clearly remember _____ the documentary ended.

① which   ② when   ③ where
④ what   ⑤ that

07 주어진 우리말과 같도록 괄호 안의 표현을 바르게 배열하여 문장을 완성하시오.

> 너는 우리가 보고서를 제출해야 하는 날짜를 알고 있니?
> (when, we, the date, have to, our reports, hand in)

→ Do you know _____
_____ ?

08 다음 문장에서 어법상 어색한 부분을 찾아 바르게 고쳐 쓰시오.

> The year where his daughter was born is 2011.

_____ → _____

09 괄호 안의 단어를 알맞은 위치에 넣어 문장을 다시 쓰시오.

> Please let me know the time this plane lands at Narita Airport. (when)

→ _____

대표유형 03 　관계부사 where　　　　출제율 20%

10 다음 빈칸에 공통으로 들어갈 말로 알맞은 것은?

> • The site _____ I saw the parade was Green Park.
> • We need a place _____ we can sit and rest for a while.

① how 　　　② when 　　　③ where
④ what 　　　⑤ why

11 다음 두 문장을 한 문장으로 바꿔 쓸 때 빈칸에 들어갈 말로 알맞은 것은?

> This is the building. + They had a meeting yesterday in the building.
> → This is the building _____ they had a meeting yesterday.

① which 　　　② when 　　　③ where
④ what 　　　⑤ that

12 다음 우리말을 바르게 영작한 것은?

> 도둑은 그가 보석을 숨긴 장소를 가리켰다.

① The thief pointed to the place where he hid the jewels.
② The thief pointed to the place when he hid the jewels.
③ The thief pointed to the place which he hid the jewels.
④ The thief pointed to the place why he hid the jewels.
⑤ The thief pointed to the place the way he hid the jewels.

13 다음 문장의 밑줄 친 부분 중 어법상 어색한 것은?

> San Francisco ① is ② the city ③ how my cousins ④ lived ⑤ last year.

14 다음 괄호 안의 표현을 바르게 배열하여 문장을 완성하시오.

> I want to stay in _____
> _____.
> (I, feel, the room, comfortable, where)

15 다음 두 문장을 관계부사를 이용하여 한 문장으로 바꿔 쓸 때 빈칸에 알맞은 말을 쓰시오.

> I'm looking for an island. + I'll travel there this summer vacation.
> → I'm looking for an island _____
> _____.

대표유형 04 　관계부사 why, how　　　　출제율 20%

16 다음 문장의 밑줄 친 부분을 어법에 맞게 고치시오. (단, 한 단어로 쓸 것)

> The reason <u>which</u> she was sick is clear.

→ _____

17 다음 문장에서 어법상 어색한 부분을 찾아 바르게 고쳐 문장 전체를 다시 쓰시오.

> I don't like the way how she talks to my friends.

→ _____

18 다음 문장의 빈칸에 들어갈 말로 알맞은 것은?

> Do you know the reason _____ they closed the store today?

① when　　② where　　③ which
④ why　　⑤ how

19 다음 두 문장을 한 문장으로 바꿔 쓸 때 빈칸에 알맞은 말을 <u>모두</u> 고르면?

> This is the way. + I got out of the burning house in the way.
> → This is _____ I got out of the burning house.

① where　　② why　　③ how
④ the way　　⑤ the way how

20 주어진 우리말과 같도록 괄호 안의 단어를 바르게 배열하여 문장을 완성하시오.

> James는 내게 결석한 이유를 말하지 않았다.
> → James didn't _____.
> 　(he, tell, why, me, absent, was)

대표유형 05　통합형　　　　　출제율 25%

21 다음 두 문장의 빈칸에 알맞은 말이 순서대로 짝지어진 것은?

> • Noon is the time _____ I eat lunch.
> • Arles is the town _____ Vincent van Gogh painted *Sunflowers*.

① when – which　　② when – where
③ which – where　　④ where – why
⑤ where – when

22 다음 빈칸에 알맞은 말이 순서대로 짝지어진 것은?

> • This is the city _____ I was born.
> • The police had to find the house _____ the man lived in.

① when – where　　② which – that
③ which – where　　④ where – which
⑤ where – where

23 다음 중 밑줄 친 부분의 쓰임이 어법상 <u>어색한</u> 것은?

① This is the reason for <u>which</u> I like Andy.
② She told me <u>how</u> she grew these flowers.
③ We are talking about the time <u>when</u> we were children.
④ The house <u>where</u> he was born in is near here.
⑤ Do you know the date <u>when</u> they took a trip to Busan?

24 다음 대화의 빈칸에 들어갈 말로 알맞은 것은?

> **A** What will he do at the meeting?
> **B** He will explain the way _____.

① how he rescued the children
② where people can put up tents
③ we should use the new medical device
④ why he should accept the offer
⑤ when we start to prepare for the party

25 다음 빈칸에 알맞은 관계부사를 쓰시오.

(1) Sally recommended a restaurant _____ we can have a nice dinner.

(2) I know the time _____ she went home.

(3) This is the reason _____ he wants to be a car designer.

대표유형 01 관계부사의 쓰임   출제율 10%

01 다음 중 빈칸에 관계부사가 들어갈 수 없는 것은?

① Can you explain _____ you fixed the radio?

② I miss the happy days _____ we studied together.

③ There is a reason _____ he doesn't want to say anything.

④ This is the classroom _____ I found the old book in.

⑤ I want to take Bill to the town _____ I stayed for several months.

[신유형]

02 다음 중 밑줄 친 부분을 괄호 안의 표현으로 바꿔 쓰기 어색한 것은?

① This is the time <u>when</u> Anna usually gets up. (at which)

② I am looking for a shop <u>where</u> I can buy a battery. (at which)

③ Could you tell me <u>how</u> I can get to the stadium? (the way)

④ The reason <u>why</u> Daniel changed the plan is a secret. (on which)

⑤ That is the animal care center <u>where</u> I do volunteer work on weekends. (in which)

≫ 실전 Tip 선행사 앞에 전치사를 넣어 의미가 자연스러운 것을 찾을 수 있다.

대표유형 02 관계부사 when   출제율 25%

03 다음 빈칸에 공통으로 들어갈 말로 알맞은 것은?

• He knows the date _____ she will leave for Seoul.

• The day _____ I first met Susan was the best day of my life.

① when   ② where   ③ which
④ why   ⑤ how

04 다음 두 문장을 한 문장으로 바꿔 쓸 때 빈칸에 들어갈 말로 알맞은 것은?

I remember the day. + We sang together for the first time on that day.
→ I remember the day _____ we sang together for the first time.

① when   ② where   ③ which
④ why   ⑤ how

대표유형 05 통합형   출제율 25%

05 다음 빈칸에 알맞은 말이 순서대로 짝지어진 것은?

• Can you tell me the reason _____ you hired Mr. Trump?

• This office is the place _____ I worked with John.

① when – where   ② why – which
③ why – where   ④ where – why
⑤ how – which

06 다음 중 밑줄 친 부분의 쓰임이 어법상 어색한 것은?

① Detroit is the city <u>which</u> I was born in.

② Tell me <u>what</u> he made the tomato pasta.

③ Let me know <u>how</u> I can help the people.

④ What is the reason <u>why</u> she didn't lend the book to you?

⑤ The year <u>when</u> I entered elementary school was 2012.

07 다음 문장의 빈칸에 들어갈 말로 알맞은 것을 <u>모두</u> 고르면?

Spring is the season _____ everything comes to life and beautiful flowers bloom.

① when   ② where   ③ why
④ in which   ⑤ of which

08 다음 두 문장을 괄호 안의 표현이 들어가도록 각각 한 문장으로 쓰시오.

> The hotel was cheap and nice.
> + We stayed at the hotel last month.

(1) The hotel _____ last month was cheap and nice. (관계대명사)

(2) The hotel _____ last month was cheap and nice. (관계부사)

12 다음 우리말을 관계부사와 괄호 안의 표현을 이용하여 영작하시오. (단, 필요한 경우 표현을 추가하거나 변형할 것)

> 나는 그가 이 잡지를 산 그 서점을 기억한다.
> → _____
>
> _____
> (remember, the bookstore, buy, this magazine)

> » 실전 Tip 먼저 선행사를 파악한 뒤 관계부사가 이끄는 절이 선행사를 꾸미도록 문장을 완성한다.

대표유형 03 관계부사 where 출제율 20%

09 괄호 안의 표현을 바르게 배열하여 문장을 완성하시오.

> _____
> is next to the hospital.
> (the jacket, where, the shop, bought, he)

대표유형 04 관계부사 why, how 출제율 20%

13 다음 두 문장이 같은 의미가 되도록 관계부사를 사용하여 빈칸에 알맞은 말을 쓰시오.

> She left for London because she got a job there.
> = The reason _____
> is that she got a job there.

10 다음 대화의 밑줄 친 우리말과 같은 뜻이 되도록 괄호 안의 표현을 바르게 배열하시오.

> **A** Mom, I have a question. What is a cemetery?
> **B** 그곳은 죽은 사람들이 묻히는 곳이야.
> (a place, are, it's, dead, where, people, buried)

→ _____

14 괄호 안의 우리말을 참고하여 다음 두 문장의 빈칸에 공통으로 들어갈 말을 한 단어로 쓰시오.

> • Can you tell me _____ to get to the National Museum of Korea?
> (국립박물관으로 가는 길을 알려주시겠어요?)
> • This documentary shows _____ emperor penguins take care of their chicks. (이 다큐멘터리는 황제펭귄이 새끼를 돌보는 법을 보여 준다.)

11 다음 문장에서 어법상 어색한 부분을 찾아 바르게 고쳐 문장 전체를 다시 쓰시오.

> This drawer is the place why I keep keys.

→ _____

15 다음 우리말을 괄호 안의 표현을 이용하여 영작하시오. (단, 12단어로 쓸 것)

> 이것이 내가 어제 경찰서에 간 이유이다.
> (this, why, the police station)

→ _____

대표유형 03 관계부사 where 출제율 20%

01 다음 두 문장을 한 문장으로 바꿔 쓸 때 빈칸에 들어갈 말로 알맞은 것은?

> Do you know the restaurant? + Andy had a part-time job at the restaurant.
> → Do you know the restaurant _____?

① when Andy had a part-time job
② which Andy had a part-time job on
③ where Andy had a part-time job
④ where Andy had a part-time job at
⑤ why Andy had a part-time job there

02 다음 문장의 밑줄 친 부분 중 어법상 어색한 것은?

> I'm ① looking for ② a place ③ in where I ④ can keep ⑤ my belongings.

03 다음 우리말에 맞게 괄호 안의 단어를 배열할 때 네 번째로 오는 것은?

> 우리가 수영을 했던 호수는 깨끗했다.
> (lake, we, clean, where, was, the, swam)

① lake   ② we   ③ clean
④ where   ⑤ swam

대표유형 05 통합형 출제율 25%

04 다음 문장 중 어법상 어색한 것은?

① Tell me the way you solved the problem.
② I don't know the reason why she is angry.
③ He is waiting for the day when he will get married.
④ Do you remember the time when we went hiking together?
⑤ I want to visit the town where I grew up at.

05 다음 우리말을 바르게 영작한 것을 모두 고르면?

> 나는 그가 일을 그만둔 이유를 안다.

① I know why he quit his job.
② I know why he quit his job for.
③ I know the reason why he quit his job.
④ I know the reason when he quit his job.
⑤ I know the reason for which he quit his job.

≫ 실전 Tip 일반적인 명사(the day, the place, the reason 등)가 관계부사의 선행사로 올 경우에는 생략이 가능하다.

06 다음 중 어법상 자연스러운 것은?

① I cannot forget the day for which I got a surprise gift from my friends.
② Is this the town where the famous artist loved?
③ The article describes the way in which they built that beautiful tower.
④ Nobody knows the reason where Rachel didn't go camping with them.
⑤ The playground when I rode my bike on Sunday was near the bus stop.

07 다음 중 밑줄 친 부분을 잘못 고친 것은?

① This is the room when the students study. (→ where)
② The time which the concert begins is 7 p.m. (→ when)
③ The reason how he didn't call her is still not clear. (→ for why)
④ That was the year which his first book was published. (→ in which)
⑤ Please explain to me how this coffee machine works. (→ 고칠 필요 없음)

대표유형 02 관계부사 when · 출제율 25%

08 다음 두 문장을 관계부사를 이용하여 한 문장으로 바꿔 쓰시오.

> The day was my birthday. + My dad bought the bike for me on that day.
>
> → _____
>
> _____

≫ 실전 Tip 두 문장에서 공통된 어구를 찾고 둘 중 관계부사가 꾸미기에 적절한 어구를 선행사로 만든다.

09 다음 문장에서 어법상 틀린 부분을 찾아 바르게 고치시오.

> The moment that I won first prize in the speech contest was the best moment of my life.

_____ → _____

10 다음 괄호 안의 표현을 바르게 배열하여 문장을 완성하시오.

> Midnight _____.
> (when, the time, changes, the date, is)

11 다음 우리말과 같은 뜻이 되도록 괄호 안의 단어를 이용하여 영작하시오.

> 나는 그녀가 떠날 날짜를 모른다. (date, leave, when)
> → _____

대표유형 04 관계부사 why, how · 출제율 20%

12 주어진 우리말과 같도록 괄호 안의 단어를 바르게 배열하여 문장을 완성하시오.

> 나는 그에게 파티를 취소한 이유를 물어볼 것이다.
> → I'll _____
>
> _____.
>
> (the, reason, him, canceled, he, the, why, party, ask)

[13-14] 다음 우리말을 관계부사를 이용하여 영작하시오.

13
> 너는 그가 그의 마음을 바꾼 이유를 아니?
> → _____

14
> 나는 Jessica가 그 문제를 해결한 방법을 이해할 수 없다.
> → _____

15 다음 대화에서 어법상 어색한 문장을 찾아 바르게 고쳐 문장 전체를 다시 쓰시오.

> A You look upset. What's wrong?
> B I'm mad at Brian. I don't know the reason for why he is so rude to me.
> A I know how you feel.

→ _____

_____

UNIT 17 관계부사 • **175**

01 다음 두 문장을 한 문장으로 바꿔 쓸 때 빈칸에 알맞은 것을 <u>모두</u> 고르면?

> I remember the day. + He visited the science museum on that day.
> → I remember the day _____ .

① how he visited the science museum
② when he visited the science museum
③ where he visited the science museum
④ on which he visited the science museum
⑤ when he visited the science museum on

02 다음 중 어느 빈칸에도 들어갈 수 <u>없는</u> 것은?

> • Can you guess the reason _____ he was nervous?
> • The village _____ she lives in is famous for the beautiful river.
> • I want to know _____ you won this game.
> • The time _____ I finished the project was almost 2 a.m.

① how　　　② where　　　③ which
④ why　　　⑤ when

03 다음 중 어법상 자연스러운 문장을 <u>모두</u> 고른 것은?

> ⓐ That year was when my parents got married.
> ⓑ Tell me the way how you passed the test.
> ⓒ He ran into the room which I was waiting.
> ⓓ My little brother asked me the reason why the moon changes shape.
> ⓔ Do you know the place where the car accident happened?

① ⓐ, ⓒ, ⓓ　　　　② ⓐ, ⓓ, ⓔ
③ ⓑ, ⓒ, ⓓ　　　　④ ⓑ, ⓔ
⑤ ⓐ, ⓑ, ⓒ, ⓔ

04 괄호 안의 말을 바르게 배열하여 다음 대화를 완성하시오. (단, 각 괄호 안에서 필요 없는 한 단어는 제외할 것)

> **A** I'm going to visit Gyeongju tomorrow.
> **B** Sounds good. Gyeongju is (1) _____
>
> _____ .
> (you, see, cultural heritages, can, many, the city, where, which)
> **A** That's (2) _____ .
> (I, why, go, there, want, when, to) Have you been to Gyeongju?
> **B** Yes. I visited there last spring. (3) _____
>
> _____ .
> Seokguram. (when, I, forget, saw, can't, the moment, I, how)

05 다음 글의 밑줄 친 문장이 어법상 <u>어색한</u> 경우 바르게 고쳐 문장 전체를 다시 쓰시오.

> (1) <u>I like summer when I can enjoy swimming in the sea.</u> Every summer I go to the beach. (2) <u>The place which I want to go this summer is Waikiki Beach in Hawaii.</u> I heard that the beach is beautiful and good for swimming. I hope I can go there soon.

(1) _____

(2) _____

최종 선택 QUIZ

어법상 옳은 문장에 ✔ 표시하세요.

01

a I won't forget the time when I took a walk with Clara.

b I won't forget the time why I took a walk with Clara.

02

a Can you explain how you cook this pasta?

b Can you explain the way how you cook this pasta?

03

a She's looking for a place when she can take a rest.

b She's looking for a place where she can take a rest.

04

a Billy knows the reason why I couldn't go fishing yesterday.

b Billy knows the reason how I couldn't go fishing yesterday.

05

a He will visit the house where the scientist was born in.

b He will visit the house which the scientist was born in.

06

a I want to know the way I can make my mom happy.

b I want to know the way which I can make my mom happy.

07

a The reason why he didn't answer the phone is not clear.

b The reason when he didn't answer the phone is not clear.

08

a There was a moment when the students became quiet.

b There was a moment how the students became quiet.

유형별 기출 적용 빈도

유형 01 both *A* and *B*, not only *A* but also *B* `25%`

유형 02 not *A* but *B*, either *A* or *B*, neither *A* nor *B* `25%`

유형 03 상관접속사 통합형 `20%`

유형 04 명령문, and/or `30%`

》 출제 포인트

상관접속사의 형태를 확인하는 문제와 명령문 다음에 오는 and와 or의 쓰임을 구별하는 문제는 반드시 출제된다. 또한 상관접속사가 주어로 쓰일 때 동사의 수를 묻는 문제도 자주 출제된다.

》 정답률 100% Tip

상관접속사가 주어로 쓰일 때 both *A* and *B*는 항상 복수 취급하고, *A* as well as *B*를 제외한 나머지는 B에 동사의 수를 맞춘다.

Grammar Point

Point 1 상관접속사

상관접속사는 두 개 이상의 단어가 함께 쓰여 하나의 접속사 역할을 하는 것이다. 상관접속사가 이어주는 말은 문법적으로 동등해야 한다.

상관접속사	의미	주어로 쓰일 때 동사의 수
both *A* and *B*	A와 B 둘 다	복수 취급
not only *A* but also *B*	A뿐만 아니라 B도	B에 맞춤
A as well as *B*	B뿐만 아니라 A도	A에 맞춤
not *A* but *B*	A가 아니라 B	B에 맞춤
either *A* or *B*	A 또는 B 둘 중 하나	B에 맞춤
neither *A* nor *B*	A도 B도 아닌	B에 맞춤

- Both David and Billy live in San Francisco.
- She was not only a scientist but also a musician.
- I'd like to buy not this T-shirt but that blouse.
- Either you or I am wrong.
- He likes neither coffee nor tea.

Point 2 명령문, and / or

형태	의미
명령문, and ...	~해라, 그러면 …할 것이다
명령문, or ...	~해라, 그렇지 않으면 …할 것이다

- Clean your room, and I'll make spaghetti for you.
- Get up early, or you will be late for school.

✅ 바로 체크

01 My uncle is not a teacher (but / and) an engineer.

02 She is not only beautiful (but / and) also smart.

03 I need both your phone number (but / and) your address.

04 (Either / Neither) the professor or the student is lying.

05 Both Mom and Dad (enjoy / enjoys) going fishing.

06 Not only Jake but also I (am / is) reading books.

07 I need to go to the bookstore as well (as / but) the library.

08 Hurry up, (and / or) you won't catch the bus.

09 Take an umbrella, (and / or) you will get wet.

10 Join a club, (and / or) you can make many friends.

대표유형 01 both *A* and *B*, not only *A* but also *B* 출제율 25%

01 서로 비슷한 의미가 되도록 빈칸에 알맞은 말을 쓰시오.

I like comedies. I like dramas as well.
→ I like not _____ comedies _____
  also dramas.

02 다음 문장의 빈칸에 들어갈 말로 알맞은 것은?

The five-year-old girl can _____ speak
and write Chinese.

① not   ② only   ③ both
④ either   ⑤ neither

03 다음 우리말을 영어로 바르게 옮긴 것을 모두 고르면?

너뿐만 아니라 Ian도 그 사실을 알고 있다.

① Ian as well you knows the truth.
② Ian as well as you knows the truth.
③ Not only you also Ian knows the truth.
④ Not only you but also Ian knows the truth.
⑤ Not only but also you and Ian knows the
  truth.

04 주어진 우리말과 뜻이 같도록 빈칸에 알맞은 말을 쓰시오.

Oliver와 나는 둘 다 눈사람을 만들고 싶어 한다.
→ _____ Oliver _____ I want to build
  a snowman.

05 다음 문장의 빈칸에 알맞은 말을 쓰시오.

Not only my brother _____ _____ I
can play chess.

06 다음 문장에서 어법상 어색한 부분을 찾아 바르게 고쳐 쓰시오.

Both Emily and I am interested in classical
music.

_____ → _____

07 괄호 안의 표현을 사용하여 주어진 문장을 같은 의미의 문장으로 바꿔 쓰시오.

Ms. Anderson was not only intelligent but
also kind. (as well as)

→ _____

대표유형 02 not *A* but *B*, either *A* or *B*, neither *A* nor *B* 출제율 25%

08 다음 문장의 빈칸에 들어갈 말로 알맞은 것은?

Neither John _____ his parents agreed
to the plan.

① or   ② and   ③ nor
④ but   ⑤ not

09 다음 빈칸에 알맞은 말이 순서대로 짝지어진 것은?

• He is _____ in London or in Sydney.
• What I want is not money _____ time.

① either – or   ② either – but
③ neither – but   ④ neither – nor
⑤ both – neither

10 다음 우리말을 영어로 바르게 옮긴 것은?

> 너는 커피나 주스 둘 중 하나를 마실 수 있다.

① You can have either coffee or juice.
② You can have neither coffee nor juice.
③ You can have not coffee but juice.
④ You can have either coffee nor juice.
⑤ You can have neither coffee but juice.

11 다음 빈칸에 들어갈 말로 <u>어색한</u> 것은?

> Not Tom but Susie _____.

① knows the password
② answered the phone yesterday
③ helped me to repair my computer
④ were baking some cookies for you
⑤ should be responsible for that matter

12 다음 대화의 밑줄 친 우리말과 같은 뜻이 되도록 괄호 안의 말을 바르게 배열하여 문장을 완성하시오.

> **A** How can I get this box to the 4th floor?
> **B** <u>당신은 엘리베이터나 계단 둘 중 하나를 선택할 수 있어요.</u>

→ You can _____.
　(the elevator, choose, the stairs, or, either)

13 다음 두 문장을 한 문장으로 연결할 때 빈칸에 알맞은 말을 쓰시오.

> • Bill didn't come to school.
> • Andy didn't come to school, either.
> → _____ Bill _____ Andy came to school.

14 다음 밑줄 친 부분이 어법상 옳으면 ○, 틀리면 ×에 표시하고, 틀린 부분은 바르게 고쳐 쓰시오.

(1) Neither Jane nor I <u>want to meet</u> him.
　[○ / ×] _____
(2) Either you or he <u>have to walk</u> the dog.
　[○ / ×] _____

대표유형 03　상관접속사 통합형　　출제율 20%

15 다음 중 어법상 자연스러운 것은?

① Both you and Paul is waiting for her.
② We need not only sugar but also salt.
③ Either Harper or Angela want to go back.
④ The musical was neither interesting not touching.
⑤ The teacher as well as the students were surprised at the news.

16 주어진 우리말과 뜻이 같도록 할 때 빈칸에 알맞은 말을 순서대로 짝지은 것은?

> 가격과 품질 둘 다 중요하다.
> → _____ the price _____ the quality are important.

① Either – or　　　② Not – but
③ Neither – nor　　④ Both – and
⑤ As – well as

17 다음 〈보기〉에서 알맞은 단어를 두 개씩 골라 주어진 두 문장을 한 문장으로 연결하시오.

> 보기　either　as　neither　not
> 　　　but　both　and　nor

(1) My cousin has a bike. I have a bike, too.
　→ _____
(2) Jill didn't send a postcard to her. Sam didn't send a postcard to her, either.
　→ _____

18 다음 우리말을 괄호 안의 표현을 이용하여 6단어로 쓰시오.

> 그녀는 피곤한 게 아니라 졸리다. (tired, sleepy)
> → _____

---

19 다음 문장의 빈칸에 들어갈 말로 알맞은 것은?

> Study hard, _____ you'll get a good grade.

① and   ② but   ③ or
④ nor   ⑤ that

20 다음 중 빈칸에 들어갈 말이 나머지 넷과 <u>다른</u> 것은?

① Don't buy the bag, _____ you will regret it.
② Speak loudly, _____ nobody will hear you.
③ Take the subway, _____ you'll miss the airplane.
④ Turn left at the corner, _____ you can see the bank.
⑤ Hand in your report by noon, _____ your teacher will be angry.

21 다음 빈칸에 알맞은 말이 순서대로 짝지어진 것은?

> • Water the plants more often, _____ they will die.
> • Stop crying right now, _____ I will give you a lollipop.

① and – or   ② or – or   ③ or – and
④ and – but   ⑤ but – and

22 주어진 우리말과 뜻이 같도록 빈칸에 알맞은 말을 쓰시오.

> 일찍 잠자리에 들어라, 그러면 너는 다음 날 아침에 기분이 상쾌할 것이다.
> → Go to bed early, _____ you will feel refreshed next morning.

23 다음 두 문장의 의미가 통하도록 빈칸에 알맞은 말을 한 단어로 쓰시오.

> If you don't close the window, the rain will come in.
> → Close the window, _____ the rain will come in.

[24-25] 다음 우리말과 같은 의미가 되도록 괄호 안의 표현을 바르게 배열하시오. (단, 필요 없는 한 단어는 쓰지 말 것)

24
> 외투를 입어라, 그렇지 않으면 너는 감기에 걸릴 것이다.
> (a coat, put on, you'll, a cold, catch, and, or)
>
> → _____

25
> 다른 사람들에게 친절해라, 그러면 그들은 너를 좋아할 것이다.
> (be, and, they, to others, kind, you, like, will, or)
>
> → _____

대표유형 01 both A and B, not only A but also B 출제율 25%

01 다음 문장의 빈칸에 들어갈 말로 알맞은 것은?

> Both Mike and his brother _____ very
> kind to me when I met them at the party.

① is ② are ③ was
④ were ⑤ have been

02 다음 문장과 의미가 같은 것은?

> The office is not only clean but also cheap.

① The office is clean well as cheap.
② The office is as clean well as cheap.
③ The office is clean as well cheap as.
④ The office is cheap as well as clean.
⑤ The office is as cheap well clean as.

03 다음 빈칸에 알맞은 말을 순서대로 짝지은 것은?

> • She met _____ Chris and Mary there.
> • I not only went shopping _____ also
>   watched a movie last weekend.

① both – but ② both – and
③ either – but ④ either – and
⑤ neither – or

대표유형 03 상관접속사 통합형 출제율 20%

04 다음 문장의 빈칸에 들어갈 수 <u>없는</u> 것은?

> _____ are going to the meeting.

① Both he and I
② Either we or they
③ Mr. Min as well as you
④ Neither Betty nor you
⑤ Not only Andy but also his assistants

05 다음 중 어법상 <u>어색한</u> 것은?

① I will buy either a pen or a cap for her.
② Both he and she is wearing sunglasses.
③ This chair is neither comfortable nor strong.
④ Not only Lucas but also I am satisfied with the results.
⑤ Peter works not as a chef but as a manager in the restaurant.

≫ 실전 Tip 상관접속사로 연결된 말이 주어로 쓰인 경우 동사의 수를 맞춰야 할 대상의 수와 인칭을 확인한다.

06 다음 우리말을 영어로 바르게 옮긴 것은?

> Cindy도 너도 지금 그 파일을 열 수 없다.

① Either Cindy or you can open the file now.
② Either Cindy nor you can open the file now.
③ Neither Cindy nor you can open the file now.
④ Neither Cindy nor you cannot open the file now.
⑤ Not only Cindy but also you can open the file now.

≫ 실전 Tip 부정의 의미가 포함되어 있는 상관접속사에 유의한다.

대표유형 04 명령문, and / or 출제율 30%

07 다음 중 밑줄 친 부분의 쓰임이 <u>어색한</u> 것은?

① Hurry up, <u>and</u> you'll arrive on time.
② Exercise regularly, <u>and</u> you'll stay healthy.
③ Be careful, <u>or</u> you'll be in danger.
④ Take a break, <u>and</u> you'll get too tired.
⑤ Listen to his advice, <u>or</u> you'll be sorry later.

08 다음 두 문장의 의미가 통하도록 빈칸에 알맞은 말을 쓰시오.

> If you don't follow the signs, you will get lost in the mountains.
> → Follow the signs, _____ _____ _____ _____ lost in the mountains.

>> 실전 Tip 「명령문, and ....」는 명령문대로 행동했을 때의 결과를 나타내고, 「명령문, or ....」는 명령문대로 행동하지 않았을 때의 결과를 나타낸다.

09 다음 두 문장의 의미가 통하도록 접속사를 이용하여 빈칸에 알맞은 말을 쓰시오.

> Look around, and you'll see the beautiful scenery.
> → _____, you'll see the beautiful scenery.

10 주어진 우리말과 일치하도록 괄호 안의 표현을 사용하여 문장을 완성하시오.

> 지금 떠나라, 그러면 너는 그 기차를 탈 것이다.
> → Leave now, _____.
> (catch the train)

신유형
11 다음 〈A〉와 〈B〉에서 어울리는 문장을 하나씩 고르고, and나 or를 이용하여 한 문장으로 연결해 쓰시오.

A	· Do your best. · Turn the heat down. · Press the red button.
B	· The bread will burn. · You can pass the exam. · The jewel box will open.

· _____
· _____
· _____

대표유형 02　not A but B, either A or B, neither A nor B　출제율 25%

12 다음 대화의 빈칸에 알맞은 말을 쓰시오.

> **A** When will you go camping?
> **B** I will go camping _____ tomorrow or this weekend.

13 다음 두 문장의 빈칸에 각각 알맞은 말을 쓰시오.

> · I like _____ chicken nor fish.
> · My cousin is not an actor _____ a firefighter.

14 다음 중 어법상 틀린 문장을 골라 바르게 고쳐 문장 전체를 다시 쓰시오.

> ⓐ I think she is either a fool or a genius.
> ⓑ Neither he nor you was polite to the old lady.

→ _____

15 다음 우리말과 같도록 괄호 안의 단어를 바르게 배열하시오. (단, 필요 없는 두 단어는 쓰지 말 것)

> Evan이 아니라 내가 학교에 결석했다.
> (not, I, was, school, Evan, either, from, were, absent, but)

→ _____

대표유형 02 not *A* but *B*, either *A* or *B*, neither *A* nor *B* 출제율 25%

01 다음 우리말과 같은 의미가 되도록 할 때 빈칸에 들어갈 말이 순서대로 짝지어진 것은?

> 나는 내 모자를 지하철이나 공원, 둘 중 한 곳에서 잃어버린 것 같다.
> → I think I lost my cap _____ on the subway _____ in the park.

① not – but
② either – or
③ neither – nor
④ both – and
⑤ not only – but also

02 다음 글의 밑줄 친 부분 중 어법상 어색한 것은?

> When I went to the bookstore, ① neither Frank nor Alice ② was there. They were ③ waiting for me at ④ not the bookstore but ⑤ at the bus stop.

≫ 실전 Tip 상관접속사가 이어주는 말은 문법적으로 동등해야 한다.

대표유형 03 상관접속사 통합형 출제율 20%

03 다음 괄호 안의 동사의 올바른 형태가 순서대로 짝지어진 것은?

> • Both Tim and Kevin (A) (have) to read the articles.
> • The students as well as the teacher (B) (like) the new cabinets.
> • Either Emily or George (C) (be) able to understand sign language.

① has – like – are
② has – likes – is
③ have – like – is
④ have – likes – is
⑤ have – like – are

04 다음 중 밑줄 친 부분의 쓰임이 어색한 것은?

① I'd like to take either a cooking or art class.
② Frogs can live both in water but on land.
③ Not only Ryan but also I am worried about the cold weather.
④ Neither my mom nor my dad was at home.
⑤ Not Sophia but Mason applied for the company.

05 다음 우리말을 바르게 영작한 것은?

> Rachel뿐만 아니라 너도 현명하다.

① You as well as Rachel is wise.
② Not Rachel but you are wise.
③ Either Rachel or you are wise.
④ Neither Rachel nor you are wise.
⑤ Not only Rachel but also you are wise.

신유형

06 다음 중 빈칸 어디에도 들어갈 수 없는 것은?

> • The weather on Friday will be _____ rainy and windy.
> • Neither Sam _____ Jessica can swim in the sea.
> • You should wear not _____ a helmet but also gloves.
> • The color of her shirt was either pink _____ purple. I can't remember exactly.

① or
② only
③ both
④ nor
⑤ but

대표유형 01 both *A* and *B*, not only *A* but also *B* 출제율 25%

07 다음 문장에서 어법상 <u>어색한</u> 곳을 찾아 바르게 고쳐 쓰시오.

> Thousands of animals are looking for not water and food but also shelter in the field.

_____ → _____

08 주어진 우리말과 같도록 괄호 안의 표현을 배열하시오.

> 아이와 어른, 둘 다 그 놀이공원을 아주 좋아한다.
> (love, amusement park, adults, the, and, children, both)

→ _____

대표유형 04 명령문, and / or 출제율 30%

09 다음 빈칸에 알맞은 말을 각각 한 단어로 쓰시오.

> • Watch your step, _____ you may fall down.
> • Cook dinner for your parents, _____ they will be happy.

[10-11] 다음 우리말을 괄호 안의 표현을 이용하여 영작하시오. (단, 명령문 형식을 포함할 것)

10
> 너무 많이 먹지 마라, 그렇지 않으면 너는 배탈이 날 것이다. (eat, a stomachache)
> → _____

≫ 실전 Tip 부정 명령문은 Don't나 Do not으로 시작한다.

11
> 나를 따라와라, 그러면 너는 길을 찾을 것이다.
> (follow, the way)
> → _____

12 다음 문장을 괄호 안의 지시에 맞게 바꿔 쓰시오.

> Have breakfast, or you'll get hungry soon.

(1) _____, you'll get hungry soon. (if 사용)

(2) _____, you'll get hungry soon. (unless 사용)

신유형
13 다음 상황을 읽고, 접속사 and 또는 or를 사용하여 Kate의 엄마가 할 말을 완성하시오.

> Kate usually goes to bed late, so she is often late for school. Now it's 11 p.m., but she is still watching TV. In this situation, what would her mother say to her?

→ Go to bed right now, _____

_____.

대표유형 03 상관접속사 통합형 출제율 20%

14 다음 우리말을 9단어로 영작하시오.

> 너는 여기에 머물거나 나와 함께 갈 수 있다.

→ _____

신유형
15 다음 표의 내용과 일치하도록 상관접속사를 사용하여 문장을 완성하시오.

Name	☺	☹
Ann	science	history
Chris	science, music	P.E.
Kelly	math	history

(1) _____ Ann _____ Chris like science.

(2) _____ Ann _____ Kelly likes history.

(3) Chris likes _____ _____ science _____ _____ music.

01 다음 중 내용이 <u>어색한</u> 것을 <u>모두</u> 고르면?

① Run to the bus stop, or you won't see him.

② Get up now, and you'll see the sunrise.

③ Drive slowly, and you may have an accident.

④ Add more salt, and you'll make the pasta better.

⑤ Read news online every day, or you'll get a lot of knowledge.

02 다음 중 어법상 <u>어색한</u> 문장의 개수는?

ⓐ He's not surprised but felt scared.

ⓑ Both he and his wife likes reading.

ⓒ Ellen is not only a writer and also a singer.

ⓓ Neither he nor I am good at swimming.

ⓔ Either you nor Robin has to wash the dishes.

① 없음 　② 1개 　③ 2개

④ 3개 　⑤ 4개

03 다음 중 밑줄 친 부분을 <u>잘못</u> 고친 것은?

① The man was brave as well as <u>kindly</u>. (→ kind)

② You can either eat now <u>and</u> eat after the movie. (→ or)

③ Both fruit and vegetables <u>are</u> good for you. (→ 고칠 필요 없음)

④ Neither you nor he <u>plans</u> to travel in Cambodia. (→ plan)

⑤ Louis can play not only the violin <u>but also</u> the guitar. (→ 고칠 필요 없음)

04 다음 두 문장이 서로 같은 의미가 되도록 빈칸에 알맞은 말을 쓰시오. (단, 명령문을 포함할 것)

If you don't focus on your classes, you cannot get a better grade.

= _____, _____ you cannot get a better grade.

05 다음 대화의 밑줄 친 문장이 어법상 옳은지 확인하고, 어색하면 바르게 고쳐 문장 전체를 다시 쓰시오.

A Have you decided what to eat?

B Not yet. (1) <u>Both spaghetti and pizza looks delicious.</u> What about you?

A (2) <u>I'm thinking of eating either lasagna or risotto.</u>

(1) _____

(2) _____

신유형

06 다음 글을 읽고, 물음에 답하시오.

Ms. Smith's three kids had a bad habit. They didn't like to brush their teeth. One day, Ms. Smith said, "Brush (meals, after, you, teeth, your, and, one, point, or, give, I'll). I'll buy a gift for the one who gets over 25 points first." What was the result?

· John: 26 points 　· Lucia: 20 points

· Charlie: 23 points

(1) 윗글의 괄호 안의 단어를 바르게 배열하시오. (단, 필요 없는 한 단어는 쓰지 말 것)

→ _____

(2) 상관접속사를 이용하여 결과에 관한 문장을 완성하시오.

· _____ Lucia _____ Charlie got a gift.

· _____ Lucia _____ John got a gift.

01
a This novel is both interesting and educational.

b This novel is both interesting or educational.

02
a Either Adam or I am going to do volunteer work at the festival.

b Either Adam or I is going to do volunteer work at the festival.

03
a Mike as well as you want to come to the party.

b Mike as well as you wants to come to the party.

04
a Tina will not only play soccer but also watch a movie tomorrow.

b Tina will not only play soccer and also watch a movie tomorrow.

05
a They had neither umbrellas or raincoats with them.

b They had neither umbrellas nor raincoats with them.

06
a Not Amelia but her brother take care of the dog.

b Not Amelia but her brother takes care of the dog.

07
a Write down the address, or you'll forget it.

b Write down the address, and you'll forget it.

08
a Try to save energy, or you can save the Earth.

b Try to save energy, and you can save the Earth.

유형별 기출 적용 빈도

유형 01 명사절을 이끄는 접속사 that ▇▇▇ 25%

유형 02 의문사가 없는 간접의문문 ▇▇ 15%

유형 03 의문사가 있는 간접의문문 ▇▇▇▇ 35%

유형 04 생각, 추측의 동사가 있는 간접의문문 ▇ 10%

유형 05 통합형 ▇▇ 15%

≫ 출제 포인트

명사절을 이끄는 that의 쓰임을 구별하는 문제와 의문사가 있는 간접의문문의 어순에 관한 문제는 반드시 출제된다. 생각, 추측의 동사가 있는 간접의문문의 어순을 묻는 문제도 자주 출제된다.

≫ 정답률 100% Tip

1 that이 이끄는 명사절은 완전한 절의 형태이며 문장에서 주어, 보어, 목적어 역할을 한다.

2 의문사가 있는 간접의문문의 어순은 「의문사+주어+동사」이다.

Grammar Point

Point 1 명사절을 이끄는 접속사 that

접속사 that이 이끄는 명사절은 문장에서 주어, 보어, 목적어 역할을 한다.

that + 주어 + 동사	주어 역할	~하는 것은 (주로 「It ~ that ....」의 형태로 씀)
	보어 역할	~하는 것(이다)
	목적어 역할	~하는 것을 (that 생략 가능)

· It is true that they did their best to catch the criminal. 〈주어: It은 가주어〉

· The problem is that he doesn't listen to others. 〈보어〉

· Everyone thinks (that) Olivia is wise. 〈목적어〉

Point 2 의문사가 없는 간접의문문

의문문이 다른 문장의 일부가 되는 것을 간접의문문이라고 한다. 의문사가 없는 의문문은 if나 whether를 사용해 「if / whether + 주어 + 동사」의 형태로 쓴다.

· She wonders if [whether] Mason likes his job.
  └→ Does Mason like his job?

Point 3 의문사가 있는 간접의문문

의문사가 있는 의문문의 간접의문문은 「의문사 + 주어 + 동사」의 형태로 쓴다.

· I don't know where he put the keys.
  └→ Where did he put the keys?

Point 4 생각, 추측의 동사가 있는 간접의문문

주절의 동사가 think, believe, guess, suppose, imagine 등일 때 간접의문문의 의문사를 문장의 맨 앞에 쓴다.

· What do you think she will do next?
  └→ What will she do next?

✅ 바로 체크

01 I believe (that / so) you'll become a good leader.

02 It was clear (that / if) something was worrying Kate.

03 The truth is (if / that) he didn't steal the bike.

04 She thinks (that / what) Samuel should repair the radio.

05 Do you know (why did he go there / why he went there)?

06 I wonder (if / what) she is from Australia.

07 (What do you think / Do you think what) your sister likes?

08 Can you tell me (where does she live / where she lives)?

대표유형 01 명사절을 이끄는 접속사 that   출제율 25%

01 다음 문장의 빈칸에 들어갈 말로 알맞은 것은?

> Sally believes _____ I will pass the test next time.

① or   ② and   ③ but
④ what   ⑤ that

02 다음 문장에서 접속사 that이 들어가기 알맞은 곳은?

> Chris ① often ② says ③ no one ④ understands ⑤ him.

03 다음 두 문장의 빈칸에 공통으로 들어갈 말로 알맞은 것은?

> • The fact is _____ Mr. Gibson is a very honest man.
> • I think _____ money is a serious subject for the project.

① and   ② but   ③ so
④ what   ⑤ that

04 다음 중 빈칸에 들어갈 접속사가 나머지 넷과 <u>다른</u> 것은?

① The important thing is _____ I trust you.
② It is true _____ he is not interested in your success.
③ Daniel said _____ he took pictures of fireworks at the festival.
④ I heard _____ the manager would put off the event.
⑤ He was absent from school _____ he had a stomachache.

05 다음 문장의 빈칸에 알맞은 말을 쓰시오.

> The problem is _____ Gordon doesn't want to come back here again.

06 다음 문장에서 밑줄 친 부분을 바르게 고쳐 문장 전체를 다시 쓰시오.

> It is true <u>what</u> he didn't appear in court.

→ _____

신유형

07 주어진 문장을 〈보기〉와 같이 바꿔 쓰시오.

> 보기   The tall woman was our new math teacher. (He guessed)
> → <u>He guessed that the tall woman was our new math teacher.</u>

(1) Mike was in the hospital. (She heard)
    → _____
(2) Eating too fast is not good for our health. (I know)
    → _____

대표유형 02 의문사가 없는 간접의문문   출제율 15%

08 다음 문장의 빈칸에 들어갈 말로 알맞은 것은?

> Could you tell me _____ you're going to meet Bill tomorrow?

① so   ② and   ③ as
④ if   ⑤ that

09 다음 대화의 빈칸에 들어갈 말로 알맞은 것은?

> **A** Do you know _____?
> **B** No, I'm not sure.

① can he finish the work by today
② if he can finish the work by today
③ if can he finish the work by today
④ whether can finish he the work by today
⑤ whether can he finish the work by today

10 다음 두 문장을 한 문장으로 바르게 연결한 것을 <u>모두</u> 고르면?

> I wonder. + Does he like Korean food?

① I wonder he likes Korean food.
② I wonder if does he like Korean food.
③ I wonder if he likes Korean food.
④ I wonder whether he likes Korean food.
⑤ I wonder whether does he like Korean food.

11 다음 중 주어진 문장과 의미가 같은 것은?

> Ian said to me, "Do you remember me?"

① Ian asked me that you remembered him.
② Ian told me that you remembered him.
③ Ian asked me if did I remember him.
④ Ian asked me that I remembered him.
⑤ Ian asked me if I remembered him.

12 주어진 우리말과 일치하도록 괄호 안의 말을 바르게 배열하시오.

> 나는 이 버스가 시청에 가는지 아닌지 모른다.
> (know, don't, to City Hall, this, goes, bus, I, if)

→ _____

13 다음 두 문장을 한 문장으로 바르게 연결한 것은?

> I wonder. + Why did he run away?

① I wonder why he run away.
② I wonder he why ran away.
③ I wonder why he ran away.
④ I wonder why did he run away.
⑤ I wonder did he run away why.

14 다음 우리말을 영어로 바르게 옮긴 것은?

> 너는 그가 몇 살인지 아니?

① Do you know he is old?
② Do you know how old is he?
③ Do you know how old he is?
④ How do you know is he old?
⑤ How old do you know is he?

15 다음 빈칸에 들어갈 말로 알맞은 것은?

> I don't know _____.

① my grandfather was born when
② when my grandfather was born
③ was when my grandfather born
④ when was my grandfather born
⑤ when was born my grandfather

16 다음 중 밑줄 친 부분이 어법상 <u>어색한</u> 것은?

① Nobody knows <u>when it will rain</u>.
② You don't remember <u>who they are</u>.
③ Can you tell me <u>where does she live</u>?
④ I asked her <u>why John was upset</u>.
⑤ I wonder <u>what she ate for breakfast</u>.

17 다음 밑줄 친 부분을 어법에 맞게 고쳐 쓰시오.

I don't know <u>why should I go there</u>.

→ _____

18 다음 우리말과 일치하도록 괄호 안의 말을 바르게 배열하여 문장을 완성하시오.

나는 그 여자가 어떻게 생겼는지 기억할 수 없다.
→ I can't remember _____.
 (looked, the woman, like, what)

19 다음 문장에서 is가 들어가기에 알맞은 곳은?

Can you tell ① me ② how ③ far ④ the city library ⑤?

20 다음 대화의 빈칸에 들어갈 말로 알맞은 것은?

A Where do you _____ they will meet?
B They will meet at the bus stop.

① hear   ② know   ③ like
④ suppose   ⑤ remember

21 다음 두 문장을 한 문장으로 바르게 연결한 것은?

Do you think? + How did he feel then?

① Do you think how he felt then?
② How do you think he felt then?
③ Do you think how did he feel then?
④ How do you think he feels then?
⑤ How do you think did he felt then?

22 다음 괄호 안의 말을 적절한 위치에 넣어 문장 전체를 다시 쓰시오.

Do you guess will pass the test? (who)

→ _____

23 다음 중 어법상 <u>어색한</u> 것은?

① She thinks that Eric made a big mistake.
② What do you think makes him happy?
③ I don't know whom does she like.
④ I'd like to know if Mr. Smith is from Germany.
⑤ I believe she always tells me the truth.

24 다음 문장의 빈칸에 들어갈 말로 <u>어색한</u> 것은?

I don't know _____.

① what I should do
② if you can help me
③ who signed the document
④ where the nearest bus stop is
⑤ when will the next meeting be held

25 주어진 우리말과 일치하도록 〈보기〉에서 알맞은 말을 골라 문장을 완성하시오.

보기   if   that   who   where   what

(1) 나는 그녀가 제시간에 도착할 것이라고 생각한다.
  → I think _____ she will arrive on time.
(2) 그가 어디에 사는지 아무도 모른다.
  → No one knows _____ he lives.
(3) 나는 그가 너만큼 용감한지 궁금하다.
  → I wonder _____ he is as brave as you.

대표유형 01 명사절을 이끄는 접속사 that 출제율 25%

01 다음 두 문장의 빈칸에 공통으로 들어갈 말로 알맞은 것은?

> • We hope _____ your little sister will get well soon.
> • I lived in _____ house at the end of Main Street.

① if   ② but   ③ that
④ what   ⑤ where

02 다음 중 어법상 <u>어색한</u> 것은?

① Alvin never thinks he is lucky.
② The fact is what they kept the secret.
③ It surprised me that Mr. Simpson was still in the hospital.
④ Amy believes she will win the spelling bee competition someday.
⑤ The study shows that eating breakfast is important.

≫ 실전 Tip 접속사 that이 이끄는 명사절은 완전한 절의 형태이다. 또한 명사절이 목적어 역할을 할 때 접속사 that은 생략할 수 있다.

신유형
03 다음 중 빈칸에 that이 들어갈 수 <u>없는</u> 것은?

① Ms. Parker thought _____ you were in the library with Sam.
② I can't believe _____ she is only 17 years old.
③ The truth is _____ James wants to quit the job.
④ We won't go camping _____ it rains tomorrow.
⑤ It is exciting _____ we will finally meet again.

대표유형 03, 04 의문사/생각, 추측의 동사가 있는 간접의문문 출제율 35%

04 다음 문장의 빈칸에 들어갈 말로 알맞은 것은?

> He's wondering _____ her holiday last summer.

① where she spent
② where she spends
③ where did she spend
④ where did she spent
⑤ where she does spend

05 주어진 우리말과 같은 의미가 되도록 문장을 완성할 때 빈칸에 세 번째로 올 단어는?

> 그녀가 어디에서 그 외투를 샀는지 내게 말해 주세요.
> → Please tell me _____.

① she   ② the   ③ bought
④ coat   ⑤ where

06 다음 우리말을 영어로 바르게 옮긴 것은?

> 너는 그 아이가 왜 울고 있다고 생각하니?

① Do you think why the kid is crying?
② Do you think why is the kid crying?
③ Do you think is why the kid crying?
④ Why do you think the kid is crying?
⑤ Why do you think is the kid crying?

07 다음 중 어법상 자연스러운 문장은?

① Do you suppose what they're thinking?
② Do you know what does Peter want?
③ Do you understand how you can solve the puzzle?
④ Do you remember was who in the room?
⑤ Do you think when the event starts?

08 다음 대화에서 어법상 어색한 부분을 찾아 바르게 고쳐 쓰시오.

> A Where is my phone? I can't remember where did I put it.
> B Let's go back to all of the places you have been today.

_____ → _____

09 주어진 우리말과 일치하도록 괄호 안의 단어를 이용하여 영작하시오.

> 너는 Mary가 왜 그를 도왔다고 생각하니?
> → _____
> (why, think, help)

대표유형 01 명사절을 이끄는 접속사 that   출제율 25%

10 다음 우리말과 같도록 괄호 안의 표현을 바르게 배열하시오.

> 그녀가 나를 알아보지 못한 것은 이상하다.
> (strange, didn't, is, that, she, it, recognize, me)
>
> → _____

11 다음 우리말을 조건에 맞게 영작하시오.

> 너는 Tom이 그 드레스를 디자인했다는 것을 믿니?
>
> [조건] 1. 명사절을 이끄는 접속사를 쓸 것
>   2. believe, design the dress를 활용할 것
>
> → _____

대표유형 02 의문사가 없는 간접의문문   출제율 15%

12 다음 두 문장을 간접의문문을 활용하여 한 문장으로 쓰시오.

> I wonder. + Does Brian know my name?
>
> → I wonder _____ .

13 다음 우리말과 같도록 빈칸에 알맞은 말을 넣어 문장을 완성하시오.

> 너는 그 컴퓨터가 사용이 가능한지 아닌지 아니?
>
> → _____ _____ _____ _____ the computer is available?

대표유형 05 통합형   출제율 15%

14 다음 빈칸에 알맞은 말을 각각 쓰시오.

> • He felt _____ something was wrong.
> • I think _____ I can do volunteer work at the exhibition.
> • She wasn't sure _____ the answer was right.

신유형

15 각 인물이 한 말을 읽고 주어진 문장을 완성하시오.

(1) **Evan**   Why did she choose to live in Sydney?

→ Evan wonders _____ .

(2) **Grace**   She might feel lonely there.

→ Grace thinks _____ .

≫ 실전 Tip 의문문이 다른 문장의 일부가 되는 간접의문문이 될 때 어순에 유의한다.

대표유형 01　명사절을 이끄는 접속사 that　출제율 25%

01 다음 중 밑줄 친 부분의 쓰임이 〈보기〉와 같은 것은?

> 보기　It's certain that she had a hard time writing this novel.

① Please get that cat off the shelf.
② He realized that he lost his purse.
③ You have something that everyone wants.
④ The person that I met there was very kind and polite.
⑤ That's why she doesn't want to go out with you.

02 다음 문장의 빈칸에 들어갈 말로 어색한 것은?

> Daisy _____ that she will be invited to the party.

① hopes　② thinks　③ believes
④ knows　⑤ wants

통합형

03 다음 중 밑줄 친 that을 생략할 수 있는 것을 모두 고르면?

① That sounds like a good plan to me.
② The woman that you saw in the park was my aunt.
③ I want a nice dress that fits me perfectly.
④ I don't know where that stain on the carpet came from.
⑤ Stella expects that she will get a good grade on the math test.

≫ 실전 Tip　that은 지시대명사, 지시형용사, 접속사, 관계대명사 등으로 다양하게 쓰이므로 문장에서의 역할을 잘 구분한다.

대표유형 03, 04　의문사/생각, 추측의 동사가 있는 간접의문문　출제율 35%

04 다음 중 어법상 어색한 것은?

① Who do you know the tall girl is?
② Who do you think the tall girl is?
③ Who do you guess the tall girl is?
④ Who do you imagine the tall girl is?
⑤ Who do you believe the tall girl is?

신유형

05 다음 우리말과 일치하도록 영작할 때 필요 없는 것은?

> 그는 왜 그들이 일찍 떠났는지 알지 못한다.

① doesn't　② early　③ did
④ why　⑤ know

대표유형 05　통합형　출제율 15%

06 다음 중 어법상 자연스러운 것은?

① Nobody knows where the fire started.
② Can you tell me whose camera is this?
③ I wondered what she would like my gift.
④ Do you think when the guests will arrive?
⑤ I don't remember what did I do last night.

07 다음 빈칸에 알맞은 말이 순서대로 짝지어진 것은?

> ・Please tell me _____ you want to be in the future.
> ・Emily wonders _____ we will have good weather tomorrow.

① that – if　② that – what　③ if – that
④ what – if　⑤ what – what

08 다음 중 어법상 **틀린** 문장을 골라 바르게 고쳐 문장 전체를 다시 쓰시오.

> ⓐ I realized it was an unusual situation.
> ⓑ Do you believe if Lucas is the most popular student in his school?

→ _____

신유형

09 다음 대화의 밑줄 친 의문문을 각각 주어진 문장에 간접의문문으로 연결하시오.

> **Andy** (1) Can I borrow your pen?
> **Lisa** OK, here you are.
> **Andy** I like it. (2) Where did you buy it?
> **Lisa** At the KD shop. It's near here.
> **Andy** Great! (3) How long does it take to get to the shop?
> **Lisa** Well, it takes about 5 minutes.

(1) Andy asks Lisa _____ .
(2) Andy wonders _____ .
(3) Andy wants to know _____ .

10 다음 문장에서 어색한 부분을 찾아 바르게 고쳐 문장 전체를 다시 쓰시오.

> I'm not sure that Ms. Han is good at playing the piano.

→ _____

대표유형 01	명사절을 이끄는 접속사 that	출제율 25%

11 다음 글에서 어법상 어색한 부분을 찾아 바르게 고치시오.

> I heard Thomas wants to buy a new car. However, his problem is what he doesn't have enough money.

_____ → _____

[12-13] 주어진 우리말과 같은 뜻이 되도록 괄호 안의 표현을 이용하여 영작하시오.

12
> 그들은 그녀가 일요일에 돌아올 것으로 기대한다.

→ _____

(expect, that, come)

13
> Nicole이 그를 매우 그리워하는 것은 사실이다.

→ _____

(it, true, so much)

>> 실전 Tip that절이 주어 역할을 할 때 보통 가주어 it을 주어 자리에 쓰고 that절은 문장 끝에 쓴다.

대표유형 03, 04	의문사/생각, 추측의 동사가 있는 간접의문문	출제율 35%

14 괄호 안의 표현을 바르게 배열하여 간접의문문을 포함하는 문장을 완성하시오.

> (you, tell, how, can, the trip, me, much, costs)

→ _____

15 다음 두 문장을 간접의문문을 활용하여 한 문장으로 연결하시오.

> Do you guess? + When can they finish the science report?

→ _____

>> 실전 Tip 주절에 쓰인 동사와 어순에 유의하여 간접의문문을 만든다.

01 다음 우리말을 영어로 바르게 옮긴 것은?

> 너는 비행기가 언제 이륙할지 알고 싶니?

① Do you want to know that when the airplane will take off?
② Do you want to know when the airplane will take off?
③ Do you want to know when will the airplane take off?
④ When do you want to know will the airplane take off?
⑤ When do you want to know the airplane will take off?

02 다음 중 어법상 <u>어색한</u> 문장을 <u>모두</u> 고른 것은?

> ⓐ My point is what we spent too much time on details.
> ⓑ They believe he will be the class president.
> ⓒ Kelly understands why did I give up the game.
> ⓓ I wonder how long Dave has waited for her there.
> ⓔ Do you think where you lost your passport?

① ⓐ, ⓑ, ⓒ ② ⓐ, ⓑ, ⓓ
③ ⓐ, ⓒ, ⓔ ④ ⓑ, ⓒ, ⓔ
⑤ ⓑ, ⓒ, ⓓ, ⓔ

03 다음 중 밑줄 친 부분을 <u>잘못</u> 고친 것을 <u>두 개</u> 고르면?

① I'm not sure <u>what</u> she can fix this. (→ that)
② It is clear <u>if</u> Bob is hiding something from us. (→ that)
③ I felt <u>someone</u> was following me.
   (→ 고칠 필요 없음)
④ She doesn't remember <u>that</u> John's phone number was. (→ what)
⑤ Can you tell me <u>how often do you take</u> a walk? (→ how you often take)

04 다음 우리말과 일치하도록 괄호 안의 동사를 이용하여 영작하시오. (단, 간접의문문을 활용할 것)

(1) 그는 내게 그 우산이 얼마인지 물었다. (ask)
   → _____
(2) 너는 그녀가 내일 쇼핑하러 갈지 아닐지 알고 있니? (know)
   → _____

05 다음 대화의 밑줄 친 부분이 어법상 옳은지 확인하고, 틀렸으면 고쳐 문장 전체를 다시 쓰시오.

> **A** Hey, Harper. Are you enjoying Korea?
> **B** Yeah. (1) <u>I think Korea is a beautiful and interesting country.</u> (2) <u>Do you know where can I go to experience Korean traditional culture?</u>
> **A** How about the Korean Folk Village?
> **B** Sounds like fun! I'll find information about it. Thank you.

(1) _____
(2) _____

06 주어진 표현을 바르게 배열하여 글을 완성하시오.

>   (1) _____ of all time? I think it is the smartphone. It has changed our every-day life. We can search for information, watch movies, play games, create artwork, talk with others, and do many other things with it. (2) _____ all of those things just on this small device.

(1) _____
   (do, think, is, what, you, the, invention, greatest)
(2) _____
   (that, is, we, it, amazing, do, can)

01
a   They believe Dr. Kein can cure the disease.

b   They believe what Dr. Kein can cure the disease.

02
a   It is true that Charlie took a vacation to Venice last month.

b   It is true if Charlie took a vacation to Venice last month.

03
a   Sophia should realize that no one agrees with her.

b   Sophia should realize whether no one agrees with her.

04
a   Do you know how long do giraffes live?

b   Do you know how long giraffes live?

05
a   I wonder what he will attend the meeting tomorrow.

b   I wonder if he will attend the meeting tomorrow.

06
a   I don't understand why he wanted to leave.

b   I don't understand why did he want to leave.

07
a   What do you think Susie brought to them?

b   Do you think what Susie brought to them?

08
a   Can you tell me where is Mack's Bookstore?

b   Can you tell me where Mack's Bookstore is?

UNIT 20 부사절을 이끄는 접속사

>> 출제 포인트

접속사의 쓰임을 묻는 문제는 항상 출제되므로 접속사의 의미를 정확히 알아야 한다. 시간과 조건을 나타내는 부사절의 시제 문제도 자주 출제된다.

>> 정답률 100% Tip

1 시간과 조건을 나타내는 부사절에서는 미래를 나타낼 때 현재 시제를 쓴다.

2 접속사 as는 '~하면서, ~할 때, ~ 때문에, ~하듯이, ~하는 대로' 등 다양하게 해석된다.

Grammar Point

Point 1 시간을 나타내는 접속사

when	~할 때	until	~까지
while	~하는 동안	before	~ 전에
as	~하면서, ~할 때	after	~ 후에
as soon as	~하자마자	since	~ 이후로

시간을 나타내는 부사절에서는 현재 시제로 미래를 나타낸다. 또한 '~ 이후로'라는 의미의 접속사 since가 이끄는 부사절이 오면 주절에는 완료 시제를 쓴다.
- When you arrive there, you will need to catch a taxi.
- We have known each other since we were 11.

주의 while은 접속사로 뒤에 절이 오고, during(~ 동안)은 전치사이므로 뒤에 명사(구)가 온다.

Point 2 조건을 나타내는 접속사

if	만약 ~라면
unless	만일 ~ 아니라면 (= if ~ not)

조건을 나타내는 부사절에서는 현재 시제로 미래를 나타낸다.
- I will visit the museum if the weather is fine.

Point 3 이유, 양보를 나타내는 접속사

because		though,	
as	~ 때문에	although,	비록 ~이지만, ~에도 불구하고
since		even though	

- Though I was busy, I went out for dinner with my mom.
- We canceled the picnic because Anne had a bad cold.

주의 because는 접속사로 뒤에 절이 오고, because of 뒤에는 명사(구)가 온다.

바로 체크

01 만약 ~라면: _____

02 ~하는 동안: _____

03 ~까지: _____

04 만일 ~ 아니라면: _____

05 ~ 전에: _____

06 ~하면서: _____

07 ~할 때: _____

08 as soon as: _____

09 because: _____

10 although: _____

대표유형 01　시간을 나타내는 접속사　　출제율 33%

01 다음 우리말과 뜻이 같도록 할 때 빈칸에 들어갈 말로 알맞은 것은?

> 민수는 운동이 끝난 후에 샤워를 했다.
> → _____ Minsu finished exercising, he took a shower.

① After　　② Until　　③ If
④ Though　　⑤ Before

02 다음 빈칸에 공통으로 들어갈 말로 알맞은 것은?

> Jina says, "Look! _____ I touch my foot, it hurts. Owww! _____ I touch my knees, they also hurt. OUCH!"

① When　　② Why　　③ How
④ What　　⑤ Who

[03-04] 다음 문장의 빈칸에 들어갈 말로 알맞은 것을 고르시오.

03
> I'll tell him the news when he _____ home.

① come　　　　② comes
③ will come　　④ came
⑤ has come

04
> When it _____, the events are canceled.

① rainy　　　　② rain
③ will be rainy　④ rains
⑤ will rains

05 다음 중 밑줄 친 부분의 쓰임이 나머지 넷과 다른 것은?

① It was raining when I went out.
② I don't know when it started snowing.
③ I will be a singer when I grow up.
④ When he arrives, I will tell him the truth.
⑤ When I get home, my dog always sits at the door.

06 다음 두 문장의 빈칸에 공통으로 들어갈 알맞은 접속사를 쓰시오.

> • _____ you feel tired, get some rest.
> • The bell rang _____ I turned off the light.

07 다음 중 밑줄 친 부분의 쓰임이 〈보기〉와 같은 것은?

> 보기　When does your school begin?

① He asked me when the vacation started.
② When I am late for class, I take a taxi.
③ They go home when it gets dark.
④ When he has time, he goes to the movies.
⑤ I'll call you when I get home from work.

08 주어진 우리말과 일치하도록 빈칸에 알맞은 말을 쓰시오.

> 그는 여기에 이사 온 이후로 저 집에서 살고 있다.
> → He has lived in that house _____ he moved here.

09 다음 문장의 빈칸에 들어갈 말로 알맞은 것은?

> _____ I go to the market, I'll buy some fruit.

① That   ② Though   ③ If
④ Until   ⑤ Whether

10 다음 문장의 빈칸에 들어갈 말로 가장 알맞은 것은?

> I _____ shopping if school finishes early today.

① go   ② going   ③ will go
④ goes   ⑤ am going to

11 다음 대화의 빈칸에 알맞은 말이 순서대로 짝지어진 것은?

> **A** We're late!
> **B** Don't worry. _____ we walk faster, we _____ the bus.

① If − caught   ② Before − catch
③ If − can catch   ④ Unless − will catch
⑤ Unless − can't catch

12 다음 중 밑줄 친 if의 쓰임이 나머지 넷과 다른 것은?

① If you don't like the ring, I'll take it.
② They'll believe if you tell them the story.
③ If you are thirsty, you can get some drinks.
④ Do you know if he attended the meeting?
⑤ If you read this book, you'll get to know more about Korean history.

13 다음 문장의 밑줄 친 부분 중 어법상 어색한 것은?

> Unless John ① will apologize ② to me, ③ I won't ④ see him ⑤ again.

14 다음 문장에서 어법상 틀린 부분을 찾아 바르게 고쳐 문장 전체를 다시 쓰시오.

> She will give me some advice if she will know my problem.

→ _____

15 주어진 문장을 다음과 같이 바꿔 쓸 때 빈칸에 들어갈 말로 알맞은 것은?

> Hurry up, and you'll be on time.
> → _____ you hurry up, you'll be on time.

① Since   ② If   ③ Unless
④ While   ⑤ Though

16 다음 중 밑줄 친 부분의 쓰임이 나머지 넷과 다른 것은?

① I'm not sure if the weather will be fine.
② If he drops by the store, give it to him.
③ You can leave now if you want to.
④ We can guess the time if we look at the sun.
⑤ If you buy one, you can get another one free.

[17-18] 주어진 우리말과 일치하도록 괄호 안의 말을 바르게 배열하시오.

17

> 졸리면 일찍 잠자리에 들어라.
> → _____, go to bed early.
> (you, if, sleepy, feel)

18

그 책을 읽고 싶지 않다면 내게 줘.
→ Give that book to me _____
_____. (it, don't, to, if, you, want, read)

19 다음 두 문장이 같은 뜻이 되도록 빈칸에 알맞은 말을 한 단어로 쓰시오.

If he doesn't take good care of the dog, he should not raise it.
= _____ he takes good care of the dog, he should not raise it.

20 주어진 우리말과 일치하도록 괄호 안에서 알맞은 말을 고르시오.

나는 비가 그치지 않는 한 집에 머물 것이다.
→ I'll stay at home (if / unless) it stops raining.

대표유형 03 이유, 양보를 나타내는 접속사   출제율 22%

21 다음 중 밑줄 친 부분의 쓰임이 나머지 넷과 다른 것은?
① As I got up late, I missed the train.
② She looked at me as I got out of the car.
③ I wanted to listen to music as I had lunch.
④ As I got on the bus, I said hello to the driver.
⑤ Yuri called Jinho as he was going to the library.

22 다음 두 문장의 뜻이 비슷하도록 할 때 괄호 안에서 알맞은 말을 고르시오.

He had a headache but didn't get a break.
→ He didn't get a break (because / though) he had a headache.

23 다음 글의 빈칸에 들어갈 말로 알맞은 것은?

Now I ride my bike everywhere. Thanks to this new habit, I am healthier than before. _____ I don't take the bus anymore, I can save my pocket money, too.

① Though   ② Unless   ③ Because
④ Before   ⑤ So

24 괄호 안에 주어진 말을 바르게 배열하여 다음 문장을 완성하시오.

(no, I, even though, have, money), I'm really happy.

→ _____,
I'm really happy.

25 다음 두 문장의 빈칸에 들어갈 말이 순서대로 바르게 짝지어진 것은?

• Jack bought a pair of gloves _____ he lost his old ones.
• _____ I didn't like Ms. Emerson, I looked up to her.

① until – Although   ② though – As
③ because – Since   ④ while – When
⑤ because – Though

대표유형 01, 02 시간 / 조건을 나타내는 접속사 출제율 45%

01 다음 두 문장이 같은 뜻이 되도록 할 때 빈칸에 들어갈 말로 알맞은 것은?

> After he had lunch, he went out.
> = He had lunch _____ he went out.

① until ② when ③ before
④ after ⑤ since

>> 실전 Tip 시간 순서 상 먼저 일어난 일이 after가 이끄는 절에 온다.

통합형

02 다음 중 밑줄 친 부분이 어법상 어색한 것은?

① Let's wait until the sun comes out.
② What do you usually do after dinner?
③ What do you think she said to me?
④ We won't cross the river, if the weather is bad.
⑤ If you will go outside, your dog will follow you.

03 다음 중 어법상 어색한 것은?

① Before you arrive, they will be there.
② If she forgives me, I will help her.
③ We can go there if you will drive the car.
④ When I finish my homework, it will be dark outside.
⑤ I baked the cookies while she went out for a walk.

04 다음 중 밑줄 친 부분의 쓰임이 나머지 넷과 다른 것은?

① When I saw him, he stopped eating.
② When will Christine come back here?
③ When I came home, Mom was sleeping.
④ What was Minju doing when Liam visited her?
⑤ When spring comes, my father will plant trees.

05 다음 대화의 빈칸에 들어갈 말로 알맞은 것을 두 개 고르면?

> A If it _____ tomorrow, we will go skiing.
> B That sounds good!

① be snowy ② snow
③ snows ④ will snow
⑤ is snowy

대표유형 03 이유, 양보를 나타내는 접속사 출제율 22%

06 각 문장의 괄호 안에서 알맞은 것끼리 짝지은 것은?

> • (If / Though) he yelled at me, I couldn't hear him.
> • I'll do the dishes, (since / as soon as) you cooked.
> • She couldn't call me (unless / because) her cell phone was broken.

① If − since − unless
② If − as soon as − because
③ Though − since − unless
④ Though − since − because
⑤ Though − as soon as − because

>> 실전 Tip 부사절과 주절이 의미상 어떤 관계인지 파악한다.

07 다음 문장의 빈칸에 들어갈 말로 알맞은 것을 모두 고르면?

> _____ you are an astronomer, you can't discover all of the wonderful secrets of the universe.

① Since ② But ③ Although
④ Because ⑤ Though

대표유형 01, 02 시간 / 조건을 나타내는 접속사 · 출제율 45%

08 괄호 안의 말을 바르게 배열하여 문장 전체를 다시 쓰시오.

> They ran away (as, the bear, they, saw, soon, as) in the forest.

→ _____

09 다음 문장의 빈칸에 알맞은 접속사를 쓰시오.

(1) _____ I had a bad cold, I didn't go to school.

(2) _____ you run a little faster than now, you'll be the winner.

10 다음 두 문장의 빈칸에 공통으로 들어갈 알맞은 접속사를 쓰시오.

> • Kelly has lived in Seoul _____ she moved there in 2015.
> • _____ the actor broke his leg, he had to give up his role in the movie.

11 다음 두 문장의 뜻이 같도록 빈칸에 알맞은 말을 쓰시오. (단, 접속사와 주어, 동사를 포함하는 부사절 형태로 쓸 것)

> Exercise regularly, and you will be healthy.
> = _____, you will be healthy.

≫ 실전 Tip 「명령문, and/or ....」는 조건을 나타내는 부사절이 있는 문장으로 바꿔 쓸 수 있다.

12 다음 문장에서 어법상 <u>어색한</u> 부분을 바르게 고쳐 문장을 다시 쓰시오.

> When I will get some allowance, I'll buy new sneakers.

→ _____

13 다음 두 문장의 뜻이 같도록 빈칸에 알맞은 말을 한 단어로 쓰시오.

> He will go to the movies after he finishes his work.
> = _____ he goes to the moives, he will finish his work.

대표유형 03 이유, 양보를 나타내는 접속사 · 출제율 22%

14 주어진 우리말과 일치하도록 빈칸에 알맞은 접속사를 두 단어로 쓰시오.

> Mr. Hardy는 매우 엄격한 선생님이지만 많은 학생들이 그를 좋아한다.
> → Many students likes Mr. Hardy _____ _____ he is a very strict teacher.

15 괄호 안의 우리말을 참고하여 다음 두 문장의 빈칸에 공통으로 들어갈 말을 쓰시오.

> • _____ she rides a bike, she sings her favorite songs. (그녀는 자전거를 타면서 좋아하는 노래를 부른다.)
> • Don't drink the milk _____ it might be bad. (그 우유는 상했을지도 모르니 마시지 마라.)

대표유형 01, 03 시간 / 이유, 양보를 나타내는 접속사 출제율 33%

01 다음 빈칸에 알맞은 말이 순서대로 짝지어진 것은?

- We don't speak _____ we have a meal.
- I fell asleep _____ the movie.

① when – while
② during – for
③ while – when
④ during – while
⑤ while – during

02 다음 〈보기〉의 밑줄 친 when과 쓰임이 같은 것은?

보기 We need a passport when we go abroad.

① I don't know when to go.
② Time goes fast when I am busy.
③ Ask her when she will come back.
④ Please tell me when you will leave.
⑤ When did she promise to meet him?
≫ 실전 Tip when은 의문사나 접속사로 쓰일 수 있다.

03 다음 〈보기〉의 밑줄 친 Since와 의미가 다른 것은?

보기 Since I have acne, I try to wash my face as often as possible.

① Since I was late for school, I ran fast.
② Everyone likes her since she is funny.
③ I have lived in Busan since I was born.
④ Since it's raining outside, I'll stay at home.
⑤ His restaurant is popular since the food is delicious.

대표유형 02 조건을 나타내는 접속사 출제율 45%

04 다음 중 어법상 자연스러운 것은?

① If he read a lot of books, he'll be wiser.
② If it will be fine today, I'll go on a picnic.
③ I'll be upset if she keeps making fun of me.
④ If Harry will come in time, I'll go with him.
⑤ If you went there, you can visit the museum.

05 다음 우리말을 영어로 바르게 옮긴 것은?

서두르지 않으면 나는 그 항공편을 놓칠 것이다.

① If I will hurry up, I'll miss the flight.
② If I won't hurry up, I'll miss the flight.
③ Unless I hurry up, I'll miss the flight.
④ Unless I will hurry up, I'll miss the flight.
⑤ Although I don't hurry up, I'll miss the flight.

신유형

06 (A)~(C)와 ⓐ~ⓒ가 가장 어울리는 것끼리 짝지어진 것은?

(A) If you are tired,
(B) If it rains tomorrow,
(C) Unless you are satisfied with the food,

ⓐ we won't go fishing.
ⓑ you don't have to pay for it.
ⓒ you'd better go to bed early.

① (A) – ⓐ   (B) – ⓑ   (C) – ⓒ
② (A) – ⓑ   (B) – ⓐ   (C) – ⓒ
③ (A) – ⓒ   (B) – ⓐ   (C) – ⓑ
④ (A) – ⓐ   (B) – ⓒ   (C) – ⓑ
⑤ (A) – ⓒ   (B) – ⓑ   (C) – ⓐ

07 다음 중 밑줄 친 부분의 쓰임이 나머지 넷과 다른 것은?

① I'll do the laundry if it is sunny.
② Can you tell me if they like my idea?
③ If you feel bored, you can watch TV.
④ If you go to the school, you will meet Fred.
⑤ You can't enter the room if you are not one of the staff.

대표유형 01 시간을 나타내는 접속사 출제율 33%

08 괄호 안의 말을 사용하여 다음 두 문장을 한 문장으로 쓰시오.

> I will visit my friend in the hospital. Then I will go to the movies.(after)

→ _____

_____

≫ 실전 Tip 시간의 순서를 파악한 뒤, after가 이끄는 절에 먼저 일어날 일을 쓴다.

09 다음 문장에서 밑줄 친 부분을 바르게 고쳐 문장 전체를 다시 쓰시오.

> I learn music from Mr. Jeong since I entered this school.

→ _____

_____

10 〈보기〉에서 알맞은 접속사를 골라 주어진 우리말과 일치하도록 문장을 완성하시오.

> 보기   while   as   until   as soon as

(1) 네가 자고 있는 동안 내가 개를 산책시켰어.

　　→ _____, I walked the dog.

(2) 그의 부모님은 그가 집에 돌아올 때까지 아무것도 할 수 없을 것이다.

　　→ His parents won't be able to do anything

_____.

≫ 실전 Tip 주절에 과거 시제가 쓰였으면 부사절에도 과거 시제를 쓴다. 주절에 미래 상황이 서술되어 있을 때에는 부사절에 미래 시제를 쓰지 않는 것에 유의한다.

11 괄호 안의 표현을 사용하여 주어진 문장을 부사절을 포함하는 문장으로 바꿔 쓰시오.

> I often went to bookstores during my childhood. (when, a child)

→ _____, I often went to bookstores.

대표유형 02, 03 조건 / 이유, 양보를 나타내는 접속사 출제율 45%

12 주어진 우리말을 접속사와 괄호 안의 표현을 사용하여 영작하시오.

> 네가 18살 이상이면 운전면허를 딸 수 있다.
> (over 18, get, a driver's license)

→ _____

13 다음 문장에서 어법상 어색한 부분을 찾아 바르게 고쳐 문장 전체를 다시 쓰시오.

> If you will not pay attention to your teacher, you cannot get good grades.

→ _____

_____

14 주어진 우리말과 같도록 괄호 안의 말을 바르게 배열하시오.

> 나는 어젯밤에 일찍 잠자리에 들었기 때문에 일찍 일어났다. (since, got up, bed, early, I, went, to, early, I, last night)

→ _____

_____

15 다음 문장을 부사절을 포함하는 문장으로 바꿔 쓸 때 빈칸에 알맞은 말을 4단어로 쓰시오.

> Fast food restaurants are very popular because of their fast service.
> → Fast food restaurants are very popular because _____.

신유형

01 다음 중 밑줄 친 As[as]의 의미가 같은 것끼리 짝지은 것은?

> ⓐ He was knitting a sweater as he watched TV.
> ⓑ He needs some help as he is weak.
> ⓒ As I listened to music, I prepared dinner.
> ⓓ Amy went back home as it was very cold.
> ⓔ She practiced so hard as she wanted to win the race.

① ⓐ, ⓑ / ⓒ, ⓓ, ⓔ   ② ⓐ, ⓒ / ⓑ, ⓓ, ⓔ
③ ⓐ, ⓒ, ⓓ / ⓑ, ⓔ   ④ ⓐ, ⓑ, ⓔ / ⓒ, ⓓ
⑤ ⓐ, ⓑ, ⓓ, ⓔ / ⓒ

통합형

02 다음 중 밑줄 친 부분이 어법상 어색한 것은?

① What will you do if it start to rain?
② If I finish my work, I'll play basketball.
③ If I go to New York, I will visit the *Statue of Liberty*.
④ Do you know if the store will be closed?
⑤ If you think that way, you won't have to worry.

03 다음 괄호 (A)~(C)에서 알맞은 말끼리 짝지어진 것은?

> • (A)(If / Unless / Since) you have a ticket, you won't go in.
> • I'll wait (B)(until / while / though) you arrive at the terminal.
> • What will you do (C)(although / while / unless) I'm playing tennis?

	(A)	(B)	(C)
①	If	until	although
②	Unless	until	while
③	Unless	while	although
④	Since	though	while
⑤	Since	though	unless

04 다음 시간표를 보고 빈칸에 알맞은 말을 쓰시오.

시간	한 일
17:00	하교
18:00	집 도착, 세면
18:30	저녁 식사
19:00	TV 시청
20:30	학교 숙제
21:30	온라인 게임

(1) I have dinner _____ I watch TV.
(2) _____ I finish my homework, I start to play online games.
(3) After _____ _____ _____, I do my homework.
(4) Before _____ _____ _____, I wash my face and hands.

05 다음 글에서 어법상 어색한 부분을 한 군데 찾아 바르게 고쳐 쓰시오.

> Last weekend, I read the first book of *The Lord of the Rings*. During I started to read it, I felt excited. If you read the first book, you'll want to read them all.

_____ → _____

06 괄호 안의 접속사를 사용하여 주어진 문장을 바꿔 쓰시오.

(1) I don't know him well, but I want to talk to him. (even though)
→ _____
_____

(2) I felt thirsty, so I bought a bottle of water. (because)
→ _____
_____

≫ 실전 Tip 주어진 접속사가 이끄는 부사절에 어떤 내용을 넣어야 하는지 파악한다.

최종 선택 QUIZ

알맞은 것에 동그라미 하세요.

01 I have lived in this town (since / because) I was 12.
나는 열두 살이었을 때부터 이 마을에서 살고 있다.

02 She chose the book (if / because) its cover looked interesting.
그녀는 표지가 흥미로워 보여서 그 책을 골랐다.

03 (Since / Though) he was so sick, he couldn't eat anything.
그는 매우 아파서 아무것도 먹을 수 없었다.

04 She felt very happy (when / until) she played the piano.
그녀는 피아노를 칠 때 매우 행복한 기분이었다.

05 (When / While) the water is boiling, I'll chop the onions.
물이 끓는 동안 나는 양파를 다질게.

06 (If / Unless) you are lucky, you can see a shooting star.
운이 좋다면 너는 유성을 볼 수 있을 거야.

07 I'll tell him the story when he (comes / will come) home.
그가 집에 오면 내가 그에게 그 이야기를 해 줄 거야.

08 She can lead the team (although / but) she is young.
그녀는 비록 어리지만 그 팀을 이끌 수 있어.

so ~ that, so that

유형별 기출 적용 빈도

유형 01 so ~ that 구문의 형태와 의미 — 30%

유형 02 so ~ that 구문의 유사 표현 — 40%

유형 03 so that 구문의 형태와 의미 — 15%

유형 04 so that 구문의 유사 표현 — 15%

>> 출제 포인트

so ~ that 구문의 형태를 묻는 문제와 유사 표현으로 전환하는 문제가 주로 출제되고, so ~ that 구문과 so that 구문의 의미를 비교하는 문제도 자주 출제된다.

>> 정답률 100% Tip

1 so와 that 사이에는 형용사나 부사가 들어간다.

2 「so ~ that ... can」은 「~ enough + to부정사」로, 「so ~ that ... can't」는 「too ~ to부정사」로 바꿔 쓸 수 있다.

Grammar Point

Point 1 so ~ that 구문의 형태와 의미

so + 형용사/부사 + that + 주어 + 동사: 매우 ~해서 …하다

- He was so tired that he went to bed early.
  (= He was very tired, so he went to bed early.)

Point 2 so ~ that 구문의 유사 표현

① so + 형용사/부사 + that + 주어 + can: 매우 ~해서 …할 수 있다
   = 형용사/부사 + enough + to부정사
② so + 형용사/부사 + that + 주어 + can't: 너무 ~해서 …할 수 없다
   = too + 형용사/부사 + to부정사

- This ladder is so long that it can reach the roof.
  = This ladder is long enough to reach the roof.

cf. such + a(n) + 형용사 + 명사 + that + 주어 + 동사:
   매우 ~한 −이어서 …하다

- Amy was such a fast runner that I couldn't catch her.

Point 3 so that 구문의 형태와 의미

so that + 주어 + 동사: ~하기 위하여, ~하도록(목적)

- Jerry saved his money so that he could buy a new car.

Point 4 so that 구문의 유사 표현

so that ~ can = in order that ~ can = in order [so as] to

- I took a taxi so [in order] that I could arrive there in time.
  = I took a taxi (in order [so as]) to arrive there in time.
     └ in order나 so as는 생략 가능

바로 체크

01 The box is (so / such) heavy that I can't carry it.

02 She was (so / such) a kind teacher that we liked her.

03 The giraffe is so tall (if / that) it can't enter the house.

04 He talked louder in (so / order) that she could hear him.

05 I'm so busy that I can't meet him.
    = I'm _____ busy _____ meet him.

06 Christine is so smart that she can solve the problem.
    = Christine is smart _____ _____ solve the problem.

07 Patrick is hungry enough to eat anything.
    = Patrick is _____ hungry _____ he can eat anything.

대표유형 01 | so ~ that 구문의 형태와 의미 | 출제율 30%

01 다음 우리말과 같도록 할 때 빈칸에 알맞은 말이 순서대로 짝지어진 것은?

> 그녀는 매우 부주의해서 실수를 많이 한다.
> → She is _____ careless _____ she makes many mistakes.

① so − that
② such − why
③ such − that
④ so − because
⑤ too − because

[02-03] 다음 문장의 빈칸에 들어갈 말로 알맞은 것을 고르시오.

02

> The story was so funny _____ we laughed loudly.

① as
② until
③ that
④ though
⑤ because

03

> The woman speaks so fast that I _____ understand her.

① can
② can't
③ could
④ am not
⑤ should

04 다음 두 문장을 한 문장으로 나타낼 때 빈칸에 알맞은 말을 쓰시오.

> I was very surprised. I couldn't say anything.
> → I was _____ surprised _____ I couldn't say anything.

05 다음 문장의 빈칸에 들어갈 말로 알맞지 <u>않은</u> 것은?

> The smartphone was so _____ that she bought it.

① nice
② good
③ cheap
④ cool present
⑤ small and cute

06 다음 우리말을 영어로 바르게 옮긴 것은?

> 날씨가 너무 추워서 나는 집에 머물렀다.

① It was too cold but I stayed at home.
② It was so cold that I stayed at home.
③ I stayed at home, so it was very cold.
④ Though it was very cold, I stayed at home.
⑤ It was very cold because I stayed at home.

07 다음 대화의 빈칸에 들어갈 말로 알맞은 것은?

> **A** Did you sleep well last night?
> **B** No, I didn't. The heater was _____ noisy that I couldn't sleep.

① so
② too
③ such
④ very
⑤ enough

08 다음 우리말과 같은 뜻이 되도록 괄호 안의 표현을 바르게 배열하여 문장을 완성하시오.

> 이 신발은 너무 작아서 나는 그것들을 신을 수 없다.
> → These shoes are _____ _____ them. (that, can't, small, I, wear, so)

대표유형 02 so ~ that 구문의 유사 표현   출제율 40%

09 다음 두 문장의 뜻이 같도록 할 때 빈칸에 알맞은 말이 순서대로 짝지어진 것은?

> He is so young that he can't drive a car.
> = He is _____ young _____ drive a car.

① so – to   ② too – to
③ too – that   ④ enough – to
⑤ enough – that

10 다음 문장의 빈칸에 들어갈 말로 알맞은 것은?

> My little sister is smart _____ read the book.

① too to   ② really that
③ really for   ④ enough to
⑤ enough for

11 다음 우리말과 같은 뜻이 되도록 할 때 빈칸에 들어갈 말로 알맞은 것은?

> Jessy는 너무 바빠서 점심을 먹을 수 없었다.
> → Jessy was _____ to have lunch.

① so busy   ② busy too
③ too busy   ④ enough busy
⑤ busy enough

12 다음 두 문장의 뜻이 같도록 빈칸에 알맞은 말을 쓰시오.

> The jacket is so warm that I can wear it in winter.
> = The jacket is warm _____ _____ wear in winter.

13 다음 중 주어진 문장과 의미가 같은 것을 **두 개** 고르면?

> The bag is so cheap that I can buy it.

① The bag is too cheap to buy.
② The bag is cheap enough to buy.
③ The bag is cheap so that I can buy it.
④ The bag is very cheap, so I can buy it.
⑤ The bag is very cheap because I can buy it.

14 다음 빈칸에 알맞은 말이 순서대로 짝지어진 것은?

> • He was _____ a handsome actor that he was popular with people.
> • The man is _____ old that he can't swim across the river.

① so – so   ② so – such
③ such – so   ④ such – such
⑤ enough – too

[15-16] 다음 우리말과 같은 뜻이 되도록 괄호 안의 단어를 바르게 배열하여 문장을 완성하시오.

15

> 그 고양이는 쥐를 잡을 만큼 충분히 빠르게 달린다.
> → The cat runs _____ the mouse. (to, enough, catch, fast)

16

> 나는 너무 아파서 학교에 갈 수 없었다.
> → I was _____ to school.
>   (go, sick, to, too)

17 다음 문장 중 그림과 일치하는 것은?

① The boy is too tall to turn on the light.
② The boy is too short to turn on the light.
③ The boy is tall enough to turn on the light.
④ The boy is short enough to turn on the light.
⑤ The boy is so short that he can turn on the light.

18 다음 문장의 빈칸에 들어갈 말로 알맞지 <u>않은</u> 것은?

> It is such _____ that many people want to visit it.

① a famous city   ② a popular place
③ a really beautiful   ④ a wonderful country
⑤ an amazing museum

대표유형 03　so that 구문의 형태와 의미　　출제율 15%

19 다음 우리말과 같은 뜻이 되도록 할 때 빈칸에 들어갈 말로 알맞은 것은?

> 그녀는 음악을 공부하기 위해 독일에 갔다.
> → She went to Germany _____ she could study music.

① so   ② if   ③ so that
④ because   ⑤ even though

20 다음 문장의 빈칸에 알맞은 말을 쓰시오.

> I went to the library _____ that I could return some books.

21 다음 두 문장의 뜻이 같도록 할 때 빈칸에 알맞은 말을 쓰시오.

> I learned English _____ _____ I could get a better job.
> = I learned English to get a better job.

대표유형 04　so that 구문의 유사 표현　　출제율 15%

22 다음 빈칸에 공통으로 들어갈 말로 알맞은 것은?

> She studied hard _____ to enter the college.
> = She studied hard _____ that she could enter the college.

① so   ② too   ③ enough
④ order   ⑤ in order

23 다음 문장의 빈칸에 들어갈 말로 알맞은 것을 <u>두 개</u> 고르면?

> Suji hurried _____ to see the movie.

① so   ② so as
③ in order   ④ so that
⑤ in order that

24 다음 우리말과 같은 뜻이 되도록 괄호 안의 말을 바르게 배열하여 문장을 완성하시오.

> 그는 제시간에 도착하기 위해 택시를 탔다.
> → He took a taxi _____ on time. (arrive, to, order, in)

25 다음 두 문장의 뜻이 같도록 빈칸에 알맞은 말을 쓰시오.

> I opened the window so that I could feel the fresh air.
> = I opened the window _____ _____ to feel the fresh air.

대표유형 01, 02 | so ~ that 구문의 형태와 의미 / 유사 표현 | 출제율 40%

01 다음 빈칸에 알맞은 말이 순서대로 짝지어진 것은?

> Susan was _____ scared _____ she couldn't open her eyes.

① too − to
② so − that
③ such − that
④ so − though
⑤ such − because

02 다음 우리말을 영어로 바르게 옮긴 것을 <u>모두</u> 고르면?

> 그는 매우 힘이 세서 그 상자를 옮길 수 있다.

① He is too strong to move the box.
② He is strong enough to move the box.
③ He is so strong that he can move the box.
④ He is very strong if he can move the box.
⑤ He is so strong that he can't move the box.

03 다음 문장 중 의미가 <u>어색한</u> 것은?

① The soup is so hot that I can't eat it.
② She is so kind that she doesn't help anyone.
③ I was so tired that I took a warm bath.
④ He is so young that he can't go to school.
⑤ The floors in the house are so warm that I never feel cold there.

04 다음 문장 중 나머지 넷과 의미가 <u>다른</u> 것은?

① I arrived too late to see the concert.
② I arrived late enough to see the concert.
③ I arrived very late, so I couldn't see the concert.
④ I arrived so late that I couldn't see the concert.
⑤ I couldn't see the concert because I arrived too late.

05 다음 문장 중 어법상 자연스러운 것은?

① The weather was too cold go out.
② She is enough rich to buy an expensive car.
③ I was so nervous that I couldn't breathe well.
④ The movie was such boring that I turned off the TV.
⑤ It was so a nice party that everybody had a lot of fun.

대표유형 03, 04 | so that 구문의 형태와 의미 / 유사 표현 | 출제율 15%

06 다음 두 문장의 뜻이 같도록 할 때 빈칸에 들어갈 말로 알맞은 것을 <u>모두</u> 고르면?

> She set the alarm clock so that she could get up early.
> = She set the alarm clock _____ to get up early.

① such
② so as
③ in order
④ enough
⑤ in order that

07 다음 문장 중 어법상 <u>어색한</u> 것은?

① I studied hard so as to pass the exam.
② My uncle worked hard so that he could succeed.
③ Turn the music down so that I can read a book.
④ Kevin joined the club in order to making new friends.
⑤ Judy bought a bat in order that she could play baseball.

대표유형 01, 02 │ so ~ that 구문의 형태와 의미 / 유사 표현   출제율 40%

08 다음 두 문장의 뜻이 같도록 빈칸에 알맞은 말을 쓰시오.

> Matt was too depressed to do his work.
> = Matt was _____ _____ _____
> _____ _____ do his work.

» 실전 Tip 「too + 형용사/부사 + to부정사」에는 부정의 의미가 포함되어 있으므로 절로 바꿀 때 유의한다.

09 다음 문장에서 어법상 어색한 부분을 찾아 바르게 고쳐 쓰시오.

> I got up enough early to see the sunrise.

_____ → _____

[10-11] 다음 그림을 보고 so ~ that과 괄호 안의 표현을 이용하여 문장을 완성하시오. (단, 필요한 경우 형태를 변형할 것)

10

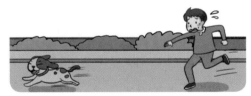

> He ran _____
> the dog. (slowly, can, catch)

11

> The weather was _____
> _____. (nice, she, take a walk)

12 다음 우리말과 같은 뜻이 되도록 괄호 안의 표현을 바르게 배열하여 문장을 완성하시오. (단, 필요없는 한 단어는 제외할 것)

> 그는 너무 배가 고파서 모든 음식을 먹었다.
> (so, such, all the food, he, that, hungry, ate)
> → He was _____.

대표유형 03, 04 │ so that 구문의 형태와 의미 / 유사 표현   출제율 15%

13 다음 두 문장의 뜻이 같도록 빈칸에 알맞은 말을 쓰시오.

> I decided to exercise every day in order to stay healthy.
> = I decided to exercise every day _____
> _____ _____ _____ stay healthy.

» 실전 Tip so that 뒤에 오는 종속절의 시제는 주절의 시제와 일치시켜야 한다.

14 다음 문장에서 어법상 어색한 부분을 찾아 바르게 고쳐 쓰시오.

> Please turn off the light such that I can sleep.

_____ → _____

15 다음 우리말과 같은 뜻이 되도록 괄호 안에서 알맞은 표현을 골라 배열하여 문장을 완성하시오.

> 나는 축구 경기를 볼 수 있도록 텔레비전을 켰다.
> (the soccer game, order, could, that, I, the TV, watch, so, such, too)
> → I turned on _____
> _____.

대표유형 01, 02   so ~ that 구문의 형태와 의미 / 유사 표현   출제율 40%

01 다음 두 문장을 한 문장으로 바르게 연결한 것은?

> This bread is too hard. I can't eat it.

① This bread is hard so that I can't eat it.
② This bread is so hard that I can't eat it.
③ This bread is very hard, so I can eat it.
④ This bread is too hard that I can't eat it.
⑤ Because this bread is so hard, I can eat it.

02 다음 중 괄호 안의 우리말과 일치하지 <u>않는</u> 것은?

① He is tall enough to play basketball.
  (그는 농구하기에 충분히 키가 크다.)
② The coffee is too hot to drink.
  (그 커피는 아주 뜨거워서 마시기에 좋다.)
③ The dog is so weak that it can't walk.
  (그 개는 너무 약해서 걸을 수 없다.)
④ It is too big to put in your pocket.
  (그것은 너무 커서 네 주머니에 들어갈 수 없다.)
⑤ Jason is so full that he can't run fast.
  (Jason은 너무 배가 불러서 빨리 달릴 수 없다.)

03 다음 중 밑줄 친 부분을 <u>잘못</u> 고쳐 쓴 것은?

① Kevin was so sad that he <u>can't</u> eat. (→ can)
② She is <u>enough wise</u> to avoid danger.
    (→ wise enough)
③ He was too sleepy <u>finish</u> his homework.
              (→ to finish)
④ James is so <u>strongly</u> that he can carry the
  baggage. (→ strong)
⑤ Mom was <u>such</u> angry that she turned my
  computer off. (→ so)

04 다음 중 짝지어진 두 문장의 뜻이 서로 <u>다른</u> 것은?

① I was so happy that I couldn't sleep.
  = I was too happy to sleep.
② I'm so shy that I can't sing on the stage.
  = I'm too shy to sing on the stage.
③ He was so rich that he could help the poor.
  = He was rich so as to help the poor.
④ The question is very easy, so I can solve it.
  = The question is so easy that I can solve it.
⑤ She is so strong that she can lift the box.
  = She is strong enough to lift the box.

대표유형 03, 04   so that 구문의 형태와 의미 / 유사 표현   출제율 15%

05 다음 빈칸에 알맞은 말이 순서대로 짝지어진 것은?

> • I spoke up so that they _____ me.
> • She used a knife in order _____ the fruit.

① to hear – peel   ② can hear – peel
③ could hear – peel   ④ can hear – to peel
⑤ could hear – to peel

06 다음 중 〈보기〉의 밑줄 친 부분과 쓰임이 같은 것을 <u>모두</u> 고르면?

> 보기   I ran so <u>that</u> I could catch the train.

> ⓐ You are so young <u>that</u> you can't travel alone.
> ⓑ I exercised hard so <u>that</u> I could lose weight.
> ⓒ It is such a large hall <u>that</u> it can hold 5,000 people.
> ⓓ He pushed the buttons in order <u>that</u> he could open the door.

① ⓐ, ⓑ   ② ⓑ, ⓓ   ③ ⓐ, ⓑ, ⓒ
④ ⓐ, ⓒ, ⓓ   ⑤ ⓑ, ⓒ, ⓓ

≫ 실전 Tip 결과를 나타내는 표현과 목적을 나타내는 표현을 구분한다.

대표유형 01, 02 so ~ that 구문의 형태와 의미 / 유사 표현   출제율 40%

07 다음 두 문장을 괄호 안의 표현을 이용하여 한 문장으로 연결하시오.

My dog is very weak. It can't feed its two babies. (so ~ that)

→ _____

08 주어진 문장과 같은 의미가 되도록 so ~ that을 이용하여 문장을 바꿔 쓰시오.

They were too busy to visit me.

= _____

[09-10] 다음 〈보기〉와 같이 주어진 문장을 바꿔 쓰시오.

보기   He is too short to swim in the main pool.
→ He is so short that he can't swim in the main pool.

09

Ms. Diaz was too tired to do the dishes.

→ _____

10

I jumped high enough to touch the ceiling.

→ _____

11 다음 우리말을 조건에 맞게 영작하시오.

방이 너무 어두워서 나는 문을 찾을 수 없다.

[조건] 1. 접속사를 사용할 것
2. 주어진 단어를 이용하여 11단어로 쓸 것
(the room, find the door)

→ _____

대표유형 03, 04 so that 구문의 형태와 의미/유사 표현   출제율 15%

12 다음 두 문장을 괄호 안의 표현을 이용하여 한 문장으로 연결하시오.

You'd better eat more vegetables. You can stay healthy. (so that)

→ _____

≫ 실전 Tip 주어진 문장 사이의 의미 관계를 먼저 파악해야 한다.

[13-14] 다음 문장에서 어법상 <u>어색한</u> 부분을 찾아 바르게 고쳐 문장을 다시 쓰시오. (단, 단어 수는 그대로일 것)

13

She turned on the oven in order that bake cookies.

→ _____

14

The movie was scary so that I couldn't watch it any more.

→ _____

15 다음 우리말을 조건에 맞게 영작하시오.

나는 컴퓨터를 사기 위해서 돈을 모았다.

[조건] 1. 접속사를 사용할 것
2. 주어진 단어를 이용하여 10단어로 쓸 것
(save, can, a computer)

→ _____

01 다음 빈칸에 들어갈 말이 나머지 넷과 <u>다른</u> 것은?

① Diana was _____ happy that she was speechless.

② It was _____ cold that we couldn't play soccer outside.

③ Go to the stadium early _____ that you can get a good seat.

④ It's _____ warm today that you don't have to wear your coat.

⑤ It is _____ a boring movie that I don't want to watch it.

02 다음 중 어법상 <u>어색한</u> 문장을 <u>모두</u> 고른 것은?

ⓐ The medicine tasted too bitterly to eat.

ⓑ She is old enough to help her mother.

ⓒ It was so a strange story that I couldn't believe it.

ⓓ I felt tired too often that I went to a doctor.

① ⓐ, ⓑ   ② ⓑ, ⓓ   ③ ⓐ, ⓑ, ⓒ

④ ⓐ, ⓒ, ⓓ   ⑤ ⓐ, ⓑ, ⓒ, ⓓ

03 다음 두 문장을 한 문장으로 바르게 나타낸 것을 <u>모두</u> 골라 기호를 쓰시오.

I was very busy. I couldn't visit my grandfather.

ⓐ I was too busy to visit my grandfather.

ⓑ I was busy enough to visit my grandfather.

ⓒ I was so busy that I couldn't visit my grandfather.

ⓓ I visited my grandfather though I was very busy.

ⓔ I was busy so that I couldn't visit my grandfather.

ⓕ I couldn't visit my grandfather because I was very busy.

→ _____

04 다음 그림을 보고 괄호 안의 표현을 사용하여 문장을 완성하시오.

She is _____.

(too, short, ride a bike)

05 다음 두 문장을 so ~ that 또는 so that을 이용하여 한 문장으로 바꿔 쓰시오.

(1) Tom helped me. I could finish the work in time.

→ _____

(2) She was very good at English. She won an English speech contest.

→ _____

_____

신유형

06 다음 표의 (A), (B)에서 표현을 각각 하나씩 골라 글의 흐름에 맞게 각 문장을 완성하시오.

(A)	enough	that	so that
(B)	find	to have	arrive

I usually go to work by car. But my car broke down yesterday, so I had to take a bus. (1) I got up early _____ _____ breakfast. (2) I hurried _____ I could _____ early at the bus stop. (3) However, the bus was so crowded _____ I couldn't _____ a seat.

01
a He was so nervous that his legs were shaking.

b He was such nervous that his legs were shaking.

02
a It was so cold that I turn on the heater.

b It was so cold that I turned on the heater.

03
a The question was so difficult that I can't answer it.

b The question was so difficult that I couldn't answer it.

04
a The water is too dirty to drinking.

b The water is too dirty to drink.

05
a The boy is enough brave to go there alone.

b The boy is brave enough to go there alone.

06
a It was so frightening that I had to close my eyes.

b It was frightening so that I had to close my eyes.

07
a He swims every day so that he can stay healthy.

b He swims every day such that he can stay healthy.

08
a The animal jumped high in order eating the leaves off the tree.

b The animal jumped high in order to eat the leaves off the tree.

유형별 기출 적용 빈도

유형 01 비교급과 최상급의 형태 10%
유형 02 원급 비교 40%
유형 03 원급 비교 부정 20%
유형 04 배수 비교 20%
유형 05 통합형 10%

>> 출제 포인트

비교급과 최상급의 형태에 관한 문제는 주로 주의 해야 하는 경우나 불규칙 변화에 대해 출제된다. 원급 비교 구문의 기본 구조를 묻는 문제는 항상 출제 되므로 정확히 알아둔다.

>> 정답률 100% Tip

1 원급 비교의 as와 as 사이에는 반드시 형용사나 부사의 원급이 들어간다.
2 배수 표현을 쓸 때 2배는 twice로 쓰고, 그 이 상은 숫자 뒤에 times를 쓴다.

Grammar Point

Point ① 비교급과 최상급의 형태

	비교급 / 최상급의 형태
대부분의 형용사 / 부사	+ -(e)r / -(e)st
「단모음 + 단자음」으로 끝날 때	+ 단자음 + -er / -est
「자음 + -y」로 끝날 때	-y → -ier / -iest
3음절 이상 / -ful, -ous, -able, -less, -ing 등으로 끝날 때	more + 원급 / most + 원급

주의 불규칙 변화
• good/well – better – best
• bad/ill – worse – worst
• many/much – more – most
• little/few – less – least
• old – older – oldest (나이 먹은, 오래된) / old – elder – eldest (손위의)
• far – farther – farthest (거리가 먼) / far – further – furthest (정도가 더한)

Point ② 원급 비교

① 원급 비교: as + 원급 + as (~만큼 …한/하게)
② 원급 비교 부정: not as [so] + 원급 + as (~만큼 …하지 않은/않게)
• Jisu is as tall as Mina.
• Rome is not as [so] old as Athens.
  = Athens is older than Rome.

Point ③ 배수 비교

배수 표현 + as + 원급 + as (…배만큼 ~한/하게)
• This building is twice as tall as that one.
  = This building is two times taller than that one.
주의 배수 표현: 2배 = twice, 3배 이상 = 「3 이상의 숫자 + times」
   (단, 비교급 앞에서는 twice 대신 two times를 씀)

✅ 바로 체크

01 heavy – heavier – _____
02 well – _____ – best
03 fat – _____ – _____
04 large – _____ – _____
05 famous – _____ – _____
06 I am as (brave / braver) as my brother.
07 Soccer is as exciting (as / than) basketball.
08 Bill jumps as (higher / high) as John.
09 Today is not as (colder / cold) as yesterday.
10 This watch is (two / twice) as expensive as that.

대표유형 01 비교급과 최상급의 형태 　출제율 10%

01 다음 중 원급, 비교급, 최상급이 <u>잘못</u> 짝지어진 것은?

① little – less – least
② wise – wiser – wisest
③ bad – badder – baddest
④ early – earlier – earliest
⑤ beautiful – more beautiful – most beautiful

02 다음 중 짝지어진 단어의 관계가 나머지 넷과 <u>다른</u> 것은?

① old – older
② sing – singer
③ kind – kinder
④ dark – darker
⑤ happy – happier

03 다음 각 단어의 비교급과 최상급을 쓰시오.

(1) hot – ＿＿＿＿＿ – ＿＿＿＿＿
(2) young – ＿＿＿＿＿ – ＿＿＿＿＿
(3) many – ＿＿＿＿＿ – ＿＿＿＿＿
(4) convenient – ＿＿＿＿＿
　　　　　 – ＿＿＿＿＿

04 다음 우리말과 같은 뜻이 되도록 할 때 빈칸에 들어갈 말로 알맞은 것은?

> 너는 더 작은 가방을 가져와야 한다.
> → You should bring a ＿＿＿＿ bag.

① small
② smaller
③ smallest
④ more small
⑤ most small

대표유형 02 원급 비교 　출제율 40%

05 다음 문장의 빈칸에 들어갈 말로 알맞은 것은?

> Daniel speaks Korean as ＿＿＿＿ as Miso.

① well
② good
③ better
④ best
⑤ worse

06 다음 문장의 빈칸에 들어갈 수 <u>없는</u> 것은?

> This computer is as ＿＿＿＿ as that one.

① fast
② new
③ nice
④ heavier
⑤ expensive

07 다음 두 문장을 한 문장으로 나타낼 때 빈칸에 들어갈 말로 알맞은 것은?

> Molly is 15 years old. Kathy is 15 years old, too.
> → Molly is ＿＿＿＿ Kathy.

① old
② older
③ older than
④ as old as
⑤ as older as

08 다음 우리말과 같은 뜻이 되도록 괄호 안의 표현을 바르게 배열하여 문장을 완성하시오.

> Nick은 그의 형만큼 잘생겼다.
> → Nick is ＿＿＿＿＿＿＿＿＿＿＿＿.
> 　　(his brother, handsome, as, as)

UNIT 22 비교급과 최상급의 형태 / 원급 비교 • **219**

09 다음 문장의 빈칸에 알맞은 말이 순서대로 짝지어진 것은?

> The city is _____ large _____ Seoul.

① as − so
② so − as
③ as − as
④ as − than
⑤ so − than

10 다음 문장에서 괄호 안의 단어가 들어갈 곳으로 알맞은 것은?

> This ① strawberry ② is ③ sweet ④ as honey ⑤. (as)

11 다음 문장의 밑줄 친 부분 중 어법상 어색한 것은?

> Jenny <u>has</u> <u>as</u> <u>more</u> <u>brothers</u> <u>as</u> Beth.
>   ①   ②   ③   ④   ⑤

12 다음 우리말과 같은 뜻이 되도록 괄호 안에 주어진 단어를 배열할 때 네 번째로 오는 것은?

> Mike는 Rachel만큼 열심히 공부한다.
> (as, studies, Rachel, as, Mike, hard)

① as
② studies
③ Rachel
④ Mike
⑤ hard

[13-14] 다음 우리말과 같은 뜻이 되도록 괄호 안의 단어를 이용하여 문장을 완성하시오.

13

> 내 스마트폰은 네 것만큼 가볍다.
> → My smartphone is _____ _____ _____ yours. (light)

14

> 그는 그의 아버지만큼 빠르게 걸었다.
> → He walked _____ _____ _____ his father. (quickly)

대표유형 03 원급 비교 부정　　　　　　출제율 20%

15 다음 우리말과 같은 뜻이 되도록 괄호 안의 말을 바르게 배열하여 문장을 완성하시오.

> Bill은 Andy만큼 용감하지 않다.
> → Bill is _____ Andy.
> (as, brave, not, as)

16 다음 문장의 빈칸에 들어갈 말로 알맞은 것을 <u>모두</u> 고르면?

> The boy is not _____ smart as his friend.

① so
② as
③ the
④ than
⑤ more

17 다음 우리말과 같은 뜻이 되도록 괄호 안의 단어를 이용하여 문장을 완성하시오.

> David는 Chris만큼 힘이 세지 않다.
> → David is _____ as _____ as Chris. (strong)

18 다음 두 문장을 한 문장으로 나타낼 때 빈칸에 들어갈 말로 알맞은 것은?

> The cap is 12 dollars. The scarf is 15 dollars.
> → The cap is _____ the scarf.

① as cheap as
② not as cheap as
③ as expensive as
④ not as expensive as
⑤ more expensive than

19 다음 문장의 밑줄 친 부분을 바르게 고쳐 쓰시오.

> This problem is <u>as not easy as</u> that one.

→ _____

20 다음 문장에서 괄호 안의 단어가 들어갈 곳으로 알맞은 것은?

> The moon ① is ② so ③ big ④ as ⑤ the Earth. (not)

대표유형 04 배수 비교   출제율 20%

21 다음 우리말과 같은 뜻이 되도록 할 때 빈칸에 들어갈 말로 알맞은 것은?

> 이 뱀은 저것의 세 배만큼 길다.
> → This snake is _____ as long as that one.

① twice
② third
③ three
④ three time
⑤ three times

22 다음 우리말과 같은 뜻이 되도록 할 때 빈칸에 알맞은 말이 순서대로 짝지어진 것은?

> 그의 책은 내 책의 두 배만큼 두꺼워 보인다.
> → His book looks _____ as _____ as mine.

① two − thick
② thick − two
③ twice − thick
④ thick − twice
⑤ second − thick

23 다음 우리말과 같은 뜻이 되도록 괄호 안의 단어를 바르게 배열하여 문장을 완성하시오.

> 그 도시는 우리 마을의 다섯 배만큼 크다.
> → The city is _____ our village. (large, times, as, five, as)

대표유형 05 통합형   출제율 10%

24 다음 문장 중 표의 내용과 일치하는 것은?

Name	Sue	Jeff
Height	170 cm	160 cm

① Sue is as short as Jeff.
② Jeff is taller than Sue.
③ Sue isn't as tall as Jeff.
④ Jeff isn't as tall as Sue.
⑤ Sue is 10 cm shorter than Jeff.

25 다음 세 문장을 한 문장으로 나타낼 때 괄호 안에서 알맞은 말을 고르시오.

> Ben is 45 years old. Linda is 42 years old. Their son is 15 years old.
> → Linda is (not as / as not) old as Ben and Ben is (three / three times) as (old / older) as his son.

대표유형 01 비교급과 최상급의 형태   출제율 10%

01 다음 중 밑줄 친 부분의 쓰임이 **잘못된** 것은?

① You should study <u>harder</u>.
② I will get up <u>earlier</u> tomorrow.
③ The movie sounds <u>more interesting</u>.
④ Health is the <u>most important</u> for me.
⑤ I am the <u>happyest</u> person in the world.

02 다음 우리말을 영어로 바르게 옮긴 것은?

> 저는 더 큰 운동화를 원해요.

① I want biger sneakers.
② I want bigest sneakers.
③ I want bigger sneakers.
④ I want biggest sneakers.
⑤ I want more big sneakers.

대표유형 02, 03 원급 비교 / 부정   출제율 40%

03 다음 중 빈칸에 알맞은 말이 순서대로 짝지어진 것은?

> • Science is not as boring _____ math.
> • This summer is as hot _____ last summer.

① as − so   ② so − as
③ as − as   ④ than − as
⑤ so − than

04 다음 문장의 빈칸에 들어갈 수 **없는** 것은?

> Spaghetti is not so _____ as pizza.

① famous   ② cheaper
③ popular   ④ delicious
⑤ expensive

05 다음 중 주어진 문장과 의미가 같은 것은?

> The horse isn't as slow as the sheep.

① The horse is as slow as the sheep.
② The horse is as fast as the sheep.
③ The horse isn't as fast as the sheep.
④ The sheep isn't as slow as the horse.
⑤ The sheep isn't as fast as the horse.

대표유형 05 통합형   출제율 10%

06 다음 중 표의 내용과 일치하지 **않는** 것은?

Animal	duck	dog	cat
Weight	3 kg	6 kg	6 kg

① The dog is as heavy as the cat.
② The cat isn't as light as the duck.
③ The duck isn't as heavy as the cat.
④ The dog isn't as heavy as the duck.
⑤ The cat is twice as heavy as the duck.

07 다음 문장 중 어법상 **어색한** 것은?

① Eric is as careful as Mary.
② He wasn't so poor as his brother.
③ My room is twice as big as my sister's.
④ The dog's tail isn't as shorter as the cat's.
⑤ It doesn't rain in Seoul as much as in Jeju.

대표유형 01 비교급과 최상급의 형태   출제율 10%

08 다음 문장의 밑줄 친 부분을 괄호 안의 지시대로 고쳐 쓰시오.

(1) Sam is heavy but his brother is <u>more heavy</u>. (비교급으로)

→ _____

(2) Christine is the <u>intelligentest</u> student in our class. (최상급으로)

→ _____

09 다음 우리말과 같은 뜻이 되도록 괄호 안의 단어를 이용하여 문장을 완성하시오.

> 시간은 돈보다 더 중요하다.
> → Time is _____ than money.
>   (important)

대표유형 03 원급 비교 부정   출제율 20%

10 다음 문장에서 어법상 어색한 부분을 찾아 바르게 고쳐 쓰시오.

> This chair is so not comfortable as that sofa.
>
> _____ → _____

11 다음 두 문장을 한 문장으로 나타낼 때 괄호 안의 단어를 이용하여 문장을 완성하시오.

> Brian watches a movie once a week. Tim watches a movie once a month.
> → Tim does _____ _____ a movie _____ _____ as Brian.
> (watch, often)

≫ 실전 Tip 원급 비교 부정 표현을 이용한다. 단, not의 위치에 유의한다.

대표유형 02, 04 원급 / 배수 비교   출제율 40%

12 다음 그림을 보고 괄호 안의 단어를 이용하여 원급 비교 문장을 완성하시오.

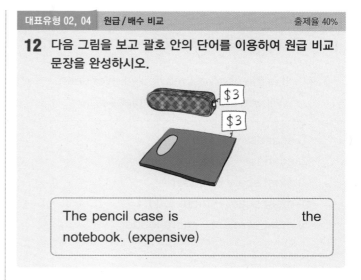

> The pencil case is _____ the notebook. (expensive)

13 다음 그림을 보고 괄호 안의 단어를 이용하여 문장을 완성하시오.

> The tree is _____ the boy. (twice, tall)

≫ 실전 Tip 배수 표현과 원급 비교 구문으로 '···배만큼 ~한'이라는 의미를 나타낼 수 있다.

[14-15] 다음 우리말과 같은 뜻이 되도록 괄호 안의 말을 배열하여 문장을 완성하시오. (단, 필요한 말만 사용할 것)

14

> 서점은 은행만큼 늦게 문을 연다.
> → The bookstore _____.
> (late, the bank, opens, than, as, as)

15

> 그 아기는 그의 엄마의 세 배만큼 많이 잔다.
> → The baby _____.
> (his mom, times, much, as, as, time, sleeps, third, three)

대표유형 01   비교급과 최상급의 형태   출제율 10%

01 다음 밑줄 친 단어의 올바른 형태가 순서대로 연결된 것은?

> · It is the <u>scaryest</u> movie I've ever seen.
> · Will you speak <u>loudder</u>, please?

① scariest – louder
② scariest – louderer
③ most scary – louder
④ most scary – more loud
⑤ most scariest – more louder

02 다음 중 밑줄 친 부분의 쓰임이 어색한 것은?

① She was my <u>eldest</u> friend.
② I'm tired. I can't go <u>further</u>.
③ She married John's <u>elder</u> brother.
④ Jake is the <u>oldest</u> of the members.
⑤ Pluto is the <u>farthest</u> planet from the Sun.

대표유형 02, 03   원급 비교 / 부정   출제율 40%

03 다음 중 밑줄 친 부분을 <u>잘못</u> 고쳐 쓴 것은?

① My father is <u>so</u> busy as a bee. (→ as)
② It is <u>so not</u> difficult as you think. (→ as not)
③ The bus isn't as fast <u>so</u> the subway. (→ as)
④ He can swim as <u>faster</u> as I can. (→ fast)
⑤ She ate as <u>more</u> cakes as Mia. (→ many)

04 다음 짝지어진 두 문장의 뜻이 서로 <u>다른</u> 것은?

① Mom got up as early as me.
    = I got up as early as Mom.
② Tom kicked the ball as far as Bob.
    = Bob kicked the ball as far as Tom.
③ My room isn't as small as your room.
    = Your room isn't as big as my room.
④ Lisa doesn't watch TV as much as Jim.
    = Jim doesn't watch TV as much as Lisa.
⑤ The desktop isn't so fast as the laptop.
    = The laptop isn't so slow as the desktop.

대표유형 05   통합형   출제율 10%

05 다음 중 어법상 올바른 문장을 <u>모두</u> 고른 것은?

> ⓐ The river is as clean as the lake.
> ⓑ Minsu is as clever as his cousin.
> ⓒ Rock climbing isn't so safe so swimming.
> ⓓ The dictionary is as thicker as a brick.
> ⓔ The tunnel is as three times long as the bridge.

① ⓐ   ② ⓐ, ⓑ   ③ ⓑ, ⓔ
④ ⓑ, ⓒ, ⓓ   ⑤ ⓒ, ⓓ, ⓔ

06 다음 표의 내용과 일치하는 것을 <u>모두</u> 고르면?

Name	go to school	watch TV
Sora	at 8:00	for 2 hours
Mina	at 8:00	for 4 hours
Hyemi	at 7:40	for 4 hours

① Mina watches TV as long as Hyemi.
② Sora goes to school as late as Hyemi.
③ Sora watches TV twice as long as Mina.
④ Hyemi doesn't go to school as late as Mina.
⑤ Hyemi doesn't watch TV twice as long as Sora.

07 다음 두 문장을 한 문장으로 바르게 나타낸 것은?

> A dragonfly has six legs. A spider has eight legs.

① A dragonfly has as many legs as a spider.
② A dragonfly doesn't have as many legs as a spider.
③ A spider doesn't have as many legs as a dragonfly.
④ A spider has as many legs as a dragonfly.
⑤ A spider has twice as many legs as a dragonfly.

08 다음 우리말과 같은 뜻이 되도록 할 때 문법상 어색한 곳을 한 군데 찾아 바르게 고쳐 쓰시오.

> 너는 더 건강해지기 위해서 더 많은 채소를 먹어야 한다.
> → You should eat many vegetables to be healthier.

_____ → _____

09 다음 밑줄 친 부분을 올바른 형태로 고쳐 쓰시오.

(1) My smartphone is thiner than yours.

→ _____

(2) Ted is the diligentest of his sons.

→ _____

10 다음 문장에서 잘못 쓰인 단어 한 개를 찾아 바르게 고쳐 문장 전체를 다시 쓰시오.

> Soccer is not as popular than basketball in the U.S.

→ _____

[11-12] 다음 그림을 보고 조건에 맞게 문장을 완성하시오.

[조건] 1. 원급 비교를 사용하여 현재 시제로 쓸 것
       2. 괄호 안의 단어를 사용할 것

11

(run, fast)
→ Alex _____ .

12

(be, dirty)
→ Minsu's jacket _____ .

13 다음 조건에 맞게 우리말을 영작하시오.

> 그는 그의 아버지만큼 조심해서 차를 운전한다.
> (a car, carefully, father)

[조건] 1. 원급 비교를 사용할 것
       2. 괄호 안의 표현을 이용하여 9단어로 쓸 것

→ _____

14 다음 우리말과 같은 뜻이 되도록 괄호 안의 단어를 바르게 배열하시오. (단, 필요한 경우 단어를 추가할 것)

> Jessy는 Pitt의 3배만큼 많은 돈을 썼다.
> → _____
> (three, Pitt, much, Jessy, money, spent)

≫ 실전 Tip 원급 비교에서 형용사가 명사를 수식할 경우 「as + 형용사 원급 + 명사 + as」의 형태로 쓴다.

15 다음 정보와 괄호 안의 단어를 이용하여 원급을 이용한 배수 비교 문장을 완성하시오.

> (expensive)
> · A melon: $10
> · A mango: $5

→ A melon _____ .

01 다음 중 의미가 비슷한 문장끼리 짝지어진 것은?

ⓐ Sumi goes to bed the latest.
ⓑ I go to bed as early as Sumi.
ⓒ I don't go to bed as early as Sumi.
ⓓ Sumi doesn't go to bed as late as me.
ⓔ Sumi doesn't go to bed as early as me.

① ⓐ, ⓑ   ② ⓑ, ⓒ
③ ⓒ, ⓓ   ④ ⓐ, ⓓ, ⓔ
⑤ ⓑ, ⓒ, ⓓ

02 다음 중 어법상 어색한 문장의 개수는?

ⓐ Andy sings as better as a singer.
ⓑ A bike is not as fast as a car.
ⓒ My hair is not so long as Jimin.
ⓓ Chinese is as difficult as English.
ⓔ The T-shirt is the cheappest in the shop.
ⓕ This hospital is twice as old as that museum.

① 1개   ② 2개   ③ 3개   ④ 4개   ⑤ 5개

03 다음 그림의 내용과 일치하지 <u>않는</u> 것을 <u>모두</u> 고르면?

200g   200g   100g

① The apple is as heavy as the orange.
② The apple isn't as heavy as the kiwi.
③ The orange is as heavy as the apple.
④ The kiwi isn't as light as the orange.
⑤ The orange is twice as heavy as the kiwi.

04 다음 그림을 보고, 괄호 안의 단어와 원급 비교를 이용하여 문장을 완성하시오.

(1) The rabbit is _____ the cat.
(fast)
(2) The rabbit is _____ the turtle.
(slow)

05 다음 두 문장을 괄호 안의 단어와 원급 비교를 이용하여 한 문장으로 쓰시오.

(1) Minsu is creative. Jina is creative, too.
(creative)
→ _____

(2) The ostrich is 2 meters. The giraffe is 5 meters. (not, tall)
→ _____

통합형

06 다음 글을 읽고, (A)와 (B)에서 각각 알맞은 표현을 골라 문장을 완성하시오. (단, 필요한 경우 단어를 추가할 것)

Luna has many books. She has 80 books. Julie has more books. She has twice as many books as Luna. Harry has the most books. He has 240 books.

(A)	40, 80, 160
(B)	second, three, as, books

→ Julie has (A)_____ books, and Harry has (B)_____ Luna.

최종 선택 QUIZ

 어법상 옳은 문장에 ✔ 표시하세요.

01
a   Chanho is the best baseball player in Korea.

b   Chanho is the goodest baseball player in Korea.

02
a   Judy is as pretty as her sister.

b   Judy is as prettier as her sister.

03
a   The giraffe's neck is so long as its legs.

b   The giraffe's neck is as long as its legs.

04
a   Thailand is not as cold as Korea.

b   Thailand is as not cold as Korea.

05
a   These shoes aren't so comfortable as those sneakers.

b   These shoes aren't as comfortable so those sneakers.

06
a   A whale is not as dangerous as a shark.

b   A whale is not as more dangerous as a shark.

07
a   Her score is two as high as mine.

b   Her score is twice as high as mine.

08
a   My backpack is four times as expensive as you.

b   My backpack is four times as expensive as yours.

유형별 기출 적용 빈도

유형 01 비교급 비교 · 30%

유형 02 비교급을 이용한 다양한 표현 · 25%

유형 03 최상급 비교 · 20%

유형 04 최상급을 이용한 다양한 표현 · 25%

>> 출제 포인트

비교급 문장과 최상급 문장의 형태를 묻는 문제는 반드시 출제된다. 표나 그림의 내용을 비교 표현으로 나타내는 문제도 자주 출제된다.

>> 정답률 100% Tip

1 최상급 표현에서 범위를 나타낼 때 장소 앞에는 in을, 복수 명사 앞에는 of를 쓴다.

2 「one of the+최상급」 뒤에는 복수 명사가 와야 한다.

Grammar Point

Point 1 비교급 비교와 최상급 비교

비교급 비교는 둘을 비교하여 둘 중 하나가 '더 ~한' 경우에 사용하고 최상급 비교는 셋 이상을 비교하여 '가장 ~한' 것을 나타낼 때 사용한다.

· The snake is longer than the ribbon.

· Seoul is the largest city in Korea.
  the + 최상급 + in + 장소 · 집단: ~에서 가장 …한/하게

· This dictionary is the most useful of all.
  the + 최상급 + of + 복수 명사: ~ 중에서 가장 …한/하게

주의 비교급을 강조할 때 비교급 앞에 much, even, far, a lot 등을 쓴다.

· This book is much more interesting than that one.

Point 2 비교급과 최상급을 이용한 다양한 표현

비교급 표현	· 비교급 + and + 비교급 (점점 더 ~한/하게) · the + 비교급 ~, the + 비교급 ... (~할수록 더 …하다) · 배수 표현 + 비교급 + than = 배수 표현 + as + 원급 + as (~보다 -배 더 …한/하게)
최상급 표현	· one of the + 최상급 + 복수 명사 (가장 ~한 … 중 하나) · the + 최상급 + 명사 (+ that) + 주어 + have [has] ever + 과거분사 (지금까지 ~한 것 중 가장 …한)

· The weather is getting hotter and hotter.

· The harder you study, the more you learn.

· This bag is three times bigger than that one.

  = This bag is three times as big as that one.

· Korean is one of the most difficult languages.

· Daniel is the most thoughtful person (that) I've ever met.

바로 체크

01 This box is (small / smaller) than that one.

02 A giraffe is taller (as / than) a lion.

03 Soccer is (much / very) more popular than tennis.

04 James has five times (many / more) books than I.

05 Fewer (and / or) fewer people watch TV.

06 The (older / oldest) I get, the fewer friends I have.

07 What is the (larger / largest) beach in Korea?

08 He is the shortest (in / of) whole my friends.

09 Central Park is one of the most famous (park / parks) in the world.

10 It was (the saddest / sadder) movie I've ever seen.

대표유형 01 비교급 비교   출제율 30%

01 다음 문장의 빈칸에 들어갈 말로 알맞은 것은?

> Swimming is _____ than running.

① interesting
② as interesting
③ more interesting
④ the more interesting
⑤ the most interesting

02 다음 빈칸에 공통으로 알맞은 말을 쓰시오.

> • Sue's bag is heavier _____ Jenny's bag.
> • A shark is more dangerous _____ a whale.

03 다음 우리말과 같은 뜻이 되도록 괄호 안의 표현을 바르게 배열하여 문장을 완성하시오.

> 이 컴퓨터가 저 컴퓨터보다 훨씬 더 빠르다.
> (faster, that computer, is, than, much, this computer)
> → _____

04 다음 우리말을 영어로 바르게 옮긴 것은?

> 코끼리는 기린보다 더 오래 산다.

① An elephant lives longer as a giraffe.
② An elephant lives long than a giraffe.
③ An elephant lives as long as a giraffe.
④ An elephant lives longer than a giraffe.
⑤ An elephant lives longest than a giraffe.

05 다음 중 주어진 문장과 의미가 같은 것은?

> My room isn't as bright as hers.

① Her room is darker than mine.
② Her room is as bright as mine.
③ Her room is brighter than mine.
④ Her room isn't as bright as mine.
⑤ Her room is as dark as mine.

06 다음 문장의 빈칸에 들어갈 수 <u>없는</u> 것은?

> He is _____ taller than his father.

① far   ② very
③ even   ④ much
⑤ a lot

07 다음 우리말과 같은 뜻이 되도록 괄호 안의 단어를 이용하여 문장을 완성하시오.

> 이 스웨터가 저것보다 더 부드러워 보인다.
> → This sweater looks _____ that one. (softer)

08 다음 표의 내용과 일치하지 <u>않는</u> 것은?

Name	Sora	Mina	Juho
Age	14	15	16
Height	156 cm	160 cm	172 cm

① Juho is older than Mina.
② Mina isn't as tall as Juho.
③ Mina is shorter than Sora.
④ Sora is younger than Mina.
⑤ Juho is a lot taller than Sora.

대표유형 02 비교급을 이용한 다양한 표현   출제율 25%

09 다음 우리말을 영어로 바르게 옮긴 것은?

> 지구가 점점 더 따뜻해지고 있다.

① The Earth is getting warm and warm.
② The Earth is getting warmer or warmer.
③ The Earth is getting warmer and warmer.
④ The Earth is getting warmest or warmest.
⑤ The Earth is getting warmest and warmest.

10 다음 빈칸에 알맞은 말이 순서대로 짝지어진 것은?

> _____ the fruit is, _____ it tastes.

① Fresher – better
② Freshest – best
③ The fresh – the good
④ The fresher – the better
⑤ The freshest – the best

11 다음 우리말과 같은 뜻이 되도록 할 때 빈칸에 들어갈 말로 알맞은 것은?

> 그 개는 점점 더 뚱뚱해졌다.
> → The dog grew _____.

① fat and fat
② fat and fatter
③ fatter and fatter
④ fatter and fattest
⑤ more and more fat

12 다음 문장의 밑줄 친 ①~⑤ 중 어법상 <u>어색한</u> 것은?

> The <u>much</u> <u>money</u> she <u>donates</u>, the <u>happier</u>
>   ①   ②   ③   ④
> she <u>gets</u>.
>   ⑤

[13-14] 다음 두 문장의 뜻이 같도록 빈칸에 알맞은 말을 쓰시오.

13
> As you practice more, you play soccer better.
> = _____ _____ you practice,
> _____ _____ you play soccer.

14
> This battery lasts four times as long as that one.
> = This battery lasts four times _____ _____ that one.

대표유형 03 최상급 비교   출제율 20%

15 다음 문장의 빈칸에 들어갈 말로 알맞은 것은?

> This problem is the _____ of all the problems.

① easy
② easier
③ more easy
④ easiest
⑤ most easiest

16 다음 빈칸에 알맞은 말이 순서대로 짝지어진 것은?

> • The cookie was the most delicious _____ the five.
> • Jason is the tallest student _____ my class.

① in – in
② of – in
③ in – of
④ to – of
⑤ of – with

17 다음 우리말과 같도록 빈칸에 알맞은 말을 쓰시오.

> 호주는 세계에서 가장 작은 대륙이다.
> → Australia is _____ _____ continent
> _____ the world.

18 다음 그림의 내용과 일치하도록 〈보기〉에서 알맞은 단어를 골라 문장을 완성하시오. (단, 최상급을 사용할 것)

5,500kg   150kg   210kg

보기	tall	short	heavy

(1) The elephant is _____ _____ of the three.
(2) The ostrich is _____ _____ of the three.
(3) The tiger is _____ _____ animal of them.

19 다음 우리말과 같도록 괄호 안의 말을 바르게 배열하시오.

> 그 검은색 소파가 그 가게에서 가장 편안해 보인다.
> (in, the, comfortable, the store, most, looks)
> → The black sofa _____
> _____.

대표유형 04   최상급을 이용한 다양한 표현   출제율 25%

20 다음 문장의 빈칸에 들어갈 말로 알맞은 것은?

> It is one of _____ festivals in Europe.

① famous
② famouser
③ famousest
④ more famous
⑤ the most famous

21 다음 우리말과 같도록 괄호 안에 주어진 단어들을 배열할 때 다섯 번째로 오는 것은?

> 이것은 지금까지 내가 읽은 것 중 가장 지루한 책이다. (most, book, ever, this, the, is, boring, I, have, read)

① most
② book
③ is
④ boring
⑤ read

22 다음 문장의 밑줄 친 ①~⑤ 중 어법상 어색한 것은?

> He is one of the richest man in the world.
>   ①   ②   ③   ④   ⑤

23 다음 빈칸에 공통으로 들어갈 말로 알맞은 것은?

> • Sydney is _____ city I've ever seen.
> • Sydney is one of _____ cities in the world.

① beautiful
② more beautiful
③ most beautiful
④ much more beautiful
⑤ the most beautiful

24 다음 우리말과 같도록 괄호 안의 말을 바르게 배열하시오.

> Chris는 그의 학교에서 가장 정직한 학생들 중 한 명이다. (students, in, the, one, his school, most honest, of)
> → Chris is _____ .

25 다음 대화에서 어법상 어색한 부분을 찾아 바르게 고쳐 쓰시오.

> **A** Which movie do you like best?
> **B** *The Snow King* is the better movie that I've ever seen.

_____ → _____

01 다음 빈칸에 알맞은 말이 순서대로 짝지어진 것은?

> • She is _____ runner in the world.
> • This cell phone is _____ than that one.

① fast − better
② faster − good
③ faster − the best
④ the fastest − better
⑤ the fastest − the best

02 다음 문장 중 어법상 어색한 것은?

① A fox is cleverer than a wolf.
② Sam is the quietest of all the boys.
③ Kate is the kindest girl in her class.
④ Tina studies the hardest in her school.
⑤ The Sun is very bigger than the Earth.

03 다음 우리말을 영어로 가장 바르게 옮긴 것은?

> 태호는 우리 동아리에서 가장 어리다.

① Taeho is youngest of our club.
② Taeho is younger than our club.
③ Taeho is the youngest in our club.
④ Taeho is the youngest of our club.
⑤ Taeho is the youngest than our club.

≫ 실전 Tip 최상급 비교에서 비교 범위가 장소나 집단인 경우에는 in, 복수 명사인 경우에는 of를 쓴다.

04 다음 표의 내용과 일치하지 않는 것은?

Food	Gimbap	Ramyeon	Tteokbokki
Price (₩)	3,000	4,000	2,500

① Gimbap is more expensive than ramyeon.
② Gimbap is more expensive than tteokbokki.
③ Ramyeon is the most expensive of the three.
④ Tteokbokki is cheaper than ramyeon.
⑤ Tteokbokki is the cheapest of the three.

05 다음 빈칸에 알맞은 말이 순서대로 짝지어진 것은?

> • The room is getting _____ and hotter.
> • Jamie is one of the _____ cooks in the world.
> • The more you travel, the _____ you know.

① hot − better − most
② hotter − best − more
③ hotter − good − much
④ hottest − best − more
⑤ hottest − better − most

06 다음 중 주어진 문장과 바꿔 쓸 수 있는 것은?

> He works five times more than I do.

① I don't work as much as he does.
② I work five times as much as he does.
③ He works five times as much as I do.
④ He doesn't work as much as I do.
⑤ He works five times most of us.

07 다음 문장의 빈칸에 들어갈 말로 알맞은 것은?

> Air pollution is becoming _____.

① more and more serious
② more and most serious
③ most and most serious
④ more serious and serious
⑤ most serious and most serious

08 다음 중 밑줄 친 부분의 쓰임이 잘못된 것은?

① The sky became clearer and clearer.
② He is the kindest man that I've ever met.
③ This is one of the largest park in Korea.
④ This glass is a lot stronger than that one.
⑤ The more I tried to sleep, the less tired I felt.

대표유형 01, 03 | 비교급 / 최상급 비교 | 출제율 30%

09 다음 우리말과 같은 뜻이 되도록 괄호 안의 단어를 이용하여 문장을 완성하시오.

> 튤립이 그녀의 정원에 있는 모든 꽃들 중에서 가장 화려해 보인다.
> → The tulips look _____
>   all the flowers in her garden. (colorful)

10 다음 우리말과 같은 뜻이 되도록 괄호 안의 표현을 바르게 배열하여 문장을 완성하시오. (단, 필요한 경우 단어를 추가할 것)

> 지하철이 버스보다 훨씬 더 편리하다.
> (than, is, the bus, convenient, much)
> → The subway _____
>   _____.

>> 실전 Tip 비교급을 강조하는 말은 much, far, a lot, even 등으로 비교급 앞에 쓴다.

11 다음 그림을 보고 주어진 단어를 이용하여 문장을 완성하시오. (단, 비교급 또는 최상급을 사용할 것)

(1) Paul is _____ Kate. (tall)

(2) Kate's hair is _____ Paul's hair. (long)

(3) Ann has _____ hair of the three. (long)

12 다음 문장에서 어법상 어색한 부분을 찾아 바르게 고쳐 쓰시오.

> That mountain is very higher than that tower.

_____ → _____

대표유형 02, 04 | 비교급 / 최상급을 이용한 다양한 표현 | 출제율 25%

13 다음 우리말과 같은 뜻이 되도록 괄호 안의 단어를 이용하여 문장을 완성하시오.

> 내 컴퓨터가 점점 더 느려지고 있다.
> → My computer is getting _____
>   _____ _____. (slow)

14 다음 괄호 안의 단어를 이용하여 문장을 완성하시오.

> This is _____ museum
> I have ever visited. (beautiful)

15 다음 우리말과 같은 뜻이 되도록 괄호 안의 단어를 이용하여 문장을 완성하시오.

> 코알라는 세계에서 가장 게으른 동물들 중 하나이다.
> → A koala is _____
>   in the world. (lazy, animal)

대표유형 01, 03　비교급 / 최상급 비교　　출제율 30%

01 다음 문장 중 어법상 <u>어색한</u> 것은?

① This is the oldest temple in Korea.

② I am the youngest in my whole family.

③ Coffee is more popular than tea in Korea.

④ He lived far longer than doctors predicted.

⑤ It's easy to spend money than to make it.

02 다음 짝지어진 두 문장의 뜻이 서로 <u>다른</u> 것은?

① His bag is bigger than mine.
　= My bag is smaller than his.

② It is more difficult than you think.
　= It is not as easy as you think.

③ Diamonds are much harder than gold.
　= Gold is much weaker than diamonds.

④ A bike isn't as fast as a motorcycle.
　= A motorcycle is as slow as a bike.

⑤ I've been here longer than you.
　= You haven't been here as long as me.

03 다음 표의 내용과 일치하지 <u>않는</u> 것을 <u>모두</u> 고르면?

	Mt. Halla	Mt. Seorak	Mt. Baekdu
Height	1,947 m	1,708 m	2,750 m

① Mt. Halla is higher than Mt. Seorak.

② Mt. Halla isn't as low as Mt. Baekdu.

③ Mt. Seorak is the lowest of the three.

④ Mt. Baekdu is the highest of the three.

⑤ Mt. Seorak is higher than the other two.

04 다음 글의 흐름상 빈칸에 들어갈 말로 알맞은 것은?

　I usually go to bed at 10. However, I am going to study until 12 tonight because I have a math exam tomorrow. I will go to bed _____ usual.

① late　　② later　　③ later than

④ the latest　　⑤ as late as

대표유형 02, 04　비교급 / 최상급을 이용한 다양한 표현　　출제율 25%

05 다음 빈칸에 알맞은 말이 순서대로 짝지어진 것은?

- My sweater got _____ and smaller.
- It is the _____ pumpkin I've ever seen.

① small − bigger　　② smaller − big

③ smallest − big　　④ smaller − biggest

⑤ smallest − biggest

통합형

06 다음 중 어법상 <u>어색한</u> 문장의 개수는?

ⓐ Canada is twice as bigger as Australia.

ⓑ His voice is getting more and more louder.

ⓒ It was the worst holiday I've ever had.

ⓓ The highest we go up, the coldest it gets.

ⓔ History is one of the most interesting subjects.

① 없음　② 1개　③ 2개　④ 3개　⑤ 4개

07 다음 중 밑줄 친 부분을 <u>잘못</u> 고쳐 쓴 것은?

① <u>More</u> or more people keep pets. (→ and)

② It was the <u>beautiful</u> song I've ever heard.
　(→ most beautiful)

③ The box is three times <u>heavy</u> than the chair.
　(→ heaviest)

④ Vincent van Gogh is one of the greatest <u>painter</u> in art history. (→ painters)

⑤ The less you drive your car, <u>cleaner</u> the air gets. (→ the cleaner)

대표유형 01, 03 비교급 / 최상급 비교   출제율 30%

08 다음 괄호 안의 단어를 이용하여 최상급 문장을 완성하시오.

(1) He is _____

my company. (busy, man)

(2) It is _____

_____ all. (difficult, problem)

09 다음 두 문장을 비교하는 문장으로 바꿔 쓸 때 빈칸에 알맞은 말을 쓰시오.

The soup tastes good. The spaghetti tastes better.

→ The spaghetti _____.

[10-11] 다음 그림을 보고 조건에 맞게 문장을 완성하시오.

[조건] **1.** 비교급이나 최상급을 사용할 것

2. 괄호 안의 단어를 사용할 것

10

The cat has _____

the three. (short, tail)

≫ 실전 Tip 비교 범위를 나타내는 표현이 집단·장소인지 복수 명사인지 확인한다.

11

The monkey has a _____

the dog. (long, tail)

신유형

12 다음 정보와 괄호 안의 표현을 사용하여 최상급 비교 문장을 쓰시오.

• the red car: 220 km/h
• the black car: 250 km/h
• the white car: 230 km/h
(run, fast, the three)

_____

대표유형 02, 04 비교급 / 최상급을 이용한 다양한 표현   출제율 25%

13 다음 우리말과 같은 뜻이 되도록 괄호 안의 표현을 바르게 배열하여 문장을 쓰시오. (단, 필요한 단어를 추가하여 9단어로 쓸 것)

약은 더 나쁜 맛이 날수록 효과가 더 좋다.

(it, the medicine, works, tastes, better, worse)

→ _____

_____

14 다음 문장에서 어법상 어색한 부분을 찾아 바르게 고쳐 문장을 다시 쓰시오.

(1) A dog is one of the most popular pet in Korea.

→ _____

(2) The more carefully you drive a car, the safe you are.

→ _____

15 다음 우리말을 괄호 안의 표현을 사용하여 영작하시오. (단, 비교급 문장으로 쓸 것)

저 건물이 내 집보다 네 배 더 높다.

(that building, high, my house)

→ _____

≫ 실전 Tip 배수 표현은 「숫자 + times」를 쓴다.

01 다음 네모 (A)~(C)에서 알맞은 것을 골라 순서대로 짝지은 것은?

> · Bill was (A) much / very lazier than his sister.
> · China has the (B) larger / largest population in the world.
> · The global warming problem is becoming (C) more / most and more serious.

① much − larger − more
② much − largest − more
③ very − largest − most
④ very − larger − most
⑤ very − largest − more

02 다음 중 어법상 올바른 문장의 개수는?

> ⓐ Her desk is a lot cleaner than mine.
> ⓑ A dolphin is one of the smarter animals.
> ⓒ Bomi speaks English the best in her class.
> ⓓ This zoo has three times many animals than that zoo.
> ⓔ The story was getting more and more interesting.
> ⓕ The more learned we are, the more modest we should be.

① 1개   ② 2개   ③ 3개   ④ 4개   ⑤ 5개

03 다음 문장의 빈칸에 expensive의 올바른 형태를 쓰시오.

(1) This sofa is the _____ in the store.
(2) This red T-shirt is _____ than that blue one.

04 다음 두 문장의 뜻이 같도록 빈칸에 알맞은 말을 쓰시오.

(1) My father is three times as old as me.
 → My father is _____ than me.
(2) As she waited longer, she became more nervous.
 → _____ she waited, _____ _____ she became.

05 다음 글을 읽고 그림 속 소녀의 이름과 키를 쓰시오.

> Kate is 152 cm tall. Kate isn't as tall as Janet. Kate is 5 cm shorter than Janet. Betty is 8 cm shorter than Janet.

(1)   (2)   (3)

(1) Name: _____   Height: _____
(2) Name: _____   Height: _____
(3) Name: _____   Height: _____

06 다음은 동수네 반 학생들이 좋아하는 스포츠를 나타낸 그래프이다. 그래프의 내용과 일치하지 <u>않는</u> 문장을 찾고 바르게 고쳐 쓰시오.

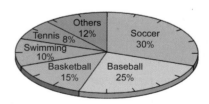

Favorite Sports of Dongsu's Classmates

> ① Dongsu's classmates like soccer the best of all sports. ② Soccer is about four times more popular than tennis. ③ Baseball is not as popular as soccer. ④ But baseball is as popular as basketball. ⑤ Swimming is more popular than tennis.

_____

01
a Vegetables are healthy than meat.

b Vegetables are healthier than meat.

02
a This bike is much more expensive than that one.

b This bike is very more expensive than that one.

03
a This picture is the most beautiful in his pictures.

b This picture is the most beautiful of his pictures.

04
a Andrew has three times more books than Helen.

b Andrew has three times many books than Helen.

05
a The coffee plants grew taller or taller.

b The coffee plants grew taller and taller.

06
a The higher we went up, the colder we felt.

b The higher we went up, the coldest we felt.

07
a The pyramid is one of the greatest building in the world.

b The pyramid is one of the greatest buildings in the world.

08
a It is the most delicious food I have ever had.

b It is the more delicious food I have ever had.

유형별 기출 적용 빈도

유형 01 가정법 과거   30%

유형 02 가정법 문장 전환   40%

유형 03 I wish 가정법 과거   20%

유형 04 as if 가정법 과거   10%

> ≫ 출제 포인트
> 가정법 과거 문장에서 if절과 주절의 동사 형태를 묻는 문제와 가정법 과거와 직설법 현재 문장을 서로 전환하는 문제가 주로 출제된다.
>
> ≫ 정답률 100% Tip
> 1 가정법 과거에서 if절의 be동사는 주어에 상관없이 were를 쓴다.
> 2 가정법 과거를 직설법 현재로 바꿀 때 의미가 반대가 된다.

Grammar Point

Point 1 가정법 과거

쓰임	현재 사실의 반대·실제로 일어나지 않을 일을 가정하여 말할 때
형태	If+주어+동사의 과거형/were ~, 주어+조동사의 과거형+동사원형 .... (만약 ~라면, …할 텐데.)

· If I were not tired, I could go swimming now.

주의 직설법의 조건문은 실현될 가능성이 있는 상황을 가정할 때 쓴다.

· If I were not busy, I would help you. 〈가정법 과거: "바빠서 돕지 못한다"〉
· If I am not busy, I will help you. 〈직설법: "바쁘지 않으면 돕겠다"〉

Point 2 가정법 문장 전환

가정법 과거는 반대 의미의 직설법 현재로 바꿔 쓸 수 있다.

· If I knew the answer, I would tell you.
  → As I don't know the answer, I won't tell you.

Point 3 I wish 가정법 과거 / as if 가정법 과거

	I wish 가정법 과거	as if 가정법 과거
쓰임	현재 이루기 힘든 소망이나 현실에 대한 아쉬움	주절과 같은 시점의 사실과 반대되는 상황을 가정
형태	I wish+주어+(조)동사의 과거형/were	as if+주어+(조)동사의 과거형/were
의미	~라면 좋을 텐데 (현재 그렇지 않아서 아쉬움)	마치 ~인 것처럼 (실제로는 그렇지 않음)

· I wish I were a movie star. (← I'm sorry that I'm not a movie star.)
· He talks as if he knew her. (← In fact, he doesn't know her.)

✅ 바로 체크

01   If I (know / knew) her number, I could call her now.

02   If I were you, I (will / would) go to the concert.

03   If she (comes / came) tomorrow, I will go skating with her.

04   If I had enough money, I would (buy / bought) the coat.

05   If I _____ time, I could help him. (have)

06   If he saw a thief, he _____ _____ the police. (will call)

07   I wish I _____ funnier. (← I'm sorry I am not funnier.)

08   She talked as if she _____ happy. (← In fact, she wasn't happy.)

대표유형 01 가정법 과거 출제율 30%

01 다음 문장의 빈칸에 들어갈 말로 알맞은 것은?

> If I _____ not busy, I would visit her.

① am ② be ③ were
④ will be ⑤ have been

02 다음 우리말과 같은 뜻이 되도록 할 때 빈칸에 알맞은 말이 순서대로 짝지어진 것은?

> 내가 카메라를 갖고 있다면, 사진을 몇 장 찍을 텐데.
> → If I _____ a camera, I _____ some pictures.

① have – take ② have – would take
③ had – took ④ had – would take
⑤ would have – took

03 다음 문장의 빈칸에 알맞지 <u>않은</u> 것은?

> If Liam hurried up, he _____.

① could meet her ② will not be late
③ could buy the ticket ④ could catch the bus
⑤ would arrive on time

04 다음 우리말을 영어로 바르게 옮긴 것은?

> 내가 너라면, 나는 그녀에게 사과할 텐데.

① If I am you, I apologize to her.
② If I am you, I would apologize to her.
③ If I will be you, I will apologize to her.
④ If I were you, I will apologize to her.
⑤ If I were you, I would apologize to her.

05 다음 우리말과 같은 뜻이 되도록 괄호 안의 표현을 이용하여 문장을 완성하시오.

> 그가 나를 초대한다면, 나는 파티에 갈 텐데.
> → If he _____ me, I _____ to the party. (invite, will go)

06 다음 우리말과 같은 뜻이 되도록 괄호 안의 표현을 바르게 배열하시오.

> 만일 그녀가 옆집에 산다면 나는 그녀를 매일 볼 수 있을 텐데. (her, I, every day, could, next door, lived, she, see)
> → If _____.

07 다음 문장 중 어법상 <u>어색한</u> 것은?

① If I were you, I would talk to her.
② If I were a bird, I could fly to her.
③ If I were a doctor, I could help you.
④ If she has an umbrella, she could go out.
⑤ If she were an author, she would write a detective story.

대표유형 02 가정법 문장 전환 출제율 40%

08 다음 두 문장의 뜻이 같도록 빈칸에 알맞은 말을 쓰시오.

> As I am not in Seoul, I don't travel with you.
> = If I _____ in Seoul, I _____ with you.

09 다음 두 문장의 뜻이 같도록 할 때 빈칸에 알맞은 말이 순서대로 짝지어진 것은?

> If she were honest, they would employ her.
> = As she _____ honest, they _____ her.

① is − will employ
② was − would employ
③ isn't − won't employ
④ will be − won't employ
⑤ wasn't − wouldn't employ

10 다음 문장을 직설법으로 바꿀 때 어법상 <u>어색한</u> 부분을 찾아 바르게 고쳐 쓰시오.

> If I didn't live in an apartment, I could keep a dog.
> → As I don't live in an apartment, I can't keep a dog.

_____ → _____

[11-12] 주어진 문장과 의미가 같은 것을 고르시오.

11

> If he were a true friend, he wouldn't tell lies.

① As he is a true friend, he tells lies.
② He isn't a true friend, so he tells lies.
③ As he wasn't a true friend, he told lies.
④ He is a true friend, so he doesn't tell lies.
⑤ As he wasn't a true friend, he would tell lies.

12

> As I don't have a car, I don't give you a ride.

① If I have a car, I won't give you a ride.
② If I had a car, I would give you a ride.
③ If I don't have a car, I won't give you a ride.
④ If I don't have a car, you will give me a ride.
⑤ If I didn't have a car, I wouldn't give you a ride.

[13-14] 다음 문장을 괄호 안의 지시대로 바꿔 쓰시오.

13

> If I liked the actor, I would see his new movie. (직설법으로)
> → As _____
> _____ .

14

> As she is sick, she doesn't go hiking with me. (가정법으로)
> → If _____
> _____ .

15 다음 짝지어진 두 문장이 의미하는 바가 서로 <u>다른</u> 것은?

① If it rained, I couldn't take a walk.
= As it doesn't rain, I can take a walk.
② If he weren't lazy, he could get a job.
= As he is lazy, he can't get a job.
③ If I had time, I would visit my uncle.
= I don't have time, but I will visit my uncle.
④ If you told the truth, I could trust you.
= You don't tell the truth, so I can't trust you.
⑤ If Samuel were here, he could help us.
= As Samuel isn't here, he can't help us.

16 다음 문장과 의미가 같은 것은?

> I wish I could play the piano.

① I'm sorry that I play the piano.
② I'm sorry that I played the piano.
③ I'm sorry that I can't play the piano.
④ I'm sorry that I couldn't play the piano.
⑤ I'm sorry that I have played the piano.

17 다음 우리말을 영어로 바르게 옮긴 것은?

내가 운전을 할 수 있으면 좋을 텐데.

① I wish I drive a car.
② I wish I can drive a car.
③ I wish I could drive a car.
④ I wish I couldn't drive a car.
⑤ I wished I could have driven a car.

18 다음 문장을 가정법으로 바꿀 때 빈칸에 알맞은 것은?

I'm sorry that I don't have a sister.
→ I wish I _____ a sister.

① have
② had
③ won't have
④ don't have
⑤ didn't have

19 다음 문장을 가정법으로 바꿀 때 빈칸에 알맞은 말을 쓰시오.

I'm sorry that I can't speak Chinese.
→ I wish I _____ Chinese.

20 다음 우리말과 같은 뜻이 되도록 괄호 안의 단어를 이용하여 문장을 완성하시오.

오늘이 토요일이면 좋을 텐데.
→ I wish it _____ Saturday today. (be)

21 다음 문장을 가정법으로 바꿀 때 빈칸에 알맞은 것은?

Elly looks rich. In fact, she is not rich.
→ Elly looks as if she _____ rich.

① is
② were
③ isn't
④ weren't
⑤ would be

22 다음 문장의 빈칸에 들어갈 말로 알맞은 것은?

He behaves _____ he were a leader.

① if
② that
③ when
④ as if
⑤ even if

23 다음 우리말과 같은 뜻이 되도록 괄호 안에 주어진 단어를 배열할 때 여섯 번째로 오는 것은?

Judy는 마치 화나지 않은 것처럼 행동한다.
(were, acts, angry, if, she, not, Judy, as)

① were
② acts
③ angry
④ not
⑤ as

24 괄호 안의 말을 참고하여 가정법 문장을 완성하시오.

I feel as if I _____ the sky.
(In fact, I can't touch the sky.)

25 다음 우리말과 같은 뜻이 되도록 괄호 안의 단어를 이용하여 문장을 완성하시오.

James는 마치 사실을 아는 것처럼 말한다.
→ James talks as if he _____ the fact. (know)

대표유형 01, 02 가정법 과거 / 가정법 문장 전환 　　출제율 40%

01 다음 빈칸에 알맞은 말이 순서대로 짝지어진 것은?

> • If you _____ tomorrow, I will tell you the truth.
> • If she _____ enough money, she could buy a new car.

① come – has
② come – had
③ came – has
④ came – had
⑤ will come – had

02 다음 문장을 직설법으로 바르게 바꾼 것은?

> If I were a genius, I could solve the problem.

① As I'm a genius, I can solve the problem.
② As I'm not a genius, I can't solve the problem.
③ As I wasn't a genius, I couldn't solve the problem.
④ As I was a genius, I could solve the problem.
⑤ As I hadn't a genius, I couldn't have solved the problem.

03 다음 중 직설법을 가정법으로 잘못 바꾼 것은?

① As he isn't here, he can't fix this car.
　→ If he were here, he could fix this car.
② As the weather isn't fine, we won't go on a picnic.
　→ If the weather were fine, we would go on a picnic.
③ As I don't have enough time, I can't exercise.
　→ If I had enough time, I could exercise.
④ As I don't know her, I don't go with her.
　→ If I knew her, I would go with her.
⑤ I don't meet the actor, so I don't get his autograph.
　→ If I didn't meet the actor, I wouldn't get his autograph.

04 다음 문장 중 어법상 어색한 것은?

① If my uncle came, I would be happy.
② If I had a robot, I could make it cook.
③ If I were you, I will not go there alone.
④ If I weren't a doctor, I would be a singer.
⑤ If he studies hard, he will get a good grade.

대표유형 03, 04 I wish 가정법 과거 / as if 가정법 과거 　　출제율 20%

05 다음 빈칸에 알맞은 말이 순서대로 짝지어진 것은?

> • I wish she _____ to my advice.
> • He talks as if he _____ horror movies. But in fact, he doesn't like them.

① listens – likes
② listened – likes
③ listens – liked
④ listened – liked
⑤ will listen – would like

06 다음 빈칸에 공통으로 들어갈 말로 알맞은 것은?

> • I wish he _____ kinder.
> • She acts as if she _____ an idol star.

① be
② is
③ were
④ would be
⑤ has been

07 다음 문장 중 어법상 어색한 것은?

① I wish he weren't lazy.
② I wish I had more time.
③ He talks as if he liked her.
④ I wish my father stops smoking.
⑤ The two girls look as if they were twins.

대표유형 01 가정법 과거 출제율 40%

08 다음 우리말과 같은 뜻이 되도록 괄호 안의 단어를 이용하여 문장을 완성하시오.

> 내가 사전을 갖고 있다면 이 단어를 찾을 수 있을 텐데.
> → If I _____ a dictionary, I _____ up this word. (have, can, look)

09 괄호 안의 단어를 이용하여 다음 대화를 완성하시오.

> **A** I need a new computer.
> **B** If I _____ you, I _____ some money. (be, save)

》》 실전 Tip if절의 내용이 실제로 일어나지 않을 상황이라는 것에 유의한다.

[10-11] 다음 주어진 상황에 맞게 가정하는 문장을 완성하시오.

10
> She doesn't know Mr. White's email address. She can't send the file to him.

> → If she _____ Mr. White's email address, she _____ the file to him.

11
> I want to make pancakes. But there aren't eggs and milk.

> → If there _____ eggs and milk, I _____ pancakes.

12 다음 문장에서 어법상 어색한 부분을 한 군데 찾아 바르게 고쳐 쓰시오.

> If the dress were not so expensive, I can buy it. I don't have enough money now.

> _____ → _____

대표유형 03, 04 I wish 가정법 과거 / as if 가정법 과거 출제율 20%

13 다음 두 문장을 한 문장으로 나타낼 때 빈칸에 알맞은 말을 쓰시오.

> Olivia isn't a singer. She sings like a singer.
> → Olivia sings as if _____.

14 주어진 문장과 같은 의미가 되도록 괄호 안의 지시대로 문장을 쓰시오.

(1) In fact, she knows me. (as if 가정법으로)
  → She talks _____.
(2) I'm sorry that I can't go shopping with you.
  (I wish 가정법으로)
  → _____

15 다음 그림을 보고 괄호 안의 단어를 이용하여 문장을 완성하시오.

> I wish she _____. (not, sick)

대표유형 01, 02 | 가정법 과거 / 가정법 문장 전환 | 출제율 40%

01 다음 네모 (A)~(C)에서 알맞은 것을 골라 순서대로 짝지은 것은?

> • If you (A) don't / didn't live so far away, I could visit you.
> • If I (B) were / had been you, I wouldn't accept his proposal.
> • If Sam weren't old, he (C) can / could carry the box.

① don't − were − could
② don't − had been − can
③ didn't − were − can
④ didn't − had been − can
⑤ didn't − were − could

02 다음 문장을 가정법으로 바르게 바꾼 것은?

> He isn't rich, so he doesn't buy the house.

① If he is rich, he will buy the house.
② If he isn't rich, he won't buy the house.
③ If he were rich, he would buy the house.
④ He wouldn't buy the house if he weren't rich.
⑤ He wouldn't buy the house though he was rich.

통합형

03 다음 중 어법상 올바른 문장을 모두 고르면?

① If I were you, I would put a coat on.
② What will you do if you were a teacher?
③ If he understands your situation, he would help you.
④ If you didn't accept her invitation, she would be disappointed.
⑤ If he had free time, he could have spent time with his children.

>> 실전 Tip 주절과 if절의 동사 형태에 유의한다.

04 다음 중 밑줄 친 부분의 쓰임이 잘못된 것은?

① If you tried again, you would not fail.
② If the smartphone is on sale, I will buy it.
③ If I were rich, I would help poor people.
④ If the air were clean, I won't wear a mask.
⑤ If he weren't lazy, he could pass the exam.

대표유형 03, 04 | I wish 가정법 과거 / as if 가정법 과거 | 출제율 20%

05 다음 밑줄 친 부분을 바르게 고쳐 쓴 것끼리 짝지은 것은?

> • I wish my son is healthy now.
> • I wish I have enough time now.

① be − had
② were − had
③ were − will have
④ was − have had
⑤ had been − will have

06 다음 대화의 밑줄 친 부분의 의미로 가장 알맞은 것은?

> A Is she a fashion model?
> B No, she isn't. But she walks as if she were a fashion model.

① She wants to be a fashion model.
② In fact, she isn't a fashion model.
③ She doesn't walk like a fashion model.
④ She doesn't want to be a fashion model.
⑤ In fact, she doesn't like a fashion model.

07 다음 중 직설법을 가정법으로 잘못 바꾼 것은?

① In fact, he isn't crazy.
　→ He acts as if he were crazy.
② In fact, I am not dreaming.
　→ I feel as if I were dreaming.
③ I'm sorry that she isn't smarter.
　→ I wish she were smarter.
④ I'm sorry that Fred doesn't join our club.
　→ I wish Fred didn't join our club.
⑤ I'm sorry that I don't know his name.
　→ I wish I knew his name.

대표유형 01, 02 가정법 과거 / 가정법 문장 전환 출제율 40%

08 다음 문장을 직설법으로 바꿔 쓰시오. (단, 접속사로 시작할 것)

> If I weren't busy, I could go to the movies with you.
>
> →
> _____

09 다음 문장을 가정법으로 바꿔 쓰시오. (단, 접속사로 시작할 것)

> I don't have a garden, so I don't plant an apple tree.
>
> →
> _____
> _____

≫ 실전 Tip 현재 사실의 반대 상황을 가정할 때 가정법 과거를 쓴다.

10 다음 문장을 가정법 과거 문장으로 바르게 고쳐 다시 쓰시오.

> If you go to the museum today, you could meet Tylor.

→ _____

11 다음 그림의 상황을 나타내는 문장을 조건에 맞게 완성하시오.

[조건] **1.** if로 시작하는 가정법 과거 문장으로 쓸 것
　　　 2. 주어를 she로 하고, 괄호 안의 표현을 이용할 것

→ _____

(have a bike, go there, by bike)

12 다음 글에서 어법상 어색한 부분을 찾아 바르게 고쳐 쓰시오.

> Mina doesn't have breakfast, so she is always hungry in the morning. If she didn't skip breakfast, she will not be hungry in the morning. If I were her, I would get up earlier and have breakfast.

_____ → _____

대표유형 03, 04 I wish 가정법 과거 / as if 가정법 과거 출제율 20%

13 다음 글의 빈칸에 알맞은 말을 쓰시오.

> She felt as if she _____ _____ on thin ice. But in fact, she wasn't walking on thin ice.

14 다음 대화의 밑줄 친 문장에서 어법상 어색한 부분을 고쳐 문장을 다시 쓰시오.

> **A** Molly always takes her dog with her.
> **B** Right. <u>She treats her dog as if it is her child.</u>

→ _____

15 〈보기〉와 같이 괄호 안의 표현을 이용하여 우리말을 영작하시오.

> 보기　그들이 종이를 재활용하면 좋을 텐데.
> 　　　→ <u>I wish they recycled paper.</u>
> 　　　　(recycle paper)

(1) 내가 유명한 가수라면 좋을 텐데.
　　→ _____
　　(a famous singer)

(2) 그녀가 내 비밀을 모른다면 좋을 텐데.
　　→ _____
　　(know, my secret)

01 다음 빈칸에 알맞은 말이 순서대로 짝지어진 것은?

> • I wish I _____ a nice boyfriend.
> • She doesn't like him, but she talks as if she _____ him.
> • If I _____ near my school, I wouldn't be late for school.

① have − likes − lived
② have − liked − lived
③ have − likes − live
④ had − liked − live
⑤ had − liked − lived

02 다음 빈칸에 들어갈 말이 나머지와 다른 것은?

① Her sister acts as if she _____ a baby.
② I wish she _____ not late for the meeting.
③ What would you do if you _____ a fairy?
④ If I _____ absent from school, my mom will be upset.
⑤ If it _____ fine, we would spend more time at the beach.

03 다음 중 어법상 어색한 문장의 개수는?

> ⓐ He acts as if he didn't know me.
> ⓑ I wish my brother were nice to me.
> ⓒ I wish I don't wear a school uniform.
> ⓓ The boy looks as if he were a wizard.
> ⓔ If his leg didn't hurt, he won't miss the bus.
> ⓕ Daniel speaks Korean as if he were a Korean.

① 1개 ② 2개 ③ 3개 ④ 4개 ⑤ 5개

04 다음 우리말과 같은 뜻이 되도록 괄호 안의 단어를 이용하여 문장을 완성하시오.

(1) Mark의 부모님이 여기 계신다면 그를 매우 자랑스러워 하실텐데.
→ If Mark's parents _____ here, they _____ very proud of him. (be, be)

(2) 내가 달로 여행을 갈 수 있다면 좋을 텐데.
→ I wish I _____ to the moon. (travel)

05 다음 문장을 가정법으로 바꿀 때 빈칸에 알맞은 말을 쓰시오.

(1) In fact, Kate doesn't know the rumor.
→ Kate talks as if she _____.

(2) As I don't have my glasses, I can't watch the movie.
→ If I _____ my glasses, I _____ the movie.

06 다음 각 사람이 소망하는 내용을 보고, 괄호 안의 표현을 이용하여 〈보기〉와 같이 문장을 완성하시오.

Mark	내가 키가 더 크면 좋겠어.
Harry	그들이 서로 싸우지 않으면 좋겠어.
Luna	내가 스페인어를 할 수 있으면 좋겠어.

> 보기 Mark: I wish I were taller. (be tall)

(1) Harry: I wish _____.
(fight each other)

(2) Luna: I wish _____.
(speak Spanish)

최종 선택 QUIZ

어법상 옳은 문장에 ✔ 표시하세요.

01
a   If I had money, I can buy it.

b   If I had money, I could buy it.

02
a   If I met him, I could go skating.

b   If I met him, I could have went skating.

03
a   If I were not sick, I could come to the party.

b   If I am not sick, I could come to the party.

04
a   If you keep your promises, I will trust you.

b   If you keep your promises, I would trust you.

05
a   If he had a car, he could pick you up at 8.

b   If he have had a car, he could pick you up at 8.

06
a   I wish I knew all the answers.

b   I wish I have known all the answers.

07
a   He looks as if he is hungry. But he isn't hungry now.

b   He looks as if he were hungry. But he isn't hungry now.

08
a   She isn't a boss, but she acts as if she is a boss.

b   She isn't a boss, but she acts as if she were a boss.

memo

1

미래를 바꾸는 긍정의 한 마디

저는 미래가 어떻게 전개될지는 모르지만,
누가 그 미래를 결정하는지는 압니다.

오프라 윈프리(Oprah Winfrey)

오프라 윈프리는 불우한 어린 시절을 겪었지만 좌절하지 않고 열심히 노력하여
세계에서 가장 유명한 TV 토크쇼의 진행자가 되었어요.
오프라 윈프리의 성공기를 오프라이즘(Oprahism)이라 부른다고 해요.
오프라이즘이란 '인생의 성공 여부는
온전히 개인에게 달려있다'라는 뜻이랍니다.

인생의 꽃길은 다른 사람이 아닌, 오직 '나'만이 만들 수 있어요.

문제 바로 푸는 문법

1460제

LEVEL

2

ANSWERS

CHUNJAE
EDUCATION, INC.

문제

바로
푸는
문법

UNIT 01 1형식, 2형식, 3형식, 4형식

✅ 바로 체크
p. 8

01 ×　　02 ○　　03 ×　　04 ○　　05 ○　　06 quickly
07 bitter　　08 wrong　　09 to　　10 you

STEP 1 · 만만한 기초
pp. 9~11

01 ②　　02 ②　　03 happily　　04 hungry　　05 busy
06 ③　　07 was glad　　08 like　　09 ④　　10 ⑤
11 went bad　　12 are two desks in my room　　13 ①
14 ②　　15 ③　　16 ③　　17 ⑤, for him　　18 likes to
stay home　　19 some presents, the children　　20 ②
21 ①　　22 for　　23 ①　　24 ④　　25 ⑤

01 there는 동사와 주어 앞에 나와 문장을 이끌 수 있다. 이때 동사는 뒤의 주어에 맞춘다.

02 「There + 동사 + 주어」 구조에서 동사는 뒤에 나오는 주어의 인칭과 수에 맞춘다. 주어 some apples가 복수이므로 are를 쓴다.

03 1형식 문장이므로 동사 lived를 꾸미는 부사 happily가 알맞다.

04 2형식 문장에 감각동사가 쓰이면 보어로는 형용사를 쓴다. B가 '나는 음식을 좀 먹고 싶다.'라고 했으므로 문맥상 hungry가 알맞다.

05 감각동사 look의 보어로 형용사를 쓴다.

06 ③ 2형식 문장에 감각동사가 쓰이면 보어로 형용사를 쓴다. → sad

07 2형식 문장의 주격 보어로 형용사 glad가 오는 것이 알맞다.

08 「감각동사 + like + 명사(구)」 구조이다. likely: ~할 것 같은

09 주어가 3인칭 단수이고 빈칸 뒤에 명사구 an athlete이 왔으므로 looks like가 알맞다.

10 빈칸 뒤에 명사구 a good idea가 있고 내용상 '~처럼 들리다'라는 의미가 되어야 하므로 sounds like를 쓴다.

11 「상태동사 + 보어」의 순서로 배열하여 2형식 문장을 만든다.

12 「There + 동사 + 주어 + 부사구」의 어순으로 배열하여 1형식 문장을 완성한다. 주어가 복수이므로 동사는 are를 쓰는 것에 유의한다.

13 빈칸 뒤에 간접목적어와 직접목적어가 있으므로 빈칸에는 4형식을 만드는 수여동사가 와야 한다. ①의 provide는 목적어를 하나만 갖는 3형식 동사이다.

14 빈칸 뒤에 간접목적어와 직접목적어가 있으므로 빈칸에는 4형식을 만드는 수여동사가 와야 한다. ②의 introduce는 목적어를 하나만 갖는 3형식 동사이다.

15 ③을 제외한 나머지는 모두 4형식의 수여동사로 쓰여 뒤에 두 개의 목적어가 왔다. ③은 3형식이다.

16 ③ 4형식 문장에서 간접목적어 앞에 전치사는 쓰지 않는다. → me

17 cook은 3형식 문장에서 전치사 for와 함께 쓴다.

18 동사 likes 뒤에 목적어 to stay home이 오도록 배열한다.

19 4형식을 3형식으로 바꿀 때 간접목적어와 직접목적어의 위치를 바꾸고 간접목적어 앞에 전치사를 쓴다.

20 show가 쓰인 4형식 문장을 3형식으로 바꿀 때 간접목적어 앞에 to를 쓴다.

21 4형식을 3형식으로 바꿀 때 give는 간접목적어 앞에 to를 쓴다.

22 4형식을 3형식으로 바꿀 때 get은 간접목적어 앞에 for를 쓴다.

23 「주어 + 동사 + 수식어구」 구조의 1형식 문장이다.

24 「주어 + 동사 + 간접목적어 + 직접목적어」 구조의 4형식 문장이다.

25 〈보기〉와 ⑤는 「주어 + 동사 + 간접목적어 + 직접목적어」 구조의 4형식 문장이다. ①, ② 2형식 ③ 3형식 ④ 1형식

STEP 2 · 오답률 40~60% 문제
pp. 12~13

01 ⑤　　02 ④　　03 ③, ④　　04 ③　　05 ④　　06 ③
07 ②　　08 ①　　09 me the ball　　10 a friendly smile
to me　　11 his car to Dora　　12 this bag for me
13 My mom bought me a baseball cap.　　14 They look
like brave firefighters.　　15 My friend looked terribly tired
this evening.

01 「look + 형용사」는 '~하게 보이다'라는 의미이다. 부사처럼 '~하게'로 해석이 되지만 보어 자리에 형용사가 오는 것에 유의한다. friendly는 「명사 + -ly」 형태의 형용사이다.

02 빈칸 뒤에 형용사가 오는 것으로 보아 빈칸에는 2형식 동사가 들어가는 것이 알맞다. ④ eat은 목적어를 필요로 하는 동사이다.

03 '~하게 보이다'라는 의미일 때 look like 뒤에는 명사(구)가 온다.

04 ③은 주격 보어가 있는 2형식 문장이다. 나머지는 모두 1형식 문장이다.

05 ④ 주어 a lot of space가 단수이므로 동사 are는 is로 고쳐야 한다.

06 give가 쓰인 4형식 문장을 3형식으로 바꿀 때 간접목적어와 직접목적어의 위치를 바꾼 뒤 전치사 to를 간접목적어 앞에 쓴다.

07 find가 쓰인 4형식 문장을 3형식으로 바꿀 때 간접목적어 앞에 전치사 for를 쓴다. 나머지는 모두 to를 쓴다.

08 make와 ask는 4형식을 3형식으로 바꿀 때 간접목적어 앞에 각각 전치사 for, of를 쓴다.

09 3형식 문장을 4형식으로 바꿀 때 전치사를 빼고 목적어의 위치를 서로 바꾼다.

10 수여동사 give가 쓰인 4형식 문장을 3형식으로 바꿀 때 간접목적어 앞에 전치사 to를 쓴다.

11 lend가 쓰인 4형식 문장을 3형식으로 바꿀 때 간접목적어 앞에 전치사 to를 쓴다.

12 make는 3형식 문장에서 전치사 for와 함께 쓴다.

13 「주어 + 동사 + 간접목적어 + 직접목적어」의 4형식 문장으로 쓴다.

14 '~처럼 보이다'라는 의미가 되어야 하므로 동사는 look을 쓴다. 뒤에 명사구 brave firefighters가 쓰여야 하므로 look like가 되는 것에 유의한다.

15 2형식 동사 look의 보어로 형용사 tired가 와야 한다. terribly는 형용사를 수식하는 부사이다.

STEP 3 · 오답률 60~80% 문제
pp. 14-15

01 ①	02 ②	03 ①	04 ⑤	05 ⑤	06 ②
07 ⑤	08 ②				

09 teaches Spanish to us every Friday
10 to, for   11 to → for   12 I told Tom my problems. / I told my problems to Tom.   13 badly → bad   14 Your idea sounds interesting.   15 happily → happy, unhappily → unhappy, proudly → proud

01 내용상 각각 감각동사 look, feel이 들어가는 것이 알맞다. 「감각동사 + like」 뒤에는 명사(구)를 써야 한다.

02 ② looks like 뒤에 형용사 excited가 왔으므로 like를 삭제한다.

03 ①은 주격보어가 있는 2형식 문장이다. 나머지는 모두 3형식이다.

04 ① strangely → strange ② of → to ③ me → for me ④ is → are

05 ⑤ ask는 4형식 문장에서 3형식이 될 때 간접목적어 앞에 of를 쓴다. bring, tell, give, send는 모두 to를 쓴다.

06 ② 동사가 buy이므로 간접목적어 앞에 for를 쓴다. 나머지는 모두 to를 쓴다.

07 make는 3형식 문장에서 간접목적어에 해당하는 말 앞에 for를 쓴다.

08 ② 동사 cook이 있는 4형식 문장을 3형식으로 바꿀 때 간접목적어 앞에 for를 쓴다.

09 동사 teach가 쓰인 4형식 문장을 3형식으로 바꿀 때 간접목적어 앞에 to를 쓴다.

10 4형식을 3형식으로 바꿀 때 give와 make는 각각 간접목적어 앞에 to와 for를 필요로 한다.

11 buy는 3형식 문장에서 간접목적어에 해당하는 말 앞에 for를 쓴다.

12 3형식이나 4형식 문장으로 만든다. 동사 tell은 4형식을 3형식으로 바꿀 때 간접목적어 앞에 to를 쓰는 것에 유의한다.

13 상태동사 go(~하게 되다)가 쓰였으므로 보어는 형용사 bad로 고쳐야 한다.

14 「sound + 형용사」는 '~하게 들리다'라는 의미이다. 「감각동사 + like」 뒤에는 명사(구)를 쓰는 것에 유의한다.

15 감각동사 look, feel은 보어로 형용사를 쓴다. be동사의 보어로는 명사나 형용사를 쓴다.

STEP 4 · 실력 완성 테스트
p. 16

01 ①, ②   02 ③   03 careful, carefully   04 give his horse a drink / give a drink to his horse   05 (1) looks new (2) smell sweet

01 〈보기〉와 ①, ②에는 to를 써야 한다. ③, ④, ⑤ make, buy는 for, ask는 of를 쓴다.

02 (A) look은 '~하게 보이다', look at은 '~을 보다'라는 의미로, 뒤에 형용사 보어가 나오므로 looks가 들어가는 것이 알맞다. (B) 동사 smiles를 수식하는 부사 brightly가 알맞다. (C) 문맥상 matter는 '중요하다'라는 의미가 되는 것이 적절하다. 1형식 문장이 되어야 하므로 목적어 him은 올 수 없다.
[해석] Mike는 30세의 남성이지만, 그는 보통 매우 젊어 보인다. 평상시에 그는 밝고, 재치 있으며, 미소로 가득 차 있다. 그가 밝게 미소 지을 때, 그는 단지 18세의 소년으로 보인다. 중요한 것은 그의 미소이지, 나이는 관계가 없다.

03 첫 번째 빈칸에는 명사 driver를 꾸며주는 형용사 careful이, 두 번째 빈칸에는 동사 drives를 수식하는 부사 carefully가 들어가는 것이 알맞다.

04 「give + 간접목적어 + 직접목적어」의 4형식으로 쓰거나 전치사 to를 추가하여 3형식으로 쓴다.
[해석] 카우보이가 입는 모든 것은 그를 더 나은 카우보이가 되도록 돕는다. 그 큰 모자는 태양으로부터 그의 얼굴을 보호한다. 비가 올 때 그것은 우산이 된다. 게다가, 그는 모자를 물을 뜨고 말에게 물을 주는 데에도 쓴다.

05 (1) 주어가 3인칭 단수이므로 현재 시제일 때 동사 형태에 유의한다. 「look + 형용사」: ~하게 보이다 (2) 「smell + 형용사」: ~한 냄새가 나다

최종 선택 QUIZ
p. 17

01 a	02 a	03 b	04 b	05 b	06 a	07 a	08 a

UNIT 02   5형식

✔ 바로 체크
p. 18

01 ○	02 ○	03 ○	04 ×	05 ○	06 interesting
07 shake	08 famous	09 enter	10 helps		

STEP 1 · 만만한 기초
pp. 19-21

01 ④	02 ①	03 ⑤	04 ④	05 ②	06 ②
07 nervous	08 call me a fool		09 ③	10 ⑤	
11 easy	12 read → to read		13 to stop	14 ③	
15 ①	16 ②	17 sing [singing]		18 touch	
19 ④	20 made him look better		21 felt something coming toward her		
22 my brother play [playing]					
23 ④	24 ⑤	25 ⑤			

01 ④ 「주어＋동사＋목적어＋목적격 보어」의 5형식 형태가 되게 쓴다. 동사가 call이므로 목적격 보어 자리에 명사를 쓴다.

02 「주어＋동사＋목적어＋목적격 보어」의 순서가 되도록 배열하면 'We will elect her mayor.'가 된다.

03 ⑤ 「주어＋수여동사＋간접목적어＋직접목적어」의 형태로 쓰인 4형식 문장이다. 나머지는 모두 5형식 문장이다.

04 ④ 3형식 문장으로 very loudly는 동사 called를 꾸미는 부사구이다. 나머지는 모두 5형식 문장이다.

05 부사는 목적격 보어로 쓸 수 없다. careful(주의 깊은)은 형용사이다.

06 5형식 문장에서 목적격 보어 자리에 부사는 올 수 없다. 형용사 happy(행복한)만 들어갈 수 있다.

07 부사 nervously는 목적격 보어로 쓸 수 없다.

08 5형식 문장의 명령문으로 call은 동사, me는 목적어, a fool은 목적격 보어가 된다. call의 목적격 보어로는 명사가 온다.

09 동사 allow는 목적격 보어로 to부정사를 쓴다.

10 동사 keep은 목적격 보어 자리에 형용사가 온다. coolly → cool

11 동사가 find이므로 목적어 the book을 설명하는 목적격 보어로 형용사 easy가 오는 것이 알맞다.

12 ask는 목적격 보어로 to부정사를 쓴다.

13 advise는 목적격 보어로 to부정사를 쓴다.

14 ③은 4형식 문장의 직접목적어이다. 나머지는 모두 5형식 문장의 목적격 보어이다.

15 사역동사 have(~하도록 시키다)가 쓰인 5형식 문장이므로 목적격 보어 자리에 동사원형을 쓴다.

16 지각동사 hear가 쓰인 5형식 문장으로 목적격 보어 자리에 동사원형이나 현재분사를 쓴다.

17 지각동사 listen to는 목적격 보어로 동사원형이나 현재분사를 쓰므로 to sing은 sing [singing]이 되는 것이 알맞다.

18 지각동사 feel은 목적격 보어로 동사원형이나 현재분사를 쓴다.

19 ④ 준사역동사 help는 목적격 보어로 동사원형 또는 to부정사를 둘다 쓴다.

20 「make＋목적어＋목적격 보어」의 어순으로 쓴다. make가 사역동사로 쓰였으므로 목적격 보어로 동사원형 look이 쓰였다. look＋형용사: ~하게 보이다

21 「지각동사＋목적어＋목적격 보어」의 어순으로 쓴다. 지각동사의 목적격 보어 자리에는 동사원형이나 현재분사가 온다.

22 5형식 문장이 되도록 동사 saw 뒤에 목적어와 목적격 보어를 차례로 배열한다. 지각동사 see는 목적격 보어로 동사원형이나 현재분사를 쓰는 것에 유의한다.

23 준사역동사 get과 5형식 동사 expect는 목적격 보어로 to부정사가 온다.

24 ⑤ want는 목적격 보어로 to부정사를 쓴다.

25 ⑤ 준사역동사 help는 목적격 보어로 동사원형이나 to부정사를 쓴다. learning → (to) learn

STEP 2 · 오답률 40~60% 문제
pp. 22-23

> **01** ④ **02** ③ **03** ① **04** ④ **05** ⑤ **06** ②
> **07** ② **08** yell [yelling] **09** My mother saw my brother crying., My mother heard my brother crying.
> **10** Jamie's mom made [had] Jamie water the plants
> **11** the boy (to) look for a bathroom **12** I made him cross the street. **13** ③, play [playing] **14** (1) flying (2) to talk (3) a chicken **15** made the workers move the furniture

01 ④ 「주어＋수여동사＋간접목적어＋직접목적어」의 형태로 쓰인 4형식 문장이다. 나머지는 모두 5형식 문장이다.

02 첫 번째는 4형식 문장, 두 번째는 5형식 문장으로 빈칸에 공통으로 들어갈 수 있는 것은 made이다.

03 주어진 문장은 「elect＋목적어＋목적격 보어」구조로 '그들이 Jane Smith를 회장으로 선출했다.'라는 의미이다. 의미가 가장 비슷한 것은 ① 'Jane Smith는 회장이 되었다.'이다.

04 주어진 표현으로는 5형식 문장 'We chose Jack and Jenny the members of our club.'을 만들 수 있다. 목적격 보어는 목적어 Jack and Jenny를 설명하는 the members이다.

05 make의 목적격 보어로 명사나 형용사는 쓸 수 있지만 부사는 쓸 수 없다.

06 allow는 목적격 보어로 to부정사를 쓴다.

07 find는 목적격 보어로 형용사를 쓴다.

08 지각동사 hear는 목적격 보어 자리에 동사원형이나 현재분사를 쓴다.

09 목적격 보어 자리에 현재분사가 쓰였으므로 지각동사가 빈칸에 들어갈 수 있다.

10 Jamie의 엄마가 Jamie에게 식물에 물을 주게 했다는 의미이므로 사역동사 make 또는 have를 사용한다. 사역동사는 목적격 보어로 동사원형이 온다.

11 「help＋목적어＋목적격 보어」의 어순이 되게 한다. 목적격 보어 자리에는 동사원형이나 to부정사를 쓴다.

12 「주어＋동사＋목적어＋목적격 보어」의 5형식 문장을 만든다.

13 지각동사 see는 목적격 보어로 동사원형이나 현재분사를 쓴다.

14 5형식 문장에서 목적격 보어 역할을 하는 것을 쓴다.

15 사역동사 make를 이용하여 5형식 문장을 만든다. 과거 시제이므로 동사는 made로, 목적격 보어는 동사원형 move를 쓰는 것에 유의한다.

STEP 3 · 오답률 60~80% 문제
pp. 24-25

> **01** ⑤ **02** ④ **03** ①, ⑤ **04** ③ **05** ①
> **06** ③ **07** ③ **08** busily → busy **09** put → to put
> **10** This song makes me comfortable. **11** keep yourself warm **12** want my mother to be healthy **13** They found the box empty. **14** made **15** to solve → solve

01 ⑤ '그의 부모님은 그에게 멋진 책상을 만들어 주셨다.'라는 의미의 4형식 문장이 된다. 나머지는 모두 5형식이 된다.

02 마지막 문장은 4형식이고 〈보기〉와 나머지는 모두 5형식이다.

03 〈보기〉와 ①, ⑤는 5형식으로 밑줄 친 부분은 목적격 보어이다. ②, ④ 3형식 – 부사(구), ③ 4형식 – 직접목적어

04 ③ → make me laugh a lot

05 ① hear는 지각동사로 목적격 보어 자리에 동사원형이나 현재분사를 쓴다. to call → call [calling]

06 ③ 지각동사 listen to는 목적격 보어 자리에 동사원형이나 현재분사를 쓴다. to sing → sing [singing]

07 사역동사 make는 목적격 보어 자리에 동사원형이 온다. 주어 The wonderful fall morning이 3인칭 단수이므로 현재 시제가 되려면 동사는 makes로 써야 한다.

08 목적격 보어 자리에 부사는 쓸 수 없다. keep은 목적격 보어로 형용사가 온다.

09 tell은 목적격 보어로 to부정사가 온다.

10 5형식 문장이 되도록 「make + 목적어 + 목적격 보어」로 쓴다. 목적격 보어 자리에는 부사가 올 수 없으므로 comfortably를 형용사 comfortable로 바꾸고, 주어가 3인칭 단수이므로 동사는 makes로 쓴다.

11 「주어 + 동사 + 목적어 + 목적격 보어」의 순서로 쓰고 목적격 보어 자리에 쓸 warmly를 형용사 warm으로 고친다. 명령문의 실질적인 주어는 you이므로 목적어로 재귀대명사 yourself를 쓰는 것에 유의한다.

12 want는 목적격 보어로 to부정사를 쓴다.

13 「주어 + 동사 + 목적어 + 목적격 보어」의 순서가 되게 한다. find는 목적격 보어로 형용사를 취하므로 empty를 쓴다.

14 첫 번째 문장은 5형식, 두 번째 문장은 4형식이다. 목적격 보어 자리에 동사원형이 오고 4형식 문장에도 쓰일 수 있는 동사로 make가 적절하다. 시제가 과거이므로 made로 바꿔 쓴다.

15 사역동사 let은 목적격 보어로 동사원형을 쓴다.

STEP 4 · 실력 완성 테스트 p. 26

> 01 ⑤   02 ①   03 help   04 help Sue (to) carry
> 05 (1) hear him snore [snoring] (2) saw some children play [playing]   06 [모범답] My parents let me buy my clothes., My parents don't let me bring friends home.

01 ask는 목적격 보어로 to부정사가 온다. 뒤이어 「find + 목적어 + 전치사 + 목적어」 구조가 되는 것에 유의한다.

02 지각동사 hear의 목적격 보어로 동사원형이나 현재분사를 쓰므로 say [saying]이 알맞다. 사역동사 make는 목적격 보어로 동사원형이 온다.
[해석] 나는 말티즈 개를 한 마리 키운다. 그것은 무척 귀엽고 예쁘다. 가끔 내 개와 산책하러 가면 사람들이 "정말 귀여운 개를 키우시네요!"라고 말하는 것을 듣는다. 그들의 말은 나를 미소 짓게 한다.

03 문맥상 마지막 문장은 '선생님이 내게 그녀를 돕게 했다'라는 의미가 되어야 자연스럽다. 사역동사 have는 목적격 보어로 동사원형이 온다.
[해석] 나는 Janet이 피아노를 연주하는 것을 돕고 싶었다. 그래서 방과 후에 교실에서 내가 그녀를 도울 수 있는지 선생님에게 여쭤보았다. 선생님은 내가 그녀를 돕게 하셨다.

04 준사역동사 help가 들어간 5형식 문장을 만든다. 「help + 목적어 + 목적격 보어」의 어순이 되게 하고, 목적격 보어 자리에 동사원형이나 to부정사를 쓴다.

05 (1) 지각동사 hear가 들어간 5형식 문장을 만든다. 목적격 보어 자리에 동사원형이나 현재분사를 쓴다. (2) 지각동사 see가 들어간 5형식 문장을 만든다. 과거의 일이므로 과거형 saw를 쓰고 목적격 보어로 동사원형이나 현재분사를 쓴다.

06 사역동사 let이 들어간 5형식 문장을 만든다. 「let + 목적어 + 목적격 보어」의 순서가 되게 하고, 목적격 보어 자리에는 동사원형을 쓴다.

최종 선택 QUIZ p. 27

> 01 b   02 a   03 a   04 a   05 b   06 a   07 a   08 b

UNIT 03 과거, 현재, 미래 시제 / 진행 시제

✅ 바로 체크 p. 28

> 01 is   02 visited   03 learn   04 will wash   05 hosted
> 06 to wear   07 will buy   08 walking   09 is   10 has

STEP 1 · 만만한 기초 pp. 29-31

> 01 ④   02 ③   03 ①   04 ①   05 did, do, went   06 ⑤   07 ⑤   08 going to practice   09 ③
> 10 (1) I will [am going to] watch a fantasy movie. (2) I will not [won't / am not going to] watch a fantasy movie.
> 11 ⑤   12 ②   13 I am going to walk along the river.
> 14 ②, ⑤   15 ②   16 ④   17 ⑤   18 ③   19 ③
> 20 ②   21 was looking   22 He is jumping rope in the yard.   23 Lily was washing the dishes in the kitchen.
> 24 ⑤   25 ③

01 불변의 진리는 항상 현재 시제로 쓰고 역사적 사실은 항상 과거 시제로 쓴다.

yesterday는 과거를 나타내는 부사이므로 과거 시제를 써야 한다.

03 현재의 반복적인 습관을 나타내므로 현재 시제가 알맞다.

04 ① last year(작년)로 보아 과거의 일이므로 과거 시제로 써야 한다.
→ was

05 지난 토요일의 일에 대해 묻고 답하는 대화이므로 과거 시제로 써야 한다. 의문사가 있는 일반동사의 과거 시제 의문문은 「의문사＋did＋주어＋동사원형 ~?」의 형태로 쓰고, go의 과거형은 went이다.

06 ⑤ 과거를 나타내는 부사구 last night이 있으므로 과거 시제로 써야 한다. comes → came

07 next Friday는 미래를 나타내는 부사구이므로 미래 시제가 알맞다.

08 will＋동사원형 = be going to＋동사원형: ~할 것이다

09 will은 미래를 나타내는 조동사이므로 과거를 나타내는 부사구와 함께 쓸 수 없다.

10 (1) 미래 시제는 「will [be going to]＋동사원형」으로 나타낸다. (2) 미래 시제 부정문은 will과 be동사 뒤에 not을 쓴다.

11 ⑤ will 뒤에는 동사원형이 와야 한다. has → have

12 조동사 will 뒤에는 동사원형이 오고, be going 뒤에는 「to＋동사원형」이 와서 미래를 나타낸다.

13 be going to＋동사원형: ~할 것이다

14 가까운 미래의 확정된 일정은 현재 시제로 나타낼 수 있으므로 ②, ⑤가 알맞다.

15 ② 조건의 부사절에서는 현재 시제로 미래를 나타낸다. → are

16 빈칸 앞에 be동사의 현재형이 있으므로 현재진행 시제가 되도록 「동사원형＋-ing」를 쓴다.

17 과거진행 시제로 물었으므로 과거진행 시제인 was cooking으로 답해야 한다.

18 ③ tomorrow는 미래를 나타내는 부사이므로 과거진행 시제는 적절하지 않다.

19 '~하고 있다'라는 의미의 현재진행 시제는 「be동사의 현재형＋동사원형＋-ing」 형태로 쓴다.

20 ②는 현재진행 시제(is going)와 전치사(to)이고, 나머지는 모두 미래를 나타내는 be going to이다.

21 '~하고 있었다'라는 의미의 과거진행 시제는 「be동사의 과거형＋동사원형＋-ing」 형태로 쓴다.

22 현재진행 시제는 「be동사의 현재형＋동사원형＋-ing」 형태로 쓴다.

23 과거진행 시제는 「be동사의 과거형＋동사원형＋-ing」 형태로 쓴다.

24 ⑤ like는 감정을 나타내는 동사이므로 진행형으로 쓰지 않는다.

25 ③ know는 인식을 나타내는 동사이므로 진행형으로 쓰지 않는다.

STEP 2 · 오답률 40~60% 문제　　　　pp. 32-33

01 ②　　02 ③　　03 ②, ④, ⑤　　04 ②　　05 ①
06 ④　　07 ①　　08 lost　　09 (1) Jerry stayed up late at night. (2) Jerry will [is going to] stay up late at night.

---

10 (1) took a yoga lesson (2) will [is going to] shop at the traditional market　　11 (1) rains (2) moves (3) grew
12 were catching fish　　13 wants　　14 is repairing the bike　　15 was taking pictures

01 현재의 일상적인 습관은 현재 시제를 써서 표현한다. 주어가 3인칭 단수이므로 동사에 -(e)s를 붙인다.

02 ③ 역사적 사실은 항상 과거 시제로 쓴다. breaks → broke

03 next Friday는 미래를 나타내는 부사구이므로 미래를 나타내는 will과 be going to를 쓴다. 또한 정해진 일정일 때 현재 시제로 미래를 표현할 수 있고 주어가 3인칭 단수이므로 moves도 들어갈 수 있다.

04 ② 조건의 부사절에서는 미래를 현재 시제로 나타낸다. → listen

05 〈보기〉의 밑줄 친 부분은 가까운 미래의 예정된 일을 나타내는 현재진행 시제이다. ①은 현재진행되는 일을 나타내기 위해 쓰였고, 나머지는 모두 가까운 미래의 예정된 일을 나타낸다.

06 두 문장 모두 빈칸 앞에 be동사가 있고 문맥상 진행 시제가 되는 것이 적절하므로 「동사원형＋-ing」 형태를 쓴다.

07 ① own은 소유를 나타내므로 진행형으로 쓰지 않는다.

08 yesterday는 과거를 나타내는 부사이므로 과거 시제로 써야 한다.

09 (1) stay의 과거형 stayed를 쓴다. (2) 동사를 「will [be going to]＋동사원형」의 형태로 바꿔 쓴다.

10 (1) 화요일은 과거이므로 과거 시제로 쓴다. (2) 토요일은 미래이므로 미래 시제로 쓴다.

11 (1) 조건의 부사절에서는 현재 시제로 미래를 나타낸다. 주어가 3인칭 단수인 것에 유의한다. (2) 불변의 진리는 항상 현재 시제로 쓴다. (3) 작년의 일이므로 과거 시제로 쓴다.

12 '~하고 있었다'라는 의미의 과거진행 시제는 「be동사의 과거형＋동사원형＋-ing」 형태로 쓴다.

13 want는 감정을 나타내는 동사이므로 진행형으로 쓸 수 없다. 또한 문맥상 현재 시제로 쓰는 것이 적절하다.

14 now가 있으므로 현재진행 시제로 쓴다.

15 then이 있으므로 과거진행 시제로 쓴다.

STEP 3 · 오답률 60~80% 문제　　　　pp. 34-35

01 ④　　02 ①　　03 ④　　04 ③　　05 ⑤　　06 ④, ⑤　　07 ④　　08 (1) is (2) closed (3) to tell　　09 (1) will [is going to] practice dancing (2) will [is going to] see a documentary about whales　　10 I learned that water is heavier than oil.　　11 I am going to visit my uncle's farm.　　12 Jenny is waiting for her friend.　　13 We were swimming at the beach then.　　14 was riding a bike　　15 am knowing → know

01 첫 번째 빈칸: 일반적인 사실은 현재 시제로 나타낸다. Octopuses 가 복수이므로 have를 쓴다. 두 번째 빈칸: 시간의 부사절에서는 현재 시제가 미래를 나타낸다. 세 번째 빈칸: in 1996은 과거를 나타내므로 과거 시제를 쓴다.

02 첫 번째 빈칸: 가까운 미래의 확정된 일정은 현재 시제로 나타낼 수 있다. 두 번째 빈칸: 조건의 부사절에서는 현재 시제로 미래를 나타낸다.

03 ④는 「be동사＋동사원형＋-ing」가 쓰인 현재진행 시제 문장으로 to 뒤에 명사가 왔으므로 will로 바꿔 쓸 수 없다.

04 ③ 1969년에 있었던 역사적 사실이므로 과거 시제가 알맞다. lands → landed

05 ⑤ then은 과거를 나타내는 부사이므로 과거진행 시제가 알맞다. is exercising → was exercising ④ have는 '먹다, 시간을 보내다'라는 의미일 때 진행 시제로 쓸 수 있다.

06 ④ know는 인식을 나타내는 동사이므로 진행형으로 쓸 수 없다. is knowing → knows ⑤ while이 이끄는 절에 과거진행 시제가 쓰였으므로 주절의 동사도 과거형으로 쓰는 것이 알맞다. do → did

07 과거진행 시제로 물었으므로 과거진행 시제로 답하는 것이 적절하다.

08 (1) 스웨덴이 유럽에 있는 국가라는 것은 현재의 사실이므로 현재 시제가 알맞다. (2) last night으로 보아 과거의 일이므로 과거 시제로 쓴다. (3) 「be going to＋동사원형」은 미래를 나타내는 표현이다.

09 미래 시제는 「will [be going to]＋동사원형」으로 쓴다.

10 물이 기름보다 더 무겁다는 것은 불변의 진리이므로 주절과 상관없이 현재 시제로 쓴다.

11 '~할 것이다'라는 의미의 미래 시제는 will 또는 be going to로 나타내는데, 8단어로 쓰기 위해서는 be going to를 사용해야 한다.

12 '~하고 있다'라는 의미의 현재진행 시제는 「be동사의 현재형＋동사원형＋-ing」 형태로 쓴다. 주어가 3인칭 단수이므로 be동사의 현재형 is를 추가해야 한다.

13 '~하고 있었다'라는 의미의 과거진행 시제는 「be동사의 과거형＋동사원형＋-ing」 형태로 쓴다.

14 어제 오후에 무엇을 하고 있었는지 과거진행 시제로 물었으므로 과거진행 시제로 답해야 한다.

15 know는 인식을 나타내는 동사이므로 진행 시제로 쓸 수 없다.

STEP 4 · 실력 완성 테스트   p. 36

> **01** ④   **02** ③, ④   **03** ①   **04** finished, will [is going to] leave, is   **05** are going → were going, will be going to → will 또는 is going to   **06** [모범답] (1) is playing with the dog (2) is washing the car (3) is watering the flowers

01 (A) 소유를 나타내는 동사 want는 보통 진행형으로 쓰지 않는다. (B) 지난주의 일이므로 과거 시제가 알맞다. (C) 일반적인 사실이므로 현재 시제가 알맞다.

---

02 ① know는 인식을 나타내는 동사이므로 진행형으로 쓰지 않는다. is knowing → knows ② 앞에 be동사가 있으므로 진행 시제가 되어야 한다. smiled → smiling ⑤ 역사적 사실은 과거 시제로 써야 한다. writes → wrote

03 ⑥ 속담은 항상 현재 시제로 쓴다. tasted → tastes

04 첫 번째 문장의 Yesterday, 두 번째 문장의 tomorrow로 보아 각각 과거, 미래가 되는 것이 알맞다. 마지막 문장은 현재의 상태를 나타내므로 현재 시제를 쓴다.

05 두 번째 문장의 are going은 과거 시점에 진행 중인 동작을 나타내야 하므로 과거진행 시제가 되는 것이 알맞다. 다섯 번째 문장의 will be going to는 미래 시제의 표현이 겹쳐 있으므로 둘 중 하나만 쓴다. family는 집합 명사로 단수로 취급한다.

06 그림의 내용에 맞게 현재진행 시제 「be동사의 현재형＋동사원형＋-ing」를 사용하여 쓴다.

최종 선택 **QUIZ**   p. 37

> **01** a   **02** a   **03** b   **04** b   **05** a   **06** a   **07** a   **08** b

---

UNIT 04   현재완료 시제

✔ 바로 체크   p. 38

> **01** seen   **02** left   **03** eaten   **04** finished, finished
> **05** read, read   **06** been   **07** has   **08** Have
> **09** for   **10** bought

STEP 1 · 만만한 기초   pp. 39-41

> **01** ⑤   **02** ④   **03** seen   **04** have passed   **05** ⑤
> **06** ⑤   **07** Have you ever seen   **08** ④   **09** has been   **10** ④   **11** have worked   **12** Have[have]
> **13** (1) have been (2) you ever been to Disneyland   **14** ①
> **15** ①   **16** ⑤   **17** ③   **18** ②   **19** ③   **20** ②
> **21** ③   **22** ②, ④   **23** did you do   **24** ②   **25** ②

01 「since＋시점」이 있으므로 현재완료 시제를 쓴다. 주어가 3인칭 단수이므로 has known이 알맞다.

02 「for＋기간」이 있으므로 현재완료 시제를 쓴다.

03 현재완료 시제가 되어야 하므로 see의 과거분사 seen을 쓴다.

04 학교를 떠난 이후 계속된 시간의 흐름을 말하고 있으므로 현재완료 시제 have passed를 쓴다.

05 현재완료 시제 의문문에 대한 긍정의 답은 「Yes, 주어 + have [has].」이고 부정의 답은 「No, 주어 + haven't[hasn't].」이다.

06 현재완료 시제 평서문을 의문문으로 바꿀 때 have[has]가 주어 앞으로 나온다. 부정문으로 바꿀 때 have[has] 뒤에 not[never]을 쓴다.

07 현재완료 의문문 「Have + 주어 + 과거분사 ~?」의 순서가 되게 한다. ever는 주로 과거분사 앞에 쓴다.

08 현재완료 의문문은 「Have [Has] + 주어 + 과거분사 ~?」의 형태이다. ever는 주로 과거분사 앞에 쓴다.

09 일주일 전부터 지금까지 계속 아픈 상태이므로 현재완료 시제를 쓴다.

10 과거부터 현재까지 지속된 일이므로 현재완료 시제를 쓴다. 주어가 3인칭 단수이므로 has lived가 알맞다.

11 과거부터 현재까지 지속되는 상황을 나타내므로 현재완료 시제로 쓴다.

12 말을 타 본 경험이 있는지 묻고 답하는 대화가 되는 것이 알맞으므로 현재완료 시제가 어울린다. 따라서 빈칸에는 have가 들어가야 한다.

13 현재완료 긍정문은 「주어 + have [has] + 과거분사」, 현재완료 의문문은 「Have[Has] + 주어 + 과거분사 ~?」의 어순으로 쓴다.

14 〈보기〉와 ①은 계속을 나타낸다. ②, ⑤ 완료 ③, ④ 경험

15 ①은 결과를 나타낸다. 〈보기〉와 나머지는 경험을 나타낸다.

16 ⑤는 계속, 나머지는 모두 경험을 나타낸다.

17 ③은 경험, 나머지는 모두 완료를 나타낸다.

18 '~에 갔다 왔다, ~에 가 본 적이 있다'라는 경험의 의미가 되어야 하고 주어가 3인칭 단수이므로 has been을 쓴다.

19 러시아에 가서 지금 여기에 없다는 의미이므로 결과를 나타내는 현재완료 용법이 되도록 has gone을 쓴다.

20 ② 과거를 나타내는 부사구 last year가 있으므로 현재완료 시제를 쓸 수 없다. → built

21 ③ 분명한 과거를 나타내는 부사 yesterday가 있으므로 현재완료 시제로 쓸 수 없다. has died → died

22 ②, ④ at 12와 last summer는 과거를 나타내는 부사구이므로 현재완료 시제는 쓸 수 없다. has started → started, has been → was

23 의문사 when은 보통 현재완료와 함께 쓸 수 없다.

24 과거 시점을 나타내는 a week ago가 있으므로 과거 시제를 쓴다.

25 last Monday가 명확한 과거를 나타내고 있으므로 과거 시제를 쓴다.

01 현재완료 의문문에 대한 긍정의 답은 「Yes, 주어 + have [has].」이고 부정의 답은 「No, 주어 + haven't[hasn't].」이다. 의문문의 주어가 you이므로 대답은 I로 한다.

02 ② 현재완료 부정문이 되도록 「has + never + 과거분사」의 순서로 쓴다.

03 Olivia는 어제 열쇠를 잃어버렸고 지금도 갖고 있지 않은 상태이므로 현재완료 시제로 표현한다.

04 과거부터 현재까지 지속되는 상태이므로 현재완료 시제로 쓴다.

05 ②는 결과, ⑤는 계속이고, 〈보기〉와 나머지는 경험이다.

06 특정 시점의 과거부터 현재까지 계속되는 일을 설명하고 있으므로 현재완료 시제 have studied와 접속사 since가 알맞다.

07 마지막 A의 말은 현재완료 시제의 완료 용법이 되는 것이 적절하므로 빈칸에는 부사 just가 들어가는 것이 알맞다.

08 과거에 그녀가 유럽에 가서 지금 여기에 없다는 내용이므로 현재완료의 결과 용법 has gone을 쓴다.

09 〈보기〉와 ⓐ, ⓑ, ⓒ는 계속, ⓓ, ⓔ는 완료이다.

10 Jean은 현재 서울에 없다고 했으므로 '~로 가버려서 지금 없다'라는 결과의 의미가 되도록 has gone으로 쓰는 것이 알맞다.

11 A의 말에 Have가 있으므로 현재완료 의문문이 되도록 과거분사를 쓴다. B의 말에 yesterday가 있으므로 과거 시제를 쓴다. read는 동사의 현재형과 과거형, 과거분사형이 read로 동일한 것에 유의한다.

12 A의 말에 Have가 있으므로 현재완료 의문문이 되도록 과거분사 tried를 쓴다. B의 말에 last weekend라는 명확한 과거 시점이 있으므로 과거형 ate를 써서 과거 시제를 만든다.

13 과거를 나타내는 부사 yesterday가 있으므로 과거 시제를 쓴다.

14 B의 말이 '2013년 이래로.'라는 의미이므로, 현재완료를 써서 현재까지 이어지는 기간을 묻는 질문이 되게 한다.

15 ② 부사구 Since then이 있으므로, 과거에서 현재까지 계속된 상태를 나타내는 현재완료 have graduated가 적절하다.

[해석] Phoenix 미술 학교는 1995년에 설립되었습니다. 그 이후로 수천 명의 학생들이 Phoenix를 졸업했습니다. 오늘날 그들은 자신의 일을 훌륭히 하고 있습니다. 우리는 그들이 자랑스럽습니다. 저는 여러분도 성공적인 예술가가 될 것이라고 확신합니다.

STEP 2 · 오답률 40~60% 문제
pp. 42-43

01 ①	**02** ②	**03** ①	**04** ③	**05** ②, ⑤	**06** ⑤

07 ①   **08** has gone   **09** ⓐ, ⓑ, ⓒ   **10** has gone
11 read, read   **12** tried, ate   **13** attended   **14** How long
have you lived in this house   **15** ②, have graduated

STEP 3 · 오답률 60~80% 문제
pp. 44-45

01 ④	**02** ①	**03** ⑤	**04** ①	**05** ①	**06** ②

07 ③, ⑤   **08** saw, have not seen   **09** ⑤ have been
→ was   **10** ① am lived → have lived, ③ knew → have
known   **11** Yes, I have.   **12** Have you ever been
to   **13** She has worked here for 20 years.   **14** gone
→ been   **15** I have read *Matilda* twice.

01 (A)와 ⓒ는 완료, (B)와 ⓐ는 경험, (C)와 ⓑ는 계속 용법이다.

02 ① have[has] gone to: ~에 가고 없다(결과)

03 ⑤ 첫 번째 문장은 Lucy가 3시간 동안 책을 읽어왔다는 의미로 현재완료 계속 용법이 쓰였다. 두 번째 문장은 Lucy가 3시간 전에 책을 다 읽었다는 의미이다. ①, ②, ③ 완료 ④ 경험

04 현재완료 계속 용법이 쓰인 문장으로 빈칸 뒤에 기간을 나타내는 표현이 있으므로 for가 적절하다.

05 빈칸 뒤에 기간을 나타내는 말이 있으므로 for를 쓴다. since 뒤에는 시점이 나온다. ago나 when은 현재완료 시제와 함께 쓸 수 없다.

06 ② last night은 명확한 과거를 나타내므로 현재완료 시제에 쓸 수 없다.

07 ③, ⑤ just now는 '방금'이라는 의미이고, during the last weekend는 '지난 주말 동안'이라는 의미로 과거의 기간을 나타내므로 현재완료와 쓸 수 없다.

08 A의 말에 yesterday라는 분명한 과거를 나타내는 부사가 있으므로 첫 번째 빈칸에는 과거 시제 saw를 쓴다. B의 말에 yet이 있으므로 '아직 보지 않았다'라는 의미가 되도록 현재완료 부정 have not seen을 쓴다.

09 특정한 과거 시점에 있었던 일이므로 과거 시제를 쓴다.
[해석] **A** 너 어제 백화점에 갔니? **B** 아니, 왜? **A** 너 안 갔어? 흠, 그거 이상하다. 나는 3시 경에 거기에서 너를 봤다고 생각했거든. **B** 3시? 나는 집에 있었어.

10 ①, ③ 모두 의미상 과거의 일이 현재까지 계속되는 현재완료가 되는 것이 알맞다.
[해석] 나는 2006년 이래로 여수에서 살았다. 나는 여기에 좋은 친구들이 많이 있다. 나는 그들을 오랜 시간 동안 알았다. 나는 최근에는 새로운 한국인 친구를 사귀지 않았다. 하지만, 요즘에는 인터넷에서 외국인 친구들을 몇몇 사귀고 있다. 그것은 정말 재미있다.

11 현재완료 질문에 대한 응답이고 내용상 긍정의 의미가 되어야 하므로 Yes, I have.가 알맞다.

12 B가 작년 겨울에 방콕에 갔었다고 답했으므로 A에는 방콕에 간 경험이 있는지를 묻는 현재완료 시제 의문문이 들어가는 것이 알맞다.

13 기간을 나타내는 부사구 「for + 기간」을 넣어 현재완료 시제 문장으로 쓴다.

14 have gone이라고 물어보면 '가고 없다'라는 의미이므로 2인칭 상대방에게 물어볼 수 없다. B의 응답으로 보아 경험을 묻는 질문이 되는 것이 알맞다.

15 현재 시점까지 《마틸다》를 두 번 읽었다는 의미가 되도록 현재완료 시제 「have + 과거분사」를 쓴다.

STEP 4 · 실력 완성 테스트   p. 46

01 ③, ⑤   **02** ①   **03** ②, ③, ④   **04** (A) last (B) for (C) ago (D) since   **05** has used, for   **06** • I have not [haven't] known Sora for a long time, but Minji has known Sora for a long time. • I have finished my homework, but Minji has not [hasn't] finished her homework.

01 현재완료의 부정문은 「have[has] + not[never] + 과거분사」, 의문사가 없는 의문문은 「Have[Has] + 주어 + 과거분사 ~?」의 형태로 쓴다.

02 〈보기〉와 첫 번째, 다섯 번째 문장은 결과이다. 두 번째 문장은 완료, 세 번째 문장은 경험, 네 번째 문장은 계속이다.

03 ② 현재완료 의문문에 대한 긍정의 답은 Yes, I have.이다. ③ 앞의 did로 보아 eat이 알맞다. ④ 뒤에 명확한 과거를 나타내는 last Friday가 있으므로 ate이 알맞다.
[해석] **A** 너 Hot Pizza에서 먹어 본 적 있니? **B** 응, 먹어 봤어. **A** 거기에서 언제 먹었니? **B** 우리 가족은 지난 금요일에 거기에서 먹었어. 너는? **A** 나? 나는 거기에서 먹어 본 적이 없어.

04 (A) 과거 시제가 쓰였으므로 '지난 여름'이라는 의미가 되도록 last를 쓴다. (B) 빈칸 뒤에 '7년'이라는 기간이 나왔으므로 for를 쓴다. (C) 과거 시제가 쓰였으므로 '2년 전에'라는 의미가 되도록 ago를 쓴다. (D) 빈칸 뒤에 '지난 주말'이라는 특정 시점이 나왔으므로 since를 쓴다.

05 과거부터 지금까지 계속 사용하는 것이고 3년이라는 기간이 있으므로 현재완료 has used와 전치사 for를 쓴다.

06 표의 내용에 맞게 현재완료의 긍정문과 부정문을 쓴다.

최종 선택 QUIZ   p. 47

01 b   **02** b   **03** b   **04** a   **05** a   **06** a   **07** a   **08** b

---

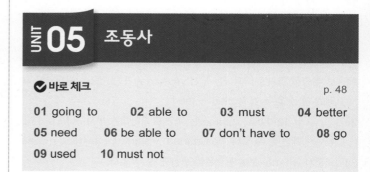

UNIT 05 조동사

✅ 바로 체크   p. 48

01 going to   **02** able to   **03** must   **04** better
05 need   **06** be able to   **07** don't have to   **08** go
09 used   **10** must not

STEP 1 · 만만한 기초   pp. 49–51

01 ④   **02** ③   **03** (m)ay   **04** ⑤   **05** (1) May
(2) will   **06** ②   **07** ⑤   **08** must[should] not
09 must[should] not   **10** am not going to, had better
not   **11** ②   **12** ⑤   **13** have to   **14** be able to
15 ②   **16** ③   **17** ⑤   **18** ①   **19** ⑤   **20** ②
21 ④   **22** ④   **23** ④   **24** ②   **25** ③

01 강한 '의무'를 나타내는 must가 적절하다.

02 현재 지속되지 않는 과거의 습관을 나타내는 used to(~하곤 했다)가 들어가는 것이 알맞다.

03 may: ~일지도 모른다 (추측)

04 설거지를 해야 한다는 '의무'를 나타내는 should가 알맞다.
[해석] **A** James, 네 차례야. 너 설거지해야 해. **B** 알아요, 알아요. **A** 컴퓨터 게임 그만하고 지금 당장 설거지해!

---

05 (1) may: ~해도 된다 (허가) (2) will: ~할 것이다 (미래 예측)

06 don't have to: ~할 필요가 없다

07 오늘은 날이 맑아 우산을 가져가지 않아도 된다는 의미가 되는 것이 적절하다. don't have to: ~할 필요가 없다

08 내용상 '금지'를 표현하는 must[should] not이 들어가는 것이 알맞다.

09 금지의 의미이므로 must not이나 should not이 적절하다.

10 첫 번째 문장에는 미래를 나타내는 표현인 be going to의 부정이 알맞다. 두 번째 문장에는 had better(~하는 것이 좋다)의 부정이 알맞다.

11 ② don't have to(~할 필요가 없다)의 과거형은 didn't have to로 쓴다.

12 ⑤ 조동사는 두 개를 나란히 쓸 수 없으므로 will be able to(~할 수 있을 것이다)를 쓴다.

13 will 뒤에 조동사 must를 쓸 수 없으므로 같은 의미의 have to를 쓴다.

14 조동사는 연이어 쓸 수 없으므로 will 뒤에 가능의 의미를 나타내는 be able to를 쓴다.

15 〈보기〉와 ②의 may는 '~해도 된다'라는 의미로 '허가'를 나타내고, 나머지는 모두 '~일지도 모른다'라는 의미로 '추측'을 나타낸다.

16 ③의 may는 '~일지도 모른다'라는 의미로 '추측'을 나타내고, 나머지 may는 모두 '~해도 된다'라는 의미로 '허가'를 나타낸다.

17 ⑤는 '강한 추측'을, 〈보기〉와 나머지는 '~해야 한다'라는 의미로 '의무'를 나타낸다.

18 '~해도 된다'라는 '허가'의 의미를 나타내는 may는 can으로 바꿔 쓸 수 있다.

19 don't have to = don't need to(~할 필요가 없다)

20 be able to는 can과 같은 의미이다. 부정문이므로 cannot으로 쓴다.

21 must와 have to는 모두 '의무'를 나타낸다. 주어가 3인칭 단수이므로 has to가 알맞다.

22 ④ 지금 해야 하는 일이므로 have to clean으로 고쳐야 한다.

23 ④ '~하는 것이 좋다'라는 의미는 had better로, 그 부정은 had better not으로 나타낸다.

24 학교에 늦지 않기 위해서 빨리 일어나야 한다는 '의무'의 표현이 되어야 하므로 must가 적절하다.

25 ③ 주어가 we이므로 have to로 쓰는 것이 알맞다.

01 문맥상 '의무'를 나타내는 조동사 should(~해야 한다)가 적절하다.
[해석] **A** 너 무척 피곤해 보인다. 내 생각엔 네가 식사 후에 비타민을 먹어야 할 것 같아. **B** 정말? 나는 어떤 종류의 약도 먹고 싶지 않아.

02 used to: ~하곤 했다 (과거의 습관), ~이었다 (과거의 상태)

03 첫 번째 빈칸에는 '조언'하는 내용이 되도록 should를 쓴다. 두 번째 빈칸에는 I'm not sure가 있으므로 '약한 추측'을 의미하는 may를 쓴다. 세 번째 빈칸에는 '과거의 상태'를 나타내는 used to를 쓴다.

04 첫 번째 빈칸: could not[couldn't] (~할 수 없었다) 두 번째 빈칸: had to (~해야 했다)

05 ⑤ don't have to(~할 필요가 없다) → 입을 필요가 없다

06 ④의 must는 '~임에 틀림없다'라는 '강한 추측'을 나타내고, 나머지는 모두 '~해야 한다'라는 '의무'를 나타낸다.

07 〈보기〉와 ④의 may는 '~일지도 모른다'라는 '약한 추측'을 나타낸다. ①, ⑤의 may는 '~해도 된다'라는 '허가'를 의미한다. ②의 may는 '기원'의 의미이다. ③의 May는 조동사가 아닌 명사 '5월'이다.

08 첫 번째 빈칸: can(허가) = may 두 번째 빈칸: had better(조언) = should 세 번째 빈칸: must(의무) = have[has] to

09 주어진 문장이 부정명령문이므로 '~하지 않는 게 낫다'라는 의미가 되도록 「had better not + 동사원형」으로 쓴다.

10 「have to + 동사원형」의 어순으로 쓴다.

11 조동사 may의 부정은 「may not + 동사원형」의 어순으로 쓴다.

12 「used to + 동사원형」: ~하곤 했다 (과거의 습관)

13 「주어 + should + 동사원형」의 순서로 배열한다. 동사 open이 여는 대상은 '너의 마음'이므로 your mind를 목적어로 쓴다.

14 네 번째 문장에서 조동사는 연달아 쓸 수 없다. will can → will be able to

15 doesn't have to 뒤에는 동사원형을 쓴다.

STEP 3 · 오답률 60~80% 문제   pp. 54-55

01 ④   02 ②   03 ④   04 ⑤   05 ⑤   06 ③, ⑤
07 ①, ③   08 ①   09 (1) I will have my way. (2) You must [should] speak English in the class.   10 You don't have to take off your shoes.   11 be able to   12 must not, used to   13 [모범답] should do your homework / should listen to the teacher / should study harder / should not watch TV a lot   14 (1) There used to be a small park next to my house. (2) The man was able to memorize new words easily.   15 She used to take care of the cats on the street.

01 두 절이 but으로 연결되므로 긍정-부정이나 부정-긍정의 흐름이 알맞다. 내용 전개상 '~해야 했으나, …할 수 없었다'가 적절하다.

STEP 2 · 오답률 40~60% 문제   pp. 52-53

01 ①   02 ⑤   03 ③   04 ⑤   05 ⑤   06 ④
07 ④   08 May, should, has to   09 had better not play   10 you have to be careful   11 She may not run a marathon again.   12 used to go   13 you should open your mind   14 You will be able to use the service soon.   15 doesn't have to see a doctor

02 뒤에 이어지는 내용으로 보아 '~ 아닐 수도 있다'라는 '약한 추측'의 의미인 may not이 들어가는 것이 알맞다.

[해석] 나는 내 과학 선생님이 내 이름을 아직 모르실 수도 있다고 생각한다. 그래서 다음번에 나는 선생님에게 나를 소개할 것이다. 그렇게 하면, 선생님은 나를 기억하실 것이다.

03 문맥상 각각 had better(~하는 것이 좋다)와 have to의 과거형 had to(~해야 했다)가 되는 것이 적절하므로 빈칸에는 had가 알맞다.

04 공기의 특징을 설명하고 있는 글이다. 문맥상 '~할 수 없다'라는 의미의 현재 시제인 are not able to가 되어야 한다.

[해석] 공기는 색이 없기 때문에 우리는 그것을 볼 수 없다. 공기는 냄새가 없기 때문에 우리는 그것의 냄새를 맡을 수 없다. 공기는 아무 맛도 없기 때문에 우리는 그것을 맛볼 수 없다.

05 ⑤ doesn't have to 뒤에 동사원형이 와야 한다. going → go

06 문맥상 어머니는 세탁을 하고 아이들은 설거지를 해야 한다는 내용이 되도록 '의무'를 나타내는 should나 have to가 들어가야 알맞다.

[해석] 어머니가 아이들에게 말한다. "좋아, 나는 빨래를 할게. 하지만 너희들은 설거지를 해야 한단다."

07 don't have[need] to / need not: ~할 필요가 없다

08 ① don't have to: ~할 필요가 없다, should not: ~하면 안된다 (금지)

09 (1) be going to = will (~하겠다) (2) have to = must[should] (~해야 한다)

10 don't have to: ~할 필요가 없다

11 미래의 가능성을 묻고 있으므로 「Will + 주어 + be able to ~?」로 쓴다.

[해석] A 회의에 오실 수 있나요? B 그것은 언제 시작하죠?
A 세 시요. B 참석할 수 있을 것 같아요.

12 첫 번째 문장: '금지'를 나타내는 must not이 알맞다. 두 번째 문장: 과거의 상태를 나타내는 used to가 알맞다.

13 점수를 잘 받기 위해 해야 하는 것과 하지 말아야 하는 것을 구분하여 문장을 만든다.

14 (1) 지금이 아닌 과거의 상태를 나타내는 「used to + 동사원형」으로 쓴다. (2) can의 과거형 could가 쓰였으므로 be able to를 사용하여 바꿀 때 be동사를 과거형으로 쓴다.

15 「used to + 동사원형」의 형태로 써야 하므로 took을 take로 고쳐 쓴다.

STEP 4 · 실력 완성 테스트　　　　　　　p. 56

01 ①, ⑤　　**02** ②　　**03** ③　　**04** · We should not eat snacks (in class). · We should not use cell phones (in class). · We should bring textbooks (to class). · We should listen carefully (to the teacher in class).　**05** (1) Is Bom able to make some cookies? (2) Will Seonho be able to take my advice? (3) Is Eunji able to carry the bag?　　**06** (1) It will rain heavily tomorrow. (2) We don't have[need] to / need not cancel the picnic.

01 ① be going to는 미래를 나타내는 표현이고 '~하는 것이 좋다'는 had better를 쓰는 것이 알맞다. ⑤ '~일 리가 없다'는 강한 추측은 cannot[can't]으로 표현한다. should not은 '금지'의 의미이다.

02 〈보기〉와 세 번째 문장의 must는 '~임에 틀림없다'라는 '강한 추측'의 의미이고, 나머지는 모두 '~해야 한다'라는 '의무'의 의미이다.

03 ⓑ don't → doesn't ⓔ looked → look

04 「should + 동사원형」, 「should not + 동사원형」의 형태로 쓴다.

05 「Will + 주어 + be able to ~?」 또는 「Be동사 + 주어 + able to ~?」의 어순이 되도록 쓴다.

06 (1) 미래에 대한 예상이므로 조동사 will을 쓰는 것이 알맞다. (2) '~할 필요가 없다'라는 의미는 don't have[need] to / need not을 사용해 나타낸다.

최종 선택 QUIZ　　　　　　　　　　　p. 57

01 b　**02** b　**03** b　**04** a　**05** b　**06** a　**07** b　**08** a

UNIT 06　to부정사의 용법 1

✅ 바로 체크　　　　　　　　　　　p. 58

01 write　**02** to dance　**03** not to eat　**04** To help
05 how　**06** to　**07** what　**08** It　**09** for　**10** of

STEP 1 · 만만한 기초　　　　　　　pp. 59~61

01 ④　**02** ②　**03** ②　**04** ②　**05** I tried to catch
06 ②　**07** ③　**08** not to be late　**09** to not go → not to go　**10** I hope not to disturb you with my questions.
11 ②　**12** where　**13** how to　**14** ④　**15** It
16 to speak　**17** ①　**18** ①　**19** ③　**20** ④
21 ②　**22** of　**23** ①　**24** ④　**25** ②

01 동사 try의 목적어 역할을 하는 to부정사가 와야 한다.

02 ②를 제외한 나머지는 문장의 목적어(①, ⑤), 주어(③), 보어(④) 역할을 하는 to부정사이다. ②의 to는 전치사이다.

03 빈칸 뒤의 to부정사가 목적어나 보어 등과 같은 문장의 구성 요소가 되려면 빈칸에는 동사가 와야 한다.

04 want와 would like 뒤에는 모두 동사의 목적어 역할을 할 수 있는 to부정사가 오는 것이 자연스럽다.

05 문맥상 '(새우를) 잡으려고 해 보았다'라는 의미가 되는 것이 적절하므로 「주어＋동사(tried)＋to부정사(to catch)」의 어순으로 배열한다. tried는 목적어로 to부정사를 쓴다.

[해석] **A** 너 새우를 잡고 싶니? **B** 응, 몇 마리를 잡으려고 해 봤는데, 쉽지 않았어. **A** 내가 잡는 방법을 알려 줄게. **B** 그거 좋다!

06 ① 동사 like의 목적어가 되어야 하므로, to부정사나 동명사 형태로 써야 한다. ③, ④ to부정사는 「to＋동사원형」의 형태이다. ⑤ 동사 need의 목적어가 되어야 하므로 use는 to부정사 형태로 써야 한다.

07 문맥상 'Chris는 중요한 단어를 잊지 않기 위해 최선을 다했다.'라는 의미가 되는 것이 적절하므로 to부정사의 부정을 만든다. to부정사의 부정은 to부정사 앞에 not이나 never를 써서 나타낸다.

08 「not＋to＋동사원형」의 순서가 되도록 단어를 배열한다.

09 to부정사의 부정은 to부정사 앞에 not이나 never를 쓴다.

10 '내 질문으로 당신을 귀찮게 하지 않기를 바란다.'라는 의미가 되는 것이 자연스러우므로, to부정사의 부정을 만든다.

11 '무엇'에 해당하는 의문사는 what이다.

12 '어디'에 해당하는 의문사는 where이다.

13 「의문사＋주어＋should＋동사원형」＝「의문사＋to부정사」

14 주어 자리의 It은 가주어이므로 뒤에 진주어 to부정사가 필요하다.

15-16 to부정사구가 주어로 쓰일 때에는 보통 가주어 It을 앞에 쓰고, to부정사구를 뒤에 쓴다.

17 ① 주어로 쓰이는 to부정사구를 대신하는 가주어는 It으로 쓴다.

18 ② That → It ③ to reads → to read ④ to cheating → to cheat ⑤ memorized → memorize

19 ③ to부정사구가 주어일 때 가주어는 It으로 쓴다. That → It

20 〈보기〉와 ④는 가주어로 쓰였다. ① '그것'이라는 뜻의 대명사 ② 요일을 나타내는 비인칭 주어 ③ 거리를 나타내는 비인칭 주어 ⑤ 명암을 나타내는 비인칭 주어

21 to부정사의 의미상 주어는 「for／of＋목적격」으로 나타낸다. of는 사람의 성격을 나타내는 형용사와 주로 함께 쓰인다.

22 to부정사의 의미상 주어는 「for／of＋목적격」으로 나타낸다. 사람의 성격을 나타내는 형용사(foolish)가 쓰였으므로, 전치사 of가 알맞다.

23 전치사 for를 사용하여 의미상 주어를 나타내고 있으므로, 사람의 성격을 나타내는 형용사는 쓸 수 없다.

24 ④ to부정사의 의미상 주어는 「for/of＋목적격」으로 나타낸다. 앞에 형용사 difficult가 쓰였으므로 to는 for가 되는 것이 알맞다.

25 rude(무례한)는 사람의 성격을 나타내는 형용사이므로, 전치사 of를 사용하여 의미상 주어를 표현해야 한다.

STEP 2 · 오답률 40~60% 문제　　pp. 62-63

01 ④, ⑤	02 ①	03 ③	04 ④	05 ③	06 ②

07 ③　　08 ③　　09 for → to　　10 how to solve
11 I should visit in Jeju　　12 It is good to keep a diary in English.　　13 for him　　14 ⓐ, It is impossible for him to do that.　　15 It was foolish of her to make the same mistake again.

01 대화의 밑줄 친 부분과 ④, ⑤는 명사적 용법의 to부정사이다. ①과 ②는 형용사적 용법의 to부정사이다. ③ 부사구로 쓰였다.

02 모두 명사적 용법의 to부정사이다. ①은 보어 역할을 하고 나머지는 모두 목적어 역할을 한다.

03 ① 내 개와 산책하는 것은 재미있다. ② 프랑스어로 읽는 것은 쉽지 않다. ③ 나는 그와 같은 친구를 사귀고 싶다. ≠ 그는 내 친구가 되고 싶어 한다. ④ 모형 비행기를 만드는 것은 내 취미이다. ⑤ 나는 그 영화를 보고 싶다.

04 ① not to crying → not to cry ② to get not lost → not to get lost ③ to don't fail → not to fail ⑤ to not be → not to be

05 to부정사의 부정 형태(not＋to＋동사원형)로 나타낸다.

06 앞의 빈칸에는 가주어 It, 뒤의 빈칸에는 실제 주어 역할을 하는 to부정사의 to가 와야 한다.

07 ⓐ, ⓑ, ⓒ는 날씨와 계절의 비인칭 주어이고, ⓓ와 ⓔ는 가주어이다.

08 ③ 사람의 성격을 나타내는 형용사 careless가 있으므로 to부정사의 의미상 주어를 나타낼 때 전치사 of를 쓴다.

09 '어떤 책을 골라야 할지'라는 의미가 되는 것이 적절하므로 「의문사＋to부정사」 형태로 만든다.

10 '~하는 방법'이라는 의미는 「how＋to부정사」로 나타낸다.

11 「의문사＋to부정사」＝「의문사＋주어＋should＋동사원형」

12 to부정사구가 주어로 쓰일 때에는 대개 가주어 It을 앞에 쓴다.

13 to부정사의 의미상 주어는 일반적으로 「for＋목적격」으로 나타낸다.

14 ⓐ에 쓰인 형용사 impossible은 사람의 성격을 나타내는 표현이 아니므로 of 대신 for를 써야 한다.

15 to부정사의 의미상 주어는 「for／of＋목적격」으로 나타낸다. 앞에 사람의 성격을 나타내는 형용사 foolish가 있으므로 of를 쓴다.

STEP 3 · 오답률 60~80% 문제　　pp. 64-65

01 ③	02 ③, ④	03 ③	04 ④	05 ④

06 ②, ④, ⑤　　07 ③, ⑤　　08 ①, ②, ④　　09 not to swim in the river　　10 to not to think → not to think
11 Who(m) to invite　　12 If you want to travel, you have to choose where you should go and when you should start.　　13 of him to do his homework　　14 of, to waste
15 It is natural for him to get angry.

01 ③ 동사 exchange가 목적어 역할을 해야 하므로 to부정사 형태가 되는 것이 알맞다. exchange → to exchange

02 ③과 ④는 주어, ①, ②, ⑤는 동사의 목적어로 쓰였다. ④에서 진주어 to부정사가 뒤에, 가주어 It이 앞에 쓰인 것에 유의한다.

03 ① grew → grow ② sees → see ④ attend → to attend ⑤ to taking → to take

04 「의문사＋to부정사」 구문에서 의문사 why는 사용하지 않는다.

05 「의문사＋to부정사」＝「의문사＋주어＋should＋동사원형」

06 〈보기〉와 ①, ③의 It은 진주어가 to부정사인 문장의 가주어이다. ②는 날씨를 나타내는 비인칭 주어이고 ④와 ⑤는 대명사이다.

07 ① for she → for her ② to having → to have ④ for him → of him

08 ① of → for ② for → of ④ of → for

09 [해석] **Jane** 이 강은 아름다워요. 저는 여기에서 수영하고 싶어요. **엄마** 안 돼. 아무 강에서나 수영하는 건 위험하단다. **Jane** 알았어요. 안 할게요. → Jane은 강에서 수영하지 않겠다고 약속했다.

10 to부정사의 부정은 「not[never]＋to부정사」로 쓴다.

11 '누구를 ~할지'는 「who(m)＋to부정사」로 나타낸다.

12 「의문사＋to부정사」＝「의문사＋주어＋should＋동사원형」

13 do one's homework(숙제를 하다)을 진주어 to부정사구의 형태로 나타낸다. 주어로 to부정사가 쓰일 때에는 보통 가주어 It을 앞에 쓰고, to부정사구는 뒤에 쓴다.

14 [해석] **A** John은 불필요한 물건들을 사는 데 돈을 모두 낭비했어. **B** 정말 어리석구나! → John이 불필요한 물건들을 사는 데 돈을 모두 낭비한 것은 어리석었다.

15 to부정사의 의미상 주어는 「for＋목적격」으로 나타낸다.

04 「what＋to부정사」는 '무엇을 ~할지'라는 의미이고, 「how＋to부정사」는 '어떻게 ~할지'라는 의미이다.

05 (1) to부정사의 의미상 주어가 나타나야 하므로 「for＋목적격」을 쓴다. (2) to부정사의 부정은 앞에 not를 쓴다.

06 「의문사＋to부정사」＝「의문사＋주어＋should＋동사원형」

최종 선택 QUIZ   p. 67

01 b	02 b	03 b	04 a	05 a	06 a	07 a	08 b

UNIT 07 to부정사의 용법 2

✔ **바로 체크**   p. 68

01 to meet **02** to hear **03** difficult to learn **04** to wear **05** live in **06** hungry enough **07** to move **08** can **09** cannot **10** to find, to eat

---

STEP 4 · 실력 완성 테스트   p. 66

01 (1) ② (2) ④ **02** ③ **03** I wanted to be a pilot **04** how to say, what to say **05** (1) be dangerous for you to swim in the deep pool (2) did you decide not to buy the bicycle **06** didn't know where she should ask for help

01 (1) 문맥상 '(매일) 연습하려고 계획하다'라는 의미가 되어야 하므로 ②가 적절하다.
[해석] 동준이네 축구 팀 멤버들은 이번 일요일에 축구 경기에 나갈 것이다. 그래서 그들은 이번 주에 매일 연습할 계획이다.
(2) 아이스크림을 많이 먹고 배가 아팠으므로, 문맥상 '(찬 음식을 많이) 먹지 않기로 결심했다'라는 의미가 되는 것이 자연스럽다. decide는 to부정사를 목적어로 취하며, to부정사의 부정은 앞에 not을 쓴다.
[해석] 지나는 한 번에 아이스크림 두 컵을 먹고 심각한 복통을 겪었다. 그녀는 찬 음식을 많이 먹지 않기로 결심했다.

02 ⓑ to visits → to visit ⓓ keep → to keep

03 동사 want의 목적어로 to부정사가 오는 것이 알맞다.

STEP 1 · 만만한 기초   pp. 69~71

01 ⑤	**02** to do	**03** ②	**04** something spicy to eat
05 ②	**06** ③	**07** ⑤, sit on	**08** ④ **09** to
10 ③	**11** ride	**12** to attend the meeting	**13** ④
14 to play	**15** ③	**16** ⑤ **17** ⑤ **18** to	**19** ④
20 ②	**21** too	**22** ③ **23** ⑤ **24** ③	**25** is smart enough to solve

01 문맥상 '~할'이라는 의미의 to부정사의 형용사적 용법이 알맞다.

02 명사 work를 수식하는 형용사적 용법의 to부정사가 되어야 한다.

03 '~할 시간이다'라는 뜻으로 time 뒤에 「for＋명사」 또는 to부정사를 쓴다. 따라서 빈칸 뒤에 동사가 있는 ②가 알맞다.

04 형용사적 용법의 to부정사가 대명사 something을 꾸미며, 또 다른 형용사 spicy는 something을 뒤에서 꾸며야 하므로, 「something＋형용사＋to부정사」의 어순으로 쓴다.

05 ① → to complete ③ → to help ④ → to sell ⑤ → to listen

06 ③을 제외한 나머지는 빈칸 뒤에 동사원형이 쓰였으므로, to부정사 형태가 자연스럽다. ③에는 for가 자연스럽다.

07 ⑤ sit on a chair라고 쓰는 것이 알맞으므로, sit 뒤에는 전치사 on 이 필요하다.

08 문맥상 '삼촌을 방문하기 위해'라는 목적의 의미를 나타내는 부사적 용법의 to부정사가 와야 자연스럽다.

09 목적을 나타내는 부사적 용법의 to부정사가 되는 것이 자연스럽다.
[해석] **A** 너는 왜 영어를 공부하니? **B** 나는 다른 나라에서 온 사람들과 이야기하고 외국을 여행하기 위해 영어를 공부해.

10 ③ 문맥상 목적을 나타내는 to부정사가 되는 것이 알맞다. to부정사는 「to + 동사원형」으로 쓴다.

11 목적을 나타내는 to부정사 「to + 동사원형」의 형태가 되게 한다.

12 목적을 나타내는 to부정사가 쓰이도록 「to + 동사원형(attend) + 목적어(the meeting)」의 순서로 배열한다.

13 ④는 목적을 나타내는 to부정사가 되어야 한다. → to buy

14 목적을 나타내는 부사적 용법의 to부정사를 사용한다.

15 〈보기〉와 ③은 목적을 나타내는 부사적 용법이다. ① 명사적 용법(보어) ② 부사적 용법(결과) ④ 형용사적 용법 ⑤ 명사적 용법(목적어)

16 ①~④는 앞에 나온 명사를 꾸미는 형용사적 용법이고, ⑤는 문장의 보어 역할을 하는 명사적 용법이다.

17 ①~④는 목적을 나타내는 부사적 용법이고, ⑤는 동사의 목적어 역할을 하는 명사적 용법이다.

18 첫 번째 빈칸에는 '운전면허를 따기 위해'라는 의미의 목적을 나타내는 표현이 필요하고, 두 번째 빈칸에는 a car를 수식하는 '운전할'이라는 의미의 표현이 필요하므로 to부정사가 되게 한다.
[해석] Brown 씨는 운전면허를 따려고 열심히 노력했다. 마침내 그는 면허를 땄다. 그러나 그는 운전할 차가 없었다.

19 각각 '빌리기 위해'라는 의미(목적)와 '되는 것'이라는 의미(보어)가 되도록 to부정사가 되는 것이 알맞다. become은 동명사(becoming)로 고쳐 쓸 수도 있다.

20 '…하기에 너무 ~한'이라는 부정의 의미를 나타낼 때 「too ~ to」를 사용한다.

21 「too + 형용사 + to부정사」: …하기에 너무 ~한

22 「형용사 + enough + to부정사」의 어순이 되게 한다.

23 「too + 형용사 + to부정사」: …하기에 너무 ~한 / 「형용사 + enough + to부정사」: …할 만큼 충분히 ~한

24 「too ~ to」는 「so ~ that … can't」로 바꿔 쓸 수 있다. 시제가 현재이고, pants를 복수 대명사로 바꿔야 하므로 ③이 알맞다.

25 「형용사 + enough + to부정사」: …할 만큼 충분히 ~한

STEP 2 · 오답률 40~60% 문제
pp. 72-73

01 ④   02 ①   03 ①   04 ⑤   05 ③   06 ②
07 ①   08 My uncle was glad to get a job.   09 turned on the TV to watch a talk show   10 five children to take care of   11 The boy needs someone to talk to [with].
12 He is too lazy to exercise every morning.   13 so, that   14 too, to   15 The word is too long to memorize.

---

01 소라가 새 가방이 필요해 쇼핑을 가자고 하고 있다. 빈칸에는 '새 가방을 사기 위해'라는 의미의 목적을 나타내는 to부정사가 들어간다.

02 ①은 빈칸 뒤에 명사가 이어지므로 전치사 for가 들어가는 것이 자연스럽다. 나머지는 모두 앞의 명사를 꾸미는 to부정사가 되도록 to가 들어가는 것이 알맞다.

03 맨 앞에는 buy의 목적어가 되는 명사(a present)가 오고, 뒤에는 명사를 꾸며 주는 to부정사구가 와야 자연스럽다.

04 ⑤ '이 방에 앉을 의자가 있습니까?'라는 의미가 되도록 to sit on a chair는 a chair to sit on이 되는 것이 알맞다.

05 〈보기〉와 ③의 to부정사는 앞에 쓰인 명사를 꾸며 주는 형용사적 용법으로 쓰였다. ① 부사적 용법(결과) ② 명사적 용법(목적어) ④ 부사적 용법(목적) ⑤ 명사적 용법(보어)

06 ②의 to부정사는 앞의 명사를 꾸며 주는 형용사적 용법으로 사용되었다. 나머지는 모두 목적을 나타내는 부사적 용법이다.

07 ①은 목적을 나타내는 부사적 용법의 to부정사이고 〈보기〉와 나머지는 명사를 수식하는 형용사적 용법의 to부정사이다.

08 감정의 원인을 나타내는 to부정사를 사용한다. 과거 시제인 것에 유의한다.

09 Nancy의 행동과 그 행동의 의도를 한 문장으로 만들어야 하므로, 행동의 목적을 나타내는 부사적 용법의 to부정사를 쓴다.

10 '~해야 할'이라는 의미의 to부정사를 써서 앞의 명사 five children을 꾸미게 한다.

11 'talk to [with] someone'의 관계이므로 to부정사 뒤에 전치사를 써야 한다.

12 「too ~ to부정사」: …하기에 너무 ~한

13 「형용사 + enough + to부정사」 = 「so + 형용사 + that + 주어 + can + 동사원형」

14 「so + 형용사 + that + 주어 + can't + 동사원형」 = 「too + 형용사 + to부정사」

15 「주어 + 동사 + too + 형용사 + to부정사구」의 순서로 쓴다.

STEP 3 · 오답률 60~80% 문제
pp. 74-75

01 ①, ④   02 ③   03 ②, ④, ⑤   04 ①   05 ③, ④   06 ②, ⑤   07 ②   08 [모범답] He grew up to be a famous actor.   09 I was pleased to meet him again.
10 Ann hopes to have a friend to play with.   11 something long to use as a ruler   12 anything bad to hurt someone   13 hungry that he can eat   14 [모범답] Judy got up too late to catch the first train.   15 [모범답] Harry was humorous enough to make everyone laugh.

01 ① to sit → to sit on ④ to taught → to teach

02 ① some pictures를 수식하는 to부정사가 되어야 한다. → to show ② 전치사는 to부정사 뒤에 써야 한다. → to talk with ④ 결과를 나타내는 to부정사가 와야 자연스럽다. → to be ⑤ 감정의 원인을 나타내는 to부정사가 되어야 한다. → to break

03 ①, ③은 각각 뒤에 명사, 동명사가 있으므로 전치사 for를 쓴다. 나머지는 모두 to부정사의 to나 전치사 to를 쓴다. ② to부정사의 부사적 용법(감정의 원인), ④ 전치사 to, 「look forward to+(동)명사」: ~을 고대하다 ⑤ to부정사의 명사적 용법(보어)

04 ①은 동사의 목적어 역할을 하는 명사적 용법의 to부정사이다. 나머지는 모두 행동의 목적을 나타내는 부사적 용법의 to부정사이다.

05 〈보기〉와 ①, ②, ⑤는 형용사적 용법으로 쓰인 to부정사이다. ③ 목적을 나타내는 부사적 용법 ④ 목적어로 쓰인 명사적 용법

06 「형용사+enough+to부정사」 구문이므로, to 뒤에 동사원형이 아닌 말이 오는 ②와 ⑤는 부적절하다.

07 ① salt → salty ③ short too → too short ④ to putting → to put ⑤ enough smart → smart enough

08 결과를 나타내는 to부정사의 부사적 용법을 쓴다.

09 to부정사를 사용하여 감정의 원인을 나타낸다.

10 hope의 목적어가 되는 to부정사와 a friend를 꾸며 주는 to부정사를 활용한다. '같이 놀'이라는 의미를 완성하기 위해 play 뒤에 전치사 with를 쓰는 것에 주의한다.

11 '자로 이용할 만한 긴 무엇'이라는 의미가 되도록 단어를 배열한다. 「something+형용사+to부정사」의 형태로 쓰는 것에 유의한다.

12 「anything+형용사+형용사+to부정사구」의 어순으로 배열한다.

13 「형용사+enough+to부정사」=「so+형용사+that+주어+can+동사원형」

14 「too ~ to」(…하기에 너무 ~한)를 이용하여 문장을 만든다.

15 「형용사+enough+to부정사」 구문으로 문장을 만든다.

STEP 4 · 실력 완성 테스트
p. 76

01 ⑤ **02** ③ **03** too sad to have lunch **04** (1) to eat (2) to go (3) to buy **05** (1) listens to music to relax (2) goes out every evening to walk her dog 또는 goes out to walk her dog every evening **06** [모범답] Please give me something cold to drink.

01 ⓐ, ⓔ 감정의 원인을 나타내는 to부정사의 부사적 용법 ⓑ, ⓒ to부정사의 형용사적 용법 ⓓ, ⓕ 목적을 나타내는 to부정사의 부사적 용법

02 ⓐ enough old → old enough ⓒ to write → to write on ⓔ shy too → too shy

03 대화의 내용상, 'Elly는 오늘 점심을 먹을 수 없을 정도로 너무 슬펐다.'라는 의미의 문장을 완성하는 것이 자연스럽다.
[해석] **A** Elly는 오늘 점심을 먹지 않았어. **B** 그녀에게 무슨 일이 있니? **A** 강아지를 잃어버렸대. **B** 아, 그래서 그녀가 오늘 슬퍼 보였구나.

04 (1)은 '먹을'이라는 의미로 something을 꾸미는 형용사적 용법, (2)는 decided의 목적어 역할을 하는 명사적 용법, (3)은 '사기 위해'라는 목적의 의미인 부사적 용법의 to부정사가 되는 것이 적절하다.
[해석] 나는 무척 배가 고팠다. 그래서 나는 먹을 것을 찾았다. 부엌에는 아무것도 없었다. 나는 화가 났다. 나는 음식을 사러 슈퍼마켓에 가기로 결심했다.

05 행동의 목적을 나타내는 to부정사를 사용하여 문장을 완성한다.

06 [해석] 당신은 방금 마라톤 경기를 끝마쳤다. 무척 더운 날이다. 당신은 뭐라고 말하겠는가? → 시원한 마실 것을 주세요.

최종 선택 QUIZ
p. 77

01 b **02** a **03** a **04** a **05** b **06** b **07** a **08** b

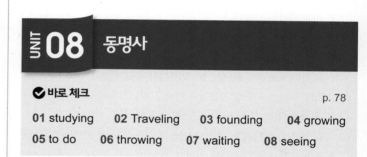

UNIT 08 동명사

✔ 바로 체크
p. 78

01 studying **02** Traveling **03** founding **04** growing **05** to do **06** throwing **07** waiting **08** seeing

STEP 1 · 만만한 기초
pp. 79~81

01 ③ **02** ④ **03** ④ **04** dancing **05** ③ **06** ①, ④ **07** ① **08** ①, ③ **09** are interested in cooking **10** ④ **11** drawing **12** playing **13** ③ **14** ④ **15** laughing **16** ④ **17** ⑤ **18** ② **19** ③, ⑤ **20** ③ **21** talking **22** to work **23** ④ **24** read → reading **25** ②

01 ① coming ② stopping ④ cutting ⑤ planting

02 ④ lie의 동명사형은 lying이다.

03 전치사의 목적어가 필요하므로 동명사 형태로 써야 한다. -e로 끝나는 동사는 -e를 삭제하고 -ing를 붙인다.

04 전치사의 목적어 역할을 하며 and로 singing과 병렬 연결되는 동명사 dancing이 알맞다.

05 〈보기〉와 ③은 보어로 쓰인 동명사이다. ①, ⑤는 전치사의 목적어, ②는 동사의 목적어, ④는 주어로 쓰인 동명사이다.

06 〈보기〉와 ①~⑤는 모두 동명사이다. 〈보기〉와 ②, ③, ⑤는 목적어로 쓰였고, ①은 주어, ④는 보어로 쓰였다.

07 동명사가 주어로 쓰이면 단수 취급하므로 ①은 어색하다.

08 동사 like의 목적어 역할을 해야 하므로 ① 동사원형이나 ③ 동사의 과거형이 들어가는 것은 어색하다.

09 be interested in: ~에 관심이 있다, 동명사는 전치사의 목적어로 쓰일 수 있다.

10 〈보기〉와 ④는 보어 역할을 하는 동명사이다. 나머지는 모두 진행형을 만드는 현재분사이다.

11 동사의 목적어 역할을 하는 동명사나 진행 시제에 쓰이는 현재분사는 「동사원형+-ing」 형태로 쓴다.

12 첫 번째 문장에는 practice의 목적어 역할을 하는 동명사, 두 번째 문장에는 진행형을 만드는 현재분사가 필요하다. 동명사와 현재분사는 모두 「동사원형+-ing」 형태이다.

13 ③의 running은 현재분사이고, 나머지는 모두 동명사이다.

14 「look forward to -ing」: ~하기를 고대하다

15 「can't help -ing」: ~하지 않을 수 없다

16 「be busy -ing」: ~하느라 바쁘다

17 ①~④는 모두 to부정사를 목적어로 쓰는 동사이다. ⑤ like는 to부정사와 동명사 모두를 목적어로 쓸 수 있다.

18 ② decide는 to부정사를 목적어로 쓰는 동사이다.

19 begin은 to부정사와 동명사 모두를 목적어로 쓸 수 있다.

20 mind는 목적어로 동명사를 쓰는 동사이다.

21 keep은 동명사를 목적어로 쓰는 동사이다.

22 agree는 to부정사를 목적어로 쓰는 동사이다.

23 「forget+동명사」: ~한 것을 잊다, 「forget+to부정사」: ~할 것을 잊다, 동사는 과거 시제로 쓰는 것에 유의한다.

24 문맥상 read는 enjoy의 목적어 역할을 해야 한다. enjoy는 목적어로 동명사를 쓴다.

25 ② practice는 동명사를 목적어로 쓰는 동사이다. → singing

STEP 2 · 오답률 40~60% 문제
pp. 82-83

01 ①	02 ③	03 ④	04 ①	05 ⑤	06 ③, ④

07 ④　**08** ④　**09** reading, listening　**10** wasting　**11** interested in collecting old things　**12** to move → moving　**13** (1) asking (2) eating　**14** Keeping pets is helpful to the patients.　**15** Taking care of children is hard.

01 ①은 명사 child를 꾸며 주는 현재분사이다. 〈보기〉와 나머지는 모두 동명사이다.

02 ③은 진행형을 만드는 현재분사이고, 나머지는 모두 동명사이다.

03 〈보기〉와 ④는 동명사이고, 나머지는 모두 현재분사이다.

04 ① hope는 to부정사를 목적어로 쓰는 동사이다.

05 ⑤ avoid는 동명사를 목적어로 쓰는 동사이다. to go → going

06 begin은 to부정사와 동명사 모두를 목적어로 쓸 수 있다.

07 「remember+동명사」: ~한 것을 기억하다, 「remember+to부정사」: ~할 것을 기억하다

08 want는 to부정사를 목적어로 쓰는 동사이고, practice는 동명사를 목적어로 쓰는 동사이다.

09 동사 like의 목적어로 동명사와 to부정사를 모두 쓸 수 있는데, 한 단어가 되어야 하므로 동명사가 알맞다.

10 문맥상 '나무를 보호하고 싶다면, 종이를 낭비하는 것을 멈추세요.'라는 의미가 되는 것이 적절하므로 동명사 wasting을 쓴다. *cf.* 「stop+to부정사」: ~하기 위해 멈추다

11 be interested in 뒤에 전치사 in의 목적어 역할을 하는 동명사구가 오도록 배열한다.

12 have difficulty -ing: ~하는 데 어려움을 겪다

13 (1) It is no use -ing: ~해도 소용없다 (2) feel like -ing: ~하고 싶다

14 동명사 주어는 단수로 취급하므로 is가 되는 것이 알맞다.

15 '~하는 것'이라는 의미의 주어 역할을 하기 위해 동사 take를 동명사 taking으로 쓴다. 동명사 주어는 단수 취급하므로 is를 쓰는 것에 유의한다.

STEP 3 · 오답률 60~80% 문제
pp. 84-85

01 ③	02 ④	03 ③	04 ④	05 ②	06 ④

07 ②, ⑤　**08** ③　**09** I am good at finding differences between the pictures.　**10** Would you mind waiting for a moment?　**11** His dream is publishing his own book.　**12** Do you remember seeing Paul at the theater?　**13** having, answering　**14** [모범답] stop[quit] playing computer games　**15** ⓐ → I can finish cooking the pizza soon., ⓒ → Don't drink too much water before going to bed.

01 ⓐ 보어 ⓑ 주어 ⓒ, ⓓ 목적어

02 주어 역할을 하는 동명사는 단수로 취급한다.

03 ③ 전치사 on의 목적어가 되어야 하므로 동사 sing은 동명사 singing으로 고쳐야 한다.

04 ④는 진행형을 만드는 현재분사이다. ①, ②, ⑤는 동사의 목적어 역할을 하는 동명사이고 ③은 전치사의 목적어 역할을 하는 동명사이다.

05 ⓐ, ⓓ 현재진행 시제에 쓰인 현재분사 ⓑ 보어로 쓰인 동명사 ⓒ 주어로 쓰인 동명사

06 첫 번째 빈칸에는 like의 목적어 역할을 하는 동명사나 to부정사, 두 번째 빈칸에는 enjoy의 목적어 역할을 하는 동명사를 써야 한다.

07 give up 뒤에는 목적어로 명사나 동명사 형태가 올 수 있다.

08 ⓐ~ⓓ는 모두 동명사를 목적어로 쓰는 동사이다. pretend의 목적어로는 to부정사를 쓴다.

09 be good at(~을 잘하다) 뒤에 전치사 at의 목적어 역할을 하는 동명사구가 오도록 배열한다.

10 「Would you mind+동명사 ~?」: ~해 주시겠어요?

11 동사 publish가 문장의 보어 역할을 해야 하므로 동명사나 to부정사의 형태가 되어야 하는데, 7단어로 써야 하므로 동명사로 쓴다.

12 「remember + 동명사」: ~한 것을 기억하다, 「remember + to부정사」: ~할 것을 기억하다

13 빈칸은 각각 전치사와 동사 avoid의 목적어 자리이므로 동명사가 들어가는 것이 알맞다. have lunch: 점심을 먹다, answer questions: 질문에 답하다

[해석] **A** Kelly, 너 배고프지 않니? **B** 모르겠어. **A** 음, 나랑 같이 점심 먹을래? **B** 모르겠어. **A** 너 왜 오늘 내 질문에 답하는 걸 피하니? 화났니?

14 [해석] **엄마** 너 또 컴퓨터 게임을 했구나. 이건 심각한 문제 같아. **Bill** 다시는 그러지 않을게요. 걱정 마세요, 엄마.
→ Bill은 컴퓨터 게임 하는 것을 그만두기로 약속했다.

15 ⓐ cook이 finish의 목적어로 쓰였으므로 동명사 형태가 되어야 한다. ⓒ to go는 전치사 before의 목적어인 동명사 going이 되는 것이 알맞다.

STEP 4 · 실력 완성 테스트　　　　　　　p. 86

01 ⑤　**02** ②　**03** ①　**04** (1) to make → making (2) calling → to call　**05** (1) explaining [to explain] (2) dealing (3) talking [to talk]　**06** Her plan is spending more time with her parents.

01 ⓐ 그녀는 축구 경기를 보려고 걸음을 멈추었다. ⓑ 그녀는 축구 경기를 보기로 결정했다. ⓔ 그녀는 축구 경기를 보기로 계획했다. ⓒ와 ⓓ는 동명사를 목적어로 쓰는 동사이다.

02 ⓑ know → knowing ⓒ close → closing ⓕ answering → to answer

03 (가) 「stop + 동명사」: ~을 그만두다, 「stop + to부정사」: ~하기 위해 멈추다 (나) 「try + 동명사」: 시험 삼아 ~해 보다, 「try + to부정사」: ~하기 위해 노력하다

04 (1) to make는 전치사 in의 목적어 자리에 오므로 동명사 형태가 되어야 한다. (2) 부사절로 보아 앞으로 해야 할 일을 잊지 말라고 하는 것이므로 동명사 calling은 to부정사 형태로 바꿔야 한다.

05 (1) 보어 역할을 하는 동명사나 to부정사를 쓴다. (2) 전치사의 목적어 역할을 하는 동명사를 쓴다. (3) like의 목적어 역할을 하는 동명사나 to부정사를 쓴다.
[해석] Thompson 씨는 미술관에서 일한다. 그의 일은 방문객들에게 작품을 설명하는 것이다. 그는 어린 방문객들을 다루는 데 능숙하다. 그는 아이들과 이야기하는 것을 좋아한다.

06 동명사가 보어가 되도록 문장을 만든다.

최종 선택 QUIZ　　　　　　　p. 87

01 b　**02** a　**03** a　**04** a　**05** a　**06** a　**07** b　**08** a

---

✔ 바로 체크　　　　　　　p. 88

01 used　**02** making　**03** going　**04** breaking, broken
05 taking, taken　　**06** doing　　**07** depressed
08 making　**09** parked　　**10** satisfied

STEP 1 · 만만한 기초　　　　　　pp. 89–91

01 ③　**02** ④　**03** ④　**04** ②　**05** ③　**06** ②
07 dancing　**08** smiling　**09** ②　**10** There were three broken windows　**11** (1) ⓐ (2) ⓑ (3) ⓒ (4) ⓓ (5) ⓓ (6) ⓑ　**12** ①　**13** ③　**14** ④　**15** (1) collecting (2) climbing　**16** ④　**17** ③　**18** ②　**19** ④　**20** interesting scene　**21** ④　**22** ③　**23** ③　**24** ②　**25** ③

01 ③ read의 과거분사는 read이다.

02 ④ see – seeing – seen

03 ④ take – took – taken – taking

04 ② 명사 ship을 수식하며 능동의 의미가 되도록 현재분사 sailing으로 고치는 것이 적절하다.

05 ③ 첫 번째 빈칸에는 be동사 뒤에서 진행 시제를 만드는 현재분사가 들어가고, 두 번째 빈칸은 목적격 보어 자리로 수동의 의미를 나타내는 과거분사가 들어가는 것이 알맞다.

06 〈보기〉와 ②는 뒤의 명사를 수식하는 과거분사이다. ①, ⑤ 수동태에 쓰인 과거분사 ③, ④ 현재완료 시제에 쓰인 과거분사

07 엄마가 춤을 추고 있는 것은 진행, 능동의 의미이므로 현재분사를 쓴다.

08 소녀가 웃고 있는 것은 진행, 능동의 의미이므로 현재분사를 쓴다.

09 ② 동사의 시제는 과거로 하고 나뭇잎이 떨어지는 것이므로 진행의 의미가 되도록 현재분사 falling을 쓴다. a fallen leaf: 낙엽(떨어진 잎)

10 「There + 동사 + 주어」의 어순으로 쓰고 수를 나타내는 three와 상태를 나타내는 broken이 명사 windows를 순서대로 꾸미도록 배열한다.

11 현재분사와 동명사의 쓰임을 파악한다.

12 ① 현재진행 시제에 쓰인 현재분사이다. 나머지는 모두 주어로 쓰인 동명사이다.

13 ③은 명사를 수식하는 현재분사이다. ①, ④, ⑤ 주어로 쓰인 동명사, ② 주격 보어로 쓰인 동명사

14 〈보기〉와 ④는 각각 주어, 목적어로 쓰인 동명사이다. 나머지는 모두 뒤에 나오는 명사를 꾸며주는 현재분사이다.

15 (1) 주격 보어로 동명사를 쓴다. (2) 현재진행 시제이므로 현재분사를 쓴다.

16 ④는 현재진행 시제에 쓰인 현재분사이다. ①, ② 동사의 목적어로 쓰인 동명사 ③ 전치사의 목적어로 쓰인 동명사 ⑤ 주격 보어로 쓰인 동명사

17 전치사의 목적어 역할을 하는 동명사가 들어가는 것이 알맞다.

18 현재진행 시제가 되도록 현재분사가 들어가는 것이 알맞다.

19 ④ 첫 번째 문장의 빈칸에는 '~한 감정을 느끼게 되는'이라는 수동의 의미가 되도록 excited, 두 번째 문장의 빈칸에는 '~한 감정을 느끼게 하는'이라는 능동의 의미가 되도록 exciting이 들어가는 것이 알맞다.

20 '장면'이 '흥미를 일으키는' 것이므로 능동의 의미를 가진 현재분사 interesting으로 쓴다.

21 A의 말에서는 소문이 누군가를 놀라게 하는 것이므로 현재분사, B의 말에서는 내가 실망하게 되는 것이므로 과거분사를 쓴다.

22 책이 사람을 흥미롭게 하거나 지루하게 하는 주체이므로 현재분사 interesting, boring이 알맞다.

23 ③ 영화가 신이 나게 하는 것이므로 능동의 현재분사를 쓴다.

24 ② 주어 I가 감정을 느끼는 주체이므로 interesting을 interested로 고친다.

25 ③ 주어가 감정을 느끼게 된 것이므로 수동의 의미가 되도록 excited를 써야 한다.

STEP 2 · 오답률 40~60% 문제
pp. 92~93

01 ④	02 ②	03 ②	04 ①	05 ②	06 ④
07 ③	08 ④	09 invited		10 (1) drawing (2) used	

11 ③, injured　12 interesting　13 confusing → confused
14 shocked, shaking　15 (1) depressed (2) exciting

01 ④는 현재진행 시제에 쓰인 현재분사이다. 나머지는 모두 명사를 수식하는 현재분사이다.

02 ② 소녀가 피아노를 연주하고 있는 것이므로 능동의 의미가 되도록 과거분사 played를 현재분사 playing으로 고쳐야 한다.

03 ② 의자는 칠해지는 대상이므로 수동의 의미를 나타내는 과거분사 painted가 알맞다.

04 〈보기〉의 밑줄 친 부분은 주어로 쓰인 동명사이고 ①은 현재진행 시제에 쓰인 현재분사이다. ② 주격 보어로 쓰인 동명사 ③ 동사의 목적어로 쓰인 동명사 ④, ⑤ 전치사의 목적어로 쓰인 동명사

05 〈보기〉와 ②의 밑줄 친 부분은 명사의 용도를 나타내는 동명사이다. 나머지는 모두 현재분사이다.

06 ④ talking은 현재분사로 진행 시제를 만든다. (Jane은 춤을 더 잘 추는 법에 관해 이야기하고 있다.)

07 ③ 과거진행 시제에 쓰인 현재분사이다. 나머지는 모두 동명사이다.

08 ④ 명사를 꾸미는 현재분사이다. 나머지는 모두 동명사이다.

09 첫 번째 빈칸: 주어가 '초대 받는' 것이므로 과거분사 invited를 쓴다. 두 번째 빈칸: 명사 The children이 '초대 받는' 것이므로 수동의 의미로 수식하는 과거분사 invited를 쓴다.

10 (1) 명사 The boy와의 관계가 능동이 되어야 하므로 현재분사 drawing이 알맞다. (2) 명사 car와의 관계가 수동이 되어야 하므로 과거분사 used가 알맞다.

11 흐름상 운전자는 부상을 '당하는' 것이므로 수동의 의미가 있는 과거분사 injured가 되는 것이 알맞다.

[해석] 도로에서 자동차 사고가 있었다. 사고로 부상을 당한 운전자는 병원에 실려 갔다.

12 드라마가 사람이 흥미를 느끼도록 만드는 것이므로 능동의 현재분사를 쓴다.

13 confusing은 '~한 감정을 느끼는'이라는 수동의 의미가 되도록 과거분사 confused가 되는 것이 알맞다.

14 첫 번째 문장에서 Alex는 감정을 느끼는 주체이므로 빈칸에 감정의 과거분사를 쓰고, 두 번째 문장의 빈칸에는 능동의 의미로 hands를 꾸미는 현재분사가 들어가야 한다.

15 (1) 주어가 감정을 느끼게 된 것이므로 과거분사로 고친다. (2) things가 기분을 좋게 하는 것이므로 능동의 의미가 있는 현재분사로 고친다.

STEP 3 · 오답률 60~80% 문제
pp. 94~95

01 ①	02 ⑤	03 ①, ②, ④	04 ②	05 ③
06 ①	07 ②	08 ②, ⑤	09 (1) ⓐ (2) ⓑ	

10 looking, sleeping　11 (1) living (2) called (3) hearing
12 had his sweater cleaned　13 ③, lying　14 interested, interested, interesting　15 (1) I saw a moving movie. (2) Why was the doctor embarrassed?

01 ① 창문이 닫히는 것이므로 수동의 의미로 명사를 수식하는 과거분사를 쓴다.

02 ⑤ 각각 명사를 수식하는 능동의 현재분사와 현재진행 시제의 현재분사가 되는 것이 알맞다.

03 〈보기〉와 ①, ②, ④의 과거분사는 명사를 수식한다. ③, ⑤ 현재완료 시제에 쓰인 과거분사

04 ② 각각 목적격 보어가 되고 과거진행 시제을 만드는 현재분사를 쓰는 것이 알맞다.

05 ③ 첫 번째 빈칸에는 시험 결과가 실망을 주는 것이므로 능동의 현재분사, 두 번째 빈칸에는 Eric이 실망스러운 감정을 느낀 것이므로 수동의 과거분사를 쓴다.

06 ① 첫 번째 빈칸에는 사람이 감정을 느끼게 되므로 과거분사 excited, 두 번째 빈칸에는 축구 경기가 감정을 일으키므로 현재분사 exciting이 알맞다.

07 ② 뮤직비디오가 내게 흥미를 갖게 하는 것이므로 능동의 현재분사를 쓴다. interested → interesting

08 〈보기〉와 ⑤의 밑줄 친 부분은 명사를 수식하는 현재분사이고, ②는 진행 시제에 쓰인 현재분사이다. 나머지는 모두 동명사이다.

09 (1) smoking room(흡연실)과 swimming pool(수영장)은 「동명사 + 명사」이다. (2) smoking man(흡연하는 남자)과 swimming dog(수영하는 개)는 현재분사가 명사를 수식하는 구조이다.

10 각각 현재진행 시제에 쓰인 현재분사, 명사의 용도를 나타내는 동명사를 쓴다.

11 (1) 앞의 명사를 수식하는 현재분사를 쓴다. (2) 기계가 ENIAC이라고 불리는 것이므로 수동을 의미하는 과거분사를 쓴다. (3) 전치사의

목적어 역할을 하는 동명사를 쓴다.

12 스웨터가 세탁되는 것이므로 수동의 의미를 나타내는 과거분사를 목적격 보어 자리에 쓴다. 과거 시제를 쓰는 것에 유의한다.

13 ③ '지갑이 놓여 있다'라는 능동의 의미가 되어야 하므로 lying으로 써야 한다.
[해석] 어제 나는 버스 정류장에서 버스를 기다리고 있었다. 놀랍게도 나는 내 앞에 지갑이 놓여 있는 것을 보았다. 그것은 매우 낡고 닳아 보였다.

14 첫 번째와 두 번째 빈칸에는 주어가 흥미를 느끼게 되는 것이므로 과거분사를 쓴다. 세 번째 빈칸에는 뒤의 명사가 흥미를 불러 일으키는 것이므로 능동의 현재분사를 쓴다.
[해석] **A** 네가 요즘 관심 있어 하는 것은 뭐니? **B** 나는 웹툰 읽는 것에 관심이 있어. 너는? **A** 나도 웹툰 읽는 것을 좋아해.

15 (1) 영화가 감동을 주는 것이므로 능동의 현재분사로 바꿔 moving으로 쓴다. (2) 의사가 당황스러운 감정을 느끼게 되는 것이므로 수동의 과거분사로 바꿔 embarrassed로 쓴다.

STEP 4 · 실력 완성 테스트
p. 96

01 ②　　**02** ①, ③, ⑤　　**03** ①, written by Mr. Brown
04 (A) ⓐ, ⓕ (B) ⓑ, ⓒ, ⓓ, ⓔ　**05** (1) walking around the house　(2) made in China　(3) playing the guitar

01 (A) 명사와 분사와의 관계가 수동이어야 하므로 called가 알맞다. (B) 문장의 주어 역할을 하는 동명사 Keeping이 알맞다. (C) 주어 I가 감정을 느끼는 것이므로 과거분사 excited가 알맞다.

02 〈보기〉의 빈칸에는 공장이 차를 생산하는 것이므로 능동의 현재분사 making이 들어가는 것이 알맞다. ①, ③에는 동명사 making이, ⑤에는 현재진행 시제를 만드는 현재분사 making이 알맞다. ②에는 목적을 의미하는 to부정사 to make, ④에는 동사의 과거형 made가 들어가는 것이 적절하다.

03 명사 the book과 분사가 수동의 관계여야 하므로 writing은 과거분사 written이 되는 것이 알맞다.
[해석] 이것은 Brown 씨가 쓴 책이다. 나는 오랫동안 그를 알아 왔다. 우리는 영시 연구회에서 처음에 만났다. 우리는 곧 좋은 친구가 되었고 종종 문학에 관해 대화하려고 만났다.

04 (A)는 현재진행 시제에 쓰인 현재분사이고 (B)는 전치사의 목적어로 쓰인 동명사이다. ⓐ 과거진행 시제에 쓰인 현재분사 ⓑ 동사의 목적어로 쓰인 동명사 ⓒ 전치사의 목적어로 쓰인 동명사 ⓓ 명사의 용도를 설명하는 동명사 ⓔ 주격 보어로 쓰인 동명사 ⓕ 명사를 수식하는 현재분사

05 꾸밈 받는 말과 꾸미는 말이 능동 관계이면 현재분사, 수동 관계이면 과거분사를 써서 문장을 완성한다.

최종 선택 QUIZ
p. 97

01 a　**02** b　**03** a　**04** b　**05** a　**06** a　**07** b　**08** a

UNIT 10 분사구문

✅ 바로 체크
p. 98

01 ○　　**02** ○　　**03** ×　　**04** Preparing　　**05** As
06 Being

STEP 1 · 만만한 기초
pp. 99~101

01 ④　　**02** ③　　**03** ③　　**04** Being　　**05** ①
06 When I　**07** preparing　**08** ③　　**09** Feeling
10 Being sick　**11** ②　　**12** ⑤　　**13** Not knowing
14 ①　**15** ①　**16** ②, ④　**17** If　**18** As　**19** ③
20 ⑤　**21** ④　**22** ②　**23** I have　**24** ②　**25** ⑤

01 문맥상 동시동작을 나타내는 분사구문이 되어야 하므로 write의 현재분사형인 writing이 알맞다.

02 문맥상 이유를 나타내는 분사구문이 되어야 하므로 동사 play의 현재분사형인 Playing이 알맞다.

03 동시동작을 의미하는 분사구문이 되어야 하므로 wait의 현재분사형인 waiting이 들어가는 것이 적절하다.

04 이유를 의미하는 분사구문을 만드는 Being이 알맞다.

05 부사절과 주절의 주어가 같으므로 부사절의 주어를 생략해 분사구문을 만들 수 있다.

06 부사절과 주절의 주어가 같으므로 접속사와 부사절의 주어를 생략해 분사구문을 만들 수 있다. (Seeing the singer)

07 동시동작을 의미하는 분사구문이 되도록 preparing으로 쓰는 것이 적절하다.

08 부사절의 접속사 If와 주어 you를 생략하고 동사 take는 taking으로 바꿔 분사구문을 만든다.

09 주절의 주어와 부사절의 주어가 같으므로 접속사 As와 주어 I는 생략하고 felt를 feeling으로 바꿔 분사구문을 만든다.

10 접속사와 주어를 생략하고 동사는 현재분사형으로 만든다. was가 be동사이므로 빈칸에는 Being sick이 들어가는 것이 알맞다.

11 의미를 명확히 하기 위해 접속사 After를 남겨둔 분사구문으로 buy는 현재분사인 buying이 되는 것이 알맞다.

12 접속사 As와 주어 she를 생략하고 동사는 현재분사 being으로 만든 뒤, 그 앞에 Not을 쓴다.

13 분사구문의 부정은 분사 앞에 Not을 쓴다.

14 부사절과 주절의 주어가 같으므로 부사절의 접속사와 주어를 생략하고 동사를 현재분사형으로 바꾸면 Being eating his bread이다. 「Being+분사」에서 Being은 생략 가능하다.

15 문맥상 조건을 나타내는 분사구문이므로 접속사 If가 들어가는 것이 알맞다. 조건을 나타낼 때는 주절에 보통 will, can, may 등이 온다.

16 문맥상 이유의 접속사인 As나 Because가 들어가는 것이 알맞다.

17 문맥상 부사절이 조건을 나타내는 것이 적절하므로 If를 쓴다.

18 문맥상 부사절이 이유를 나타내는 것이 적절하므로 As를 쓴다.

19 문맥상 양보의 의미를 나타내는 분사구문이다. 분사구문이 현재분사 Doing으로 시작하므로 부사절과 주절의 시제가 같음을 알 수 있다. 양보의 접속사 Though, 주어 she, 동사 did가 들어간 ③이 알맞다.

20 문맥상 시간을 나타내는 분사구문이다. 원래의 부사절은 접속사 when, 주절의 주어와 과거 시제를 사용한 When I arrived가 알맞다.

21 문맥상 이유를 나타내는 분사구문이므로 접속사 Because가 들어간 부사절이 알맞다. 현재분사를 썼으므로 부사절과 주절의 시제가 같은 것에 유의한다.

22 문맥상 조건을 의미하는 분사구문이다. 원래의 부사절은 접속사 If, 주절의 주어와 현재 시제를 사용한 If you visit가 알맞다.

23 부사절의 주어와 동사를 살린다. 분사구문의 Having으로 보아 주절과 시제가 같으므로 동사는 have를 쓴다.

24 ②는 주어로 쓰인 동명사이다. 나머지는 모두 분사구문의 현재분사이다. ① 이유 ③ 조건 ④, ⑤ 시간

25 ⑤는 분사구문이다. 나머지는 모두 주어로 쓰인 동명사구이다.

STEP 2 · 오답률 40~60% 문제　　　　pp. 102-103

> **01** ④　　**02** ⑤　　**03** ②　　**04** ①　　**05** ②　　**06** ①
> **07** Not knowing　　　**08** Not listening to the news
> **09** Seeing her family　　**10** Missing, you will regret
> **11** listened → listening　　**12** 늦게 일어났기 때문에　　**13** 창
> 문을 열었을 때　　**14** While, waited　　**15** Because[As] I
> thought

01 접속사 Though와 주어 he를 생략하고 be동사의 현재분사형을 쓰면 Being young이다.

02 첫 번째 문장은 동사의 과거형 sang과 danced가 병렬 연결된 형태로 이를 현재분사형 Singing과 dancing으로 바꿔 분사구문을 만든다.

03 부사절의 접속사 Because와 주어 I를 생략하고, 동사를 현재분사 형태 catching으로 바꿔 분사구문으로 만든다.

04 〈보기〉와 ①은 분사구문의 현재분사이다. 나머지는 모두 주어로 쓰인 동명사이다.

05 ②는 주어로 쓰인 동명사구이다. 〈보기〉와 나머지는 분사구문이다.

06 부정의 분사구문에서 not은 분사 앞에 쓴다.

07 부정의 분사구문이 되어야 하므로 분사 knowing 앞에 Not을 쓴다.

08 not이 있으므로 부정의 분사구문으로 쓴다. listen은 전치사 to가 뒤에 와야 한다.

09 접속사 When과 주어 she를 생략한 뒤 saw를 현재분사형으로 고친다.

10 부사절은 접속사 If와 주절의 주어와 같은 you를 생략하고 동사를 현재분사 형태로 만든다. 주절은 형태가 동일한 것에 유의한다.

11 listened를 현재분사형으로 고쳐 분사구문이 되게 한다.

12 문맥상 이유의 분사구문이 되는 것이 적절하다.

13 문맥상 밑줄 친 부분은 '~할 때'를 의미하는 시간의 분사구문이다.

14 시간을 나타내는 부사절로 바꾸는 것이 자연스러우므로 접속사 while을 쓰고, 동사는 주절의 시제와 같은 과거형을 쓴다.

15 문맥상 이유에 해당하는 분사구문이므로 접속사 because나 as를 쓴다. 주절의 주어는 I, 시제는 과거이므로 접속사 뒤에 I thought을 쓴다.

STEP 3 · 오답률 60~80% 문제　　　　pp. 104-105

> **01** ⑤　　**02** ①, ③　　**03** ①, ②　　**04** ①　　**05** ④
> **06** ①　　　　**07** When [As soon as] he saw the fireworks
> **08** I didn't know her address, couldn't deliver　　**09** Not
> knowing the password　　**10** Not wanting to go to school
> **11** (Being) Reading the novel, he fell asleep.　　**12** Going
> **13** Being felt → Feeling　　**14** Answering the phone, I
> heard a loud noise.　　**15** Not having a car, she had to
> take a bus.

01 ⑤ 분사구문에서 Being은 뒤에 분사가 나올 때 생략할 수 있다. A wise man → Being a wise man

02 이유를 나타내는 접속사 as를 사용하여 부사절을 쓴 ①과 부정의 분사구문(분사 앞에 not 또는 never를 씀)을 사용하여 영작한 ③이 맞다.

03 문맥상 이유를 나타내는 분사구문이므로, 이유의 접속사 As나 Because가 들어가는 것이 알맞다. If가 들어가면 가정법 문장이 되어 첫 번째 문장과 의미가 달라지는 것에 유의한다.

04 문맥상 부사절이 조건의 의미가 되는 것이 적절하다.

05 ④ 문맥상 '~할 때'를 의미하는 시간의 부사절이 되는 것이 알맞다.

06 현재분사 Studying이 쓰인 것으로 보아 부사절과 주절의 시제가 같고 문맥상 양보의 의미가 되어야 하므로 (A)는 Though she studied hard가 알맞다. 주절은 형태를 바꾸지 않는다.

07 분사구문을 부사절로 바꾼다. 의미상 시간의 접속사가 알맞다.

08 분사구문에 현재분사 knowing이 쓰였으므로 부사절과 주절의 시제를 같게 한다. 부정의 분사구문이므로 동사를 didn't know로 쓴다. 주절은 형태를 동일하게 쓴다.

09 부사절과 주절의 시제가 같으므로 현재분사 knowing을 쓴다. 부정의 분사구문은 분사 앞에 not을 쓰는 것에 유의한다.

10 부사절의 접속사와 주어를 생략하고 주절의 시제와 같으므로 동사를 wanting으로 바꾼 뒤 부정이 되어야 하므로 Not을 붙인다.

11 부사절의 접속사와 주어를 생략하고, 부사절과 주절의 시제가 같으므로 Being reading이 되게 한다. Being은 생략할 수 있다.

12 동사와 접속사의 역할을 하면서 한 단어로 써야 하므로 빈칸에 현재분사를 넣어 분사구문을 완성하는 것이 적절하다.

13 「being + 과거분사」 형태의 분사구문은 수동의 의미이므로 '내가 배고픔을 느끼는' 상황에 적절하지 않다. 능동의 현재분사 형태가 알맞다.

14 시간을 나타내는 분사구문이 쓰인 문장을 만든다.

15 분사구문의 부정형은 분사 앞에 not을 쓴다.

STEP 4 · 실력 완성 테스트　　　　p. 106

> **01** ⑤　　**02** ③　　**03** (1) Studying very hard (2) Walking
> along the street　　**04** As　　**05** Watching the horror
> movie, I was very scared.

01 ⑤ 부사절과 주절의 시제가 같으므로 동사는 현재분사 형태로 만든다. Written → Writing

02 〈보기〉와 ⓐ, ⓒ, ⓓ는 분사구문에 쓰인 현재분사이고, ⓑ, ⓔ는 주어로 쓰인 동명사이다.

03 주어진 동사를 현재분사로 만든 뒤 나머지 단어들을 배열하여 분사구문을 만든다.

04 첫 번째 빈칸에는 시간, 두 번째 빈칸에는 이유를 나타내는 접속사가 들어가는 것이 적절하므로 두 가지로 모두 쓰이는 As가 알맞다.

05 동사를 현재분사 형태로 써서 분사구문을 만든다.

최종 선택 QUIZ
p. 107

01 ○ **02** × **03** × **04** ○ **05** ○ **06** × **07** ○ **08** ×

UNIT 11 부정대명사와 재귀대명사

✔바로 체크
p. 108

01 it **02** one **03** the other **04** the others
05 myself **06** themselves **07** yourself **08** ourselves

STEP 1 · 만만한 기초
pp. 109~111

01 ② **02** ④ **03** ② **04** ① **05** ⑤, one **06** ④
07 ② **08** ② **09** ③ **10** ⑤ **11** ③ **12** (a)nother **13** ⑤ **14** ④ **15** ⑤ **16** (1) herself (2) himself **17** yourself **18** ① **19** ① **20** ①
21 We ourselves do everything. / We do everything ourselves. **22** ④ **23** for herself **24** ② **25** 그녀는 혼자서 세계를 여행하기로 결심했다.

01 빈칸에는 앞에 나온 명사 shirt와 같은 종류의 불특정한 것을 가리키는 부정대명사 one이 들어가는 것이 알맞다.

02 콘서트 티켓이 필요한지 묻는 말에 '하나'를 구해 줄 수 있냐고 물었으므로 one이 가리키는 것은 a ticket임을 알 수 있다. 부정대명사는 앞에 나온 특정 명사를 그대로 가리키는 것이 아니므로 수가 일치하지 않을 수도 있다.

03 두 문장의 빈칸에는 모두 앞에 나온 명사와 같은 종류의 불특정한 것을 가리키는 부정대명사 one이 들어가는 것이 알맞다.

04 앞에 나온 your new cell phone을 가리키는 대명사 it이 알맞다.

05 따뜻한 코트를 찾고 있으며 그런 종류의 것을 하나 보여 달라고 말하는 것이 자연스러우므로 특정한 것을 가리키는 대명사 it은 불특정한 대상을 가리키는 one이 되는 것이 알맞다.

06 둘 중 하나는 one으로, 나머지 하나는 the other로 가리킨다.

07 두 모둠이므로 하나는 one으로, 다른 하나는 the other로 가리킨다.

08 셋 중 하나는 one, 다른 하나는 another, 나머지 하나는 the other로 나타낸다.

09 두 문장 모두 불특정한 하나를 가리키는 부정대명사 one이 들어가는 것이 적절하다.

10 범위가 되는 집단이 everyone이라는 불특정한 집단이므로 some과 others를 쓰는 것이 알맞다.

11 범위가 되는 집단이 특정한 대상인 양말 여섯 켤레이므로, 먼저 언급한 것 외의 나머지는 the others로 쓸 수 있다.

12 첫 번째 빈칸에는 '또 다른 하나'라는 의미로 another가 들어가는 것이 알맞다. 두 번째 빈칸에는 범위가 되는 대상이 셋이므로 one, another, the other로 쓰는 것이 알맞다.

13 대상이 특정한 다수인 those beautiful apple trees이므로 some과 the others로 나누는 것이 알맞다.

14 ④ they의 재귀대명사는 themselves이다.

15 주어 we에 해당하는 재귀대명사는 ourselves이다.

16 (1) 주어 Mom과 동격으로 의미를 강조하는 재귀대명사 herself로 쓴다. (2) 행위의 결과가 주어에게 돌아오는 것이므로 주어를 받는 he의 재귀대명사 himself로 쓴다.

17 재귀대명사의 강조 용법으로 '스스로'라는 의미를 나타낼 수 있다. 명령문의 생략된 주어 you의 재귀대명사 yourself를 쓴다.

18 재귀대명사는 강조 용법일 때에는 생략할 수 있지만 ①과 같이 동사의 목적어로 쓰인 재귀 용법일 때에는 생략할 수 없다.

19 ①은 강조 용법으로 쓰인 재귀대명사이고, 나머지는 모두 동사의 목적어로 쓰인 재귀 용법의 재귀대명사이다.

20 ① cut oneself: 베다, 동작의 결과가 주어 자신에게 돌아올 때 목적어로 재귀대명사를 쓴다.

21 강조 용법의 재귀대명사는 강조하는 말 바로 뒤에 쓰거나 문장의 끝에 쓸 수 있다.

22 enjoy oneself: 즐겁게 지내다

23 for oneself: 혼자 힘으로

24 흐름상 음식을 마음껏 먹으라는 의미의 help oneself가 적절하다. 생략된 주어가 you이므로 yourself가 되는 것에 유의한다.
[해석] A 손님들을 위한 음식이 충분히 있어요. 마음껏 드세요. B 감사합니다. 여기 맛있는 음식이 많네요.

25 「decide+to부정사」: ~하기로 결심하다, by oneself: 혼자서

STEP 2 · 오답률 40~60% 문제
pp. 112~113

01 ③ **02** ③ **03** ① **04** ④ **05** ③ **06** ③
07 ① **08** ⑤ **09** ourselves **10** yourself **11** (1) himself (2) proud, herself (3) agree myself **12** I saw the accident myself. / I myself saw the accident.
13 yourself **14** She learned the skill for herself.
15 between ourselves

01 흐름상 빈칸이 있는 문장은 연필 한 자루를 빌려달라는 말이 되는 것이 적절하므로 불특정한 대상을 가리키는 one이 들어가는 것이 알맞다.

[해석] **A** John, 나는 연필이 없어. 내게 한 자루 빌려줄래? **B** 물론이지. 어떤 연필을 원해? **A** 아무거나 괜찮아.

02 첫 번째 괄호에는 앞에 나온 a fantasy novel을 가리키는 대명사 it, 두 번째 괄호에는 fantasy novel과 같은 종류의 불특정한 대상을 가리키는 부정대명사 one이 알맞다.

03 '모자'라는 종류의 불특정한 명사를 대신하는 one이 알맞다.

04 두 대상 중 하나와 다른 하나를 가리킬 때 one과 the other를 쓴다.

05 두 대상 중 하나와 다른 하나를 가리킬 때 one과 the other를 쓴다.
[해석] 두 명의 테니스 선수가 경기를 하고 있다. 사람들 중 일부는 한 선수를 응원하고, 다른 일부는 다른 선수를 응원하고 있다.

06 첫 번째와 두 번째 빈칸에는 동사로 보아 단수 명사가 들어가야 하므로 부정대명사 one과 another가 알맞다. 세 번째 빈칸에는 남은 세 개의 공을 지칭하는 the others가 알맞다.

07 ①의 재귀대명사는 동사의 목적어이므로 재귀 용법으로 쓰였고, 나머지는 모두 강조 용법으로 쓰였다.

08 ①~④는 모두 재귀 용법으로 쓰였고 ⑤는 생략이 가능한 강조 용법으로 쓰였다.

09 스스로에게 묻는 것이므로 주어 we의 재귀대명사 ourselves로 쓴다.

10 칼을 가지고 미술 숙제를 하고 있는 B에게 다치지 않도록 조심하라는 말을 하는 상황이므로 hurt oneself(다치다)라는 표현이 적절하다.
[해석] **A** 엉망이구나! 뭘 하고 있니? **B** 미술 숙제로 이 종이를 자르고 붙이는 중이에요. **A** 칼 조심하렴! 다치지 않게 해. **B** 알았어요.

11 (1) cut oneself: 베다 (2) 주어인 Jane이 자신을 자랑스러워하는 것이므로 herself를 쓴다. (3) 강조 용법의 재귀대명사를 써야 하며 주어가 I이므로 myself를 쓴다.

12 강조 용법의 재귀대명사는 주어 바로 뒤나 문장의 끝에 쓸 수 있다.

13 by oneself: 혼자서

14 for oneself: 혼자 힘으로

15 between ourselves: 우리끼리 이야기지만

05 빈칸에는 앞의 my wallet을 가리키는 대명사 it이 알맞다.

06 주어진 문장에서의 '하나'는 앞에서 언급한 a big backpack과 같은 종류의 불특정한 대상을 가리키는 것이므로 부정대명사 one으로 받아서 영작하는 것이 적절하다.

07 흐름상 첫 번째 빈칸에는 뒤에 언급된 they의 목적격인 them이 알맞고, 두 번째 빈칸에는 그들이 '그들 자신을' 자랑스러워할 것이라는 의미로 재귀대명사 themselves가 들어가는 것이 알맞다.
[해석] 나는 그들을 전혀 돕지 않았지만, 그들은 스스로 문제를 해결했다. 그들은 자신들이 자랑스러울 것이 분명하다.

08 재귀대명사는 주어와 동일하므로 ⓐ의 himself는 주어 Brian을 가리킨다. 또한 ⓑ의 him은 주어 Jack이 아닌 다른 사람이므로 Brian을 가리킨다.
[해석] Brian과 Jack은 소파에 앉아 있다. Brian은 거울 속의 자신을 보고 있고, Jack은 그를 보고 있다.

09 주어와 같은 대상이므로 재귀대명사가 되는 것이 알맞다.

10 첫 번째 빈칸에는 둘 중 언급된 하나를 제외한 나머지 하나를 가리키는 부정대명사 the other가 알맞다. 두 번째 빈칸에는 특정한 여럿 중 언급된 하나를 제외한 나머지 모두를 가리키는 the others가 알맞다.

11 셋 중 언급된 하나를 제외한 나머지는 another와 the other로 가리킨다.

12 특정한 여럿 중 하나와 나머지 전부를 언급할 때 one과 the others로 쓴다.

13 첫 번째 빈칸: 불특정한 여럿 중 일부와 다른 일부를 가리킬 때 some과 others로 나타낸다. 두 번째 빈칸: 특정한 여럿 중 일부와 나머지 전부를 가리킬 때 some과 the others로 나타낸다.

14 (1) 아무에게도 이야기하지 말라는 의미의 두 번째 문장으로 보아 빈칸에는 '우리끼리만의 이야기'라는 between ourselves가 알맞다.
(2) 너는 혼자 힘으로 논설을 써야 한다. for oneself: 혼자 힘으로

15 enjoy oneself: 즐기다

STEP 3 · 오답률 60~80% 문제
pp. 114-115

> **01** ④　　**02** ⑤　　**03** ③　　**04** ①　　**05** ①　　**06** ②
> **07** ③　　**08** ⓐ Brian ⓑ Brian　　**09** themselves
> **10** the other, the others　　**11** another, the other
> **12** One, the others　　**13** Some, the others　　**14** (1) between ourselves (2) for yourself　　**15** We enjoyed ourselves.

01 부정대명사 one 앞에 three가 있으므로 복수 ones로 써야 한다.

02 대화의 밑줄 친 ones와 ⑤의 one은 부정대명사로 쓰였다. ① 같은 ② 1, 하나의 ③ 한 명 ④ 어느, 어떤
[해석] **A** 도와 드릴까요? **B** 네, 저는 운동화를 찾고 있어요. **A** 이건 어때요? **B** 아, 그건 검은색이네요. 저는 저 하얀 게 마음에 들어요.

03 〈보기〉의 one과 ③의 ones는 부정대명사로 쓰였다.

04 ① it은 앞에 언급된 pan과 같은 종류의 불특정한 대상을 가리키는 부정대명사 one이 되는 것이 알맞다.

STEP 4 · 실력 완성 테스트
p. 116

> **01** ④　　**02** ①　　**03** ②　　**04** (1) One, the others (2) another　　**05** one → it　　**06** One was a monkey, another was an elephant, and the other was a tiger.

01 각각 주어에 해당하는 재귀대명사를 찾는다. 세 번째 빈칸에는 주어 My brother and I를 we로 받아 재귀대명사 ourselves를 쓴다. 첫 번째 빈칸: herself, 두 번째 빈칸: himself, 네 번째 빈칸: itself

02 첫 번째 빈칸에는 앞서 언급된 pens와 같은 종류의 불특정한 하나를 가리키는 부정대명사 one이 알맞다. 두 번째 빈칸에는 앞서 언급된 apples와 같은 종류의 불특정한 것이면서 복수인 ones가 오는 것이 알맞다. 세 번째 빈칸에는 불특정한 여럿 중 일부와 다른 일부를 가리키는 some과 others 중 후자인 others를 쓴다.

03 be not oneself: ~답지 않다, lock ~ out: (깜빡하고) 문을 잠가서 ~을 안에 들이지 않다, 내쫓다
[해석] **A** 좋은 아침이야. 오늘 어떠니? **B** 난 오늘 제정신이 아니야. **A** 왜? 무슨 일 있니? **B** 열쇠를 방 안에 두고 잠가서 못 들어가.

04 (1) 특정한 여럿 중 하나와 나머지 전부를 언급할 때 one과 the others 로 쓴다. (2) 불특정한 다른 것 하나를 언급할 때 another를 쓴다. another는 대명사로 쓰이거나 형용사로 쓰일 수 있다.

05 동사 liked의 목적어 one은 앞에 언급된 a nice bike를 가리키기 위해 쓰인 말이므로 대명사 it으로 바꿔야 한다.

06 셋 중 처음 하나는 one, 나머지는 another와 the other로 가리킨다.

최종 선택 QUIZ
p. 117

| 01 b | 02 a | 03 b | 04 b | 05 b | 06 a | 07 b | 08 a |

UNIT 12 수동태 1

✔ 바로 체크
p. 118

01 was loved	02 was broken	03 wrote	04 saw
05 were made	06 be	07 watered	08 not fixed
09 Were they put	10 be		

STEP 1 · 만만한 기초
pp. 119-121

01 ③　**02** ④　**03** ③　**04** ①, ②　**05** stolen
06 was built　**07** ③　**08** was praised, by　**09** was folded by　**10** was written by　**11** Those pencil cases were made by me.　**12** A small worm was caught by the bird.　**13** ④　**14** My glasses were broken by my dog this morning.　**15** ⑤　**16** will be used　**17** will be held　**18** ③　**19** Is the theater visited by many tourists all year round?　**20** Dinner is not prepared by Bill.
21 (1) The email was not sent by her yesterday. (2) Is the bakery closed?　**22** must not be handled　**23** ③
24 ①　**25** ②

01 ③ 영화는 아이들에 의해 '즐겨지는' 것이므로 동사를 수동태로 써야 한다. enjoyed → was enjoyed

02 그림이 화가에 의해 그려지는 것이므로 동사를 수동태로 써야 한다.

03 대명사 It은 the building을 가리킨다. 주어가 행위의 대상이 되므로 동사는 수동태로 써야 한다.

04 ①, ② 둘 다 주어가 행위의 주체이므로 동사는 능동태로 써야 한다. ① is looked → looks ② was bought → bought

05 수동태로 써야 하므로 빈칸에는 과거분사가 들어가야 한다.

06 수동태는 「be동사＋과거분사」로 쓴다. 능동태 문장의 시제가 과거이므로 be동사의 과거형을 쓰는 것에 유의한다.

07 ③ → The cat was followed by the dog.

08 수동태는 「be동사＋과거분사」로 쓴다. 능동태 문장의 시제가 과거이므로 be동사의 과거형을 쓰는 것에 유의한다.

09-10 수동태는 「be동사＋과거분사」로 쓴다. 능동태 문장의 시제가 과거이므로 be동사의 과거형을 쓰고, 행위자 앞에는 전치사 by를 쓴다.

11 능동태 문장의 시제가 과거이고 주어가 복수이므로 동사는 were made로 쓴다.

12 능동태 문장의 시제가 과거이므로 be동사의 과거형을 쓴다.

13 ④ 수동태의 미래 시제는 「will be＋과거분사」로 쓴다.

14 내용상 this morning은 과거이므로 be동사를 과거형으로 써야 한다.

15 두 문장 모두 주어가 동작의 대상이므로 수동태로 쓴다. 첫 번째 문장: next year(내년) → 미래 시제 수동태, 두 번째 문장: last month(지난달) → 과거 시제 수동태

16 someday(언젠가)라는 미래를 나타내는 부사구가 있으므로 미래 시제로 쓰되, 주어가 동작의 대상이므로 수동태로 쓴다.

17 미래 시제 수동태는 「will be＋과거분사」로 쓴다.

18 ③ 수동태의 부정문은 「be동사＋not＋과거분사」로 쓴다. didn't be invited → weren't invited

19 수동태의 의문문은 「Be동사＋주어＋과거분사 ...?」로 쓴다.

20 수동태 문장의 주어는 행위의 대상이 된다는 것에 유의하여 주어와 행위자를 알맞게 배열한다.

21 (1) 수동태 부정문: 「be동사＋not＋과거분사」 (2) 수동태 의문문: 「Be동사＋주어＋과거분사 ...?」

22 the ball은 동사 handle의 대상이 되므로 동사를 수동태로 쓴다. 조동사 수동태의 부정문은 「조동사＋not＋be＋과거분사」로 쓴다.

23 조동사가 있는 수동태는 「조동사＋be＋과거분사」로 쓴다. '~해야 한다'라는 의미가 되어야 하므로 should가 들어간 ③이 알맞다.

24 ① 조동사가 있는 수동태의 의문문은 「조동사＋주어＋be＋과거분사 ...?」로 쓴다. → Can the mistake be corrected?

25 ② Polar bears는 동사 protect의 대상이 되므로 동사를 수동태로 써야 한다. → must be protected

STEP 2 · 오답률 40~60% 문제
pp. 122-123

01 ④　**02** ③, ④, ⑤　**03** ④　**04** ①　**05** ③
06 ②　**07** ②　**08** ③　**09** can be solved by Sam
10 was written to her not be touched (by us).　**11** The old paintings should not be touched (by us).　**12** An unknown scientist discovered a new planet.　**13** (1) was built (2) will be built　**14** Two new albums will be released by the band.
15 (1) was cleaned by Steve (2) was washed by Kate

01 주어가 행위의 대상이 되는 것이 자연스러우므로 수동태를 쓴다. speak의 과거분사형은 spoken이다.

02 ③ → was loved by ④ → was painted ⑤ → were delivered

03 세 문장 모두 주어가 행위의 대상이 되는 것이 자연스러우므로 각 빈칸에는 과거분사를 써야 한다. 두 번째 문장의 주어 It은 The fabric을 가리키고, 세 번째 문장의 주어 they는 T-shirts를 가리킨다.
[해석] 직물은 티셔츠 공장으로 옮겨진다. 그것은 티셔츠로 만들어진다. 그런 다음 그것들은 가게로 보내진다.

04 ① 과거를 나타내는 last month가 있으므로 was bought로 쓴다.

05 ③ 미래 시제 수동태의 형태는 「will be＋과거분사」이다. will played → will be played

06 수동태의 부정은 be동사 뒤에 not을 쓴다.

07 수동태 의문문: 「Be동사＋주어＋과거분사 ...?」

08 주어진 문장을 수동태로 바르게 전환한 것을 찾는다. 그녀는 이 피자를 만들지 않았다. ＝ ③ 이 피자는 그녀에 의해 만들어지지 않았다.

09 조동사가 있는 수동태는 「조동사＋be＋과거분사」의 형태로 쓴다.

10 동사를 「be동사의 과거형＋과거분사」 형태로 쓴다.

11 조동사가 있는 수동태 부정문은 「조동사＋not＋be＋과거분사」로 쓴다.

12 수동태 문장을 능동태로 바꿀 때 행위자를 능동태 문장의 주어로, 주어를 능동태 문장의 목적어로 쓴다. be동사가 과거형이므로 능동태 문장도 과거 시제로 쓴다.

13 각각 과거와 미래 시점을 나타내는 부사구가 있으므로 「be동사의 과거형＋과거분사」, 「will be＋과거분사」를 사용한다.

14 수동태 미래 시제:「will be＋과거분사」

15 두 문장 모두 주어가 동작의 대상이 되는 경우이므로 동사를 수동태로 쓰고 행위자 앞에 by를 써서 완성한다.

STEP 3 · 오답률 60~80% 문제
pp. 124-125

> **01** ⑤   **02** ③   **03** ④   **04** ②   **05** ③
> **06** ③   **07** ②   **08** (1) The bread was cut by the clerk.
> (2) John put the sweater in the closet.   **09** Art can be
> made out of all kinds of old things around us (by us).
> **10** (1) designed it (2) was designed by Gustave Eiffel
> **11** was planted, were stolen   **12** (1) is spoken (2) will
> be done (3) was destroyed   **13** Sound can be changed
> into electricity.   **14** (1) should be protected (2) should
> be cleaned up (3) must be picked up   **15** can recycle
> → can be recycled

01 빈칸 앞의 주어 It[it]이 모두 cell phone을 가리키는 대명사로 쓰였고 과거 시제이므로 동사를 수동태 과거로 쓰는 것이 알맞다.
[해석] **A** 너는 휴대 전화를 찾았니? **B** 응. 그것은 책상 뒤에서 발견됐어. **A** 책상 뒤에서? **B** 내 생각엔 우리 개가 거기에 둔 것 같아.

02 ③ 주어가 복수이므로 be동사를 are로 써야 한다. → are used
[해석] 나무는 아주 작은 조각으로 잘린다. 이 작은 조각들은 종이 공장으로 옮겨진다. 많은 화학 약품이 그것들을 하얀 종이로 만드는 데 사용된다. 종이는 두루마리로 말린다. 그런 다음 여러 도시로 보내진다.

03 행위자가 we, people, you, they 등과 같은 일반적인 사람일 때에는 생략할 수 있다.

04 ① were → was ③ have to been water → have to be watered ④ Should be the packages moved → Should the packages be moved ⑤ were taken → took

05 'You should hand in the report by Friday.'의 수동태 문장을 찾는다.

06 조동사가 있는 수동태 의문문은 「조동사＋주어＋be＋과거분사 ...?」로 쓴다.

07 ② 능동태 문장의 주어가 수동태 문장의 행위자로 쓰여야 한다. → The flowers were brought to me by her.

08 능동태 문장의 주어는 수동태 문장의 행위자가, 목적어는 주어가 된다는 점에 유의하여 바꿔 쓴다.

09 주어진 문장의 목적어 art를 수동태 문장의 주어로 쓰고 동사는 「조동사＋be＋과거분사」 형태로 바꾼 뒤 부사구를 그 뒤에 쓴다.

10 질문에 있는 동사를 사용하여 주어에 따라 각각 능동태나 수동태 문장으로 쓴다.

11 두 문장 모두 주어가 동작의 대상이 되므로 동사를 수동태로 써야 한다. 과거 시점의 부사구가 있으므로 be동사를 과거형으로 쓴다.

12 적절한 동사를 찾아 수동태로 변형하되, 시제에 유의한다.

13 가능의 의미를 나타내는 조동사가 필요하므로 「can＋be＋과거분사」 형태로 쓴다.

14 세 문장 모두 주어가 동작의 대상이 되므로 밑줄 친 부분을 고쳐 수동태 문장으로 만든다. 조동사 뒤에는 동사원형 be를 써야 한다.

15 Lots of old things는 recycle이라는 동작의 대상이 되는 것이 자연스러우므로 동사를 수동태로 고쳐 쓴다.

STEP 4 · 실력 완성 테스트
p. 126

> **01** ④   **02** ②, ⑤   **03** was written by   **04** · *Hamlet* was
> written by Shakespeare. · *The Statue of Liberty* was made
> by a French man.   · *Mona Lisa* was drawn by Leonardo
> da Vinci.   **05** a lot of people's lives were saved
> **06** they were found by the police yesterday

01 (A)와 (B)는 주어가 동작의 대상이 되므로 동사를 수동태로 쓰고, (C)는 주어가 동작의 주체이므로 동사를 능동태로 쓴다.

02 ② 어머니는 내게 케이크를 보내셨다. ≠ 케이크는 어머니에 의해 날 위해 만들어졌다. ⑤ 나는 이 컴퓨터가 그녀에 의해 수리될 수 있다고 생각해. ≠ 나는 그녀가 이 컴퓨터를 고쳐줬으면 좋겠다.

03 흐름상 빈칸이 있는 부분은 '그것은 O. Henry에 의해 쓰였다.'라는 말이 되어야 하므로 수동태 표현이 들어가야 한다.
[해석] **A** 너 이 단편 소설 읽어 본 적이 있니? **B** 응, 읽어 봤어. 그건 O. Henry에 의해 쓰인 거지, 그렇지 않니? **A** 맞아. 그 소설의 작가는 O. Henry야.

04 각각 관련 있는 것끼리 짝지은 뒤 수동태 문장으로 완성한다. 동사의 과거형을 쓰는 것에 유의한다.

05 주어진 표현으로 만들어지는 명사구 a lot of people's lives는 save라는 행위의 대상이 되므로 수동태를 만드는 be동사를 추가한다.

06 어제 일어난 일이며, 수동태로 써야 하므로 「be동사의 과거형＋과거분사」로 쓴다.

최종 선택 QUIZ
p. 127

> **01** b   **02** b   **03** a   **04** a   **05** a   **06** a   **07** a   **08** b

✅ 바로 체크
p. 128

01 gave	02 were made	03 is called	04 to run
05 with	06 on by	07 to	08 for 09 of 10 playing

STEP 1 · 만만한 기초
pp. 129-131

01 brought to me　02 ⑤　03 ④　04 for　05 The hat was bought for Tom by Jenny.　06 The dog is called Newton by my family.　07 ①　08 ④　09 a cute doll　10 kept cold　11 was heard barking loudly　12 was made to sing the song　13 was turned off　14 The teacher is looked up to by many students.　15 ④　16 ⑤　17 ④　18 ④　19 ④　20 ⑤　21 ①　22 made from　23 ④　24 ②　25 ③, covered with

01 4형식 문장을 직접목적어가 주어인 수동태 문장으로 전환할 때 동사 뒤에 전치사와 간접목적어였던 말을 쓴다.

02 지각동사가 있는 5형식 문장을 수동태로 쓸 때 목적격 보어였던 동사원형은 to부정사로 바꾸어 동사 뒤에 쓴다.

03 문장의 주어가 행위의 대상이 되는 수동태 문장이 되어야 한다. 주어가 복수이므로 be동사의 복수형을 쓴다.

04 4형식 문장을 수동태 문장으로 쓸 때 동사가 make이면 간접목적어였던 말 앞에 전치사 for를 쓴다.

05 4형식 문장의 수동태에서 직접목적어가 주어일 때 간접목적어였던 말 앞에 전치사를 쓰고 그 뒤에 by와 함께 행위자를 쓴다.

06 5형식 문장의 수동태에서 목적격 보어였던 말은 동사 뒤에 그대로 쓰고 그 뒤에 by와 함께 행위자를 쓴다.

07 ① 동사 tell이 쓰인 4형식 문장이 직접목적어를 주어로 하는 수동태 문장이 될 때에는 간접목적어였던 말 앞에 전치사 to를 쓴다.

08 사역동사가 있는 5형식 문장을 수동태로 쓸 때 목적격 보어였던 동사원형은 to부정사로 바꾸어 동사 뒤에 쓴다.

09 4형식 문장을 간접목적어를 주어로 하는 수동태 문장으로 바꿀 때 직접목적어는 동사 뒤에 그대로 쓴다.

10 5형식 문장의 수동태이므로 목적격 보어에 해당하는 형용사 cold를 동사 바로 뒤에 쓴다.

11 지각동사가 있는 5형식 문장의 수동태에서 목적격 보어에 해당하는 현재분사는 그대로 동사 뒤에 쓴다.

12 사역동사가 있는 5형식 문장의 수동태에서 목적격 보어에 해당하는 동사원형은 to부정사로 바꾸어 동사 뒤에 쓴다.

13 동사구의 수동태에서 동사 뒤에 있던 전치사나 부사 등은 수동태에서도 그대로 과거분사 뒤에 쓴다.

14 동사구 looks up to를 수동태로 쓸 때 동사 뒤의 up to는 과거분사 looked 뒤에 그대로 쓴다.

15 의미상 catch up with의 수동태이므로 be caught up with까지 쓰고 그 뒤에 「by+행위자」를 써야 한다. ④ → with by the police

16 동사구 take care of의 수동태는 「be동사+taken care of」이며, 행위자인 the man 앞에는 전치사 by를 써야 한다.

17 동사구 pick up 사이에 쓰인 대명사 목적어 him이 수동태 문장의 주어가 된다. 동사구 pick up의 수동태는 「be동사+picked up」이며, 행위자인 his mother 앞에는 전치사 by를 쓴다.

18 주어가 행위의 주체일 때에는 동사를 능동태로 쓰고, 행위의 대상일 때에는 수동태로 쓴다. 또한 동사구가 수동태가 될 때 동사 뒤의 부사나 전치사는 과거분사 뒤에 그대로 쓴다. 해당하는 것은 ④이다.

19 ④ is filled by → is filled with

20 be tired of: ~에 싫증나다, be pleased with: ~에 기뻐하다

21 ① be covered with: ~으로 덮여 있다, 나머지는 모두 by가 알맞다.

22 be made from+성질이 변하는 재료: ~으로 만들어지다

23 be worried about: ~에 관해 걱정하다

24 ② to → in, be interested in: ~에 흥미가 있다

25 ③ be covered with: ~으로 덮여 있다

STEP 2 · 오답률 40~60% 문제
pp. 132-133

01 ②　02 ④　03 ④　04 ③　05 ④　06 ④　07 ②　08 to shout　09 shown some old photos　10 made for the guests　11 I was made to leave the town by those people.　12 ③, argue　13 in, with　14 was satisfied with　15 turned off by

01 이메일이 Ali에 의해 '내게 보내진' 것이므로 수동태 문장으로 완성하고 능동태 문장의 간접목적어에 해당하는 me 앞에 전치사 to를 쓴다.

02 첫 번째 문장은 수동태가, 두 번째 문장은 능동태가 적절하다. 첫 번째 문장의 일은 이미 일어난 것이므로 과거 시제로 쓰는 것에 유의한다.

03 사역동사가 있는 5형식 문장일 때 목적격 보어로 쓰인 동사원형을 to부정사로 고치고, 목적어 me를 수동태의 주어 I로 쓴다.

04 make가 쓰인 4형식 문장이 직접목적어를 주어로 하는 수동태 문장이 될 때 간접목적어 앞에 전치사 for를 쓴다. 과거 시제에 유의한다.

05 ④는 전치사 to, 나머지는 모두 전치사 for를 쓴다.

06 주어진 문장의 동사구 took care of를 수동태로 쓴다. 동사구의 전치사나 부사는 수동태에서 과거분사 바로 뒤에 그대로 온다.

07 ① by → with ③ by → with ④ readed → read ⑤ invent → invented, ② be worried about: ~에 관해 걱정하다

08 지각동사가 쓰인 5형식 문장이 수동태가 될 때 목적격 보어인 동사원형은 to부정사가 되고 과거분사 뒤에 온다.

09 4형식 문장의 간접목적어가 수동태의 주어가 될 때 직접목적어는 동사 뒤에 그대로 쓴다.

10 4형식 문장의 직접목적어가 수동태의 주어가 될 때 간접목적어였던 말은 전치사와 함께 동사 바로 뒤에 온다. 동사가 make이므로 전치사는 for를 쓴다.

11 사역동사 make가 쓰인 5형식 문장을 수동태로 바꿀 때 목적격 보어인 동사원형은 to부정사 형태로 동사 뒤에 온다. to left → to leave

12 ③ 지각동사가 쓰인 5형식 문장이 수동태가 된 형태로 목적격 보어인 동사원형은 to부정사로 바꿔 동사 뒤에 쓴다. arguing → argue

13 be interested in: ~에 흥미가 있다, be filled with: ~으로 가득 차다

14 be satisfied with: ~에 만족하다

15 주어진 문장의 동사구 turned off는 수동태에서는 was turned off로 쓴다. 행위자 앞에 by를 쓰는 것에 유의한다.

STEP 3 · 오답률 60~80% 문제 pp. 134-135

01 ⑤　02 ④　03 ②　04 ③　05 ③　06 ②
07 ④　08 Was James heard to close the door by you?
09 were told a mysterious story by Claire, was told to us by Claire　10 the flowers were bought for my mother by me　11 (1) They should be made to wear helmets. (2) Were you taught math by Mr. Jones?　12 be cleaned up after by you　13 The coin was picked up by him.　14 (1) Aren't you worried about your future? (2) The wine is made from cherries.　15 Aren't you tired of playing baseball?

01 ⑤ 4형식 문장을 수동태로 쓸 때 간접목적어를 주어로 하면 직접목적어였던 말은 동사 뒤에 그대로 쓴다. → of 삭제

02 지각동사가 있는 5형식 문장을 수동태로 쓸 때 목적격 보어 역할을 하는 동사원형은 to부정사로 바꿔 동사 뒤에 쓴다.

03 4형식 문장을 수동태로 쓸 때 간접목적어를 주어로 하면 직접목적어였던 말은 동사 뒤에 그대로 쓰고, 직접목적어를 주어로 하면 간접목적어였던 말 앞에 전치사를 쓴다. 동사가 give일 때에는 to를 쓴다.

04 주어가 행위의 대상이 되므로 수동태로 쓴다. 4형식 문장을 수동태로 바꾼 것과 같으므로 bring에 어울리는 전치사 to를 쓴다.

05 'Many people saw him swimming in the sea.'를 수동태 문장으로 쓴 것으로 볼 수 있다. 목적격 보어로 쓰인 현재분사는 수동태 문장에서 동사 뒤에 그대로 쓴다.

06 동사구 cut down은 수동태로 쓸 때 be cut down이 된다.

07 in이 들어가야 하는 ④를 제외하면 모두 with를 써야 한다.

08 주어진 문장은 지각동사가 쓰인 5형식 의문문이다. 목적격 보어인 동사원형은 to부정사로 바꾸고 be동사를 주어 앞에 써서 완성한다.

09 4형식 문장을 수동태로 고쳐 쓸 때, 간접목적어를 주어로 하면 직접목적어였던 말은 동사 뒤에 그대로 쓰고, 직접목적어를 주어로 하면 간접목적어였던 말 앞에 전치사를 쓴다. 동사가 tell이면 to를 쓴다.

10 the flowers를 주어로 하는 수동태 문장으로 쓰고 질문과 같은 시제를 쓴다. 동사 buy에 어울리는 전치사는 for이다.

11 (1) 의미상 사역동사 문장을 수동태로 전환했다고 볼 수 있으므로 'We should make them wear helmets.'의 수동태 문장을 생각해 쓴다. (2) 의미상 4형식 문장을 수동태로 전환했다고 볼 수 있다. 'Mr. Jones taught me math.'의 수동태 문장을 생각해 쓴다.

12 동사구 clean up after의 수동태는 be cleaned up after로 쓴다.

13 동사구 pick up의 수동태가 쓰인 과거 시제 문장이다.

14 (1) be worried about: ~에 관해 걱정하다 (2) be made from + 성질이 변하는 재료: ~으로 만들어지다

15 be tired of: ~에 싫증나다, 우리말에 맞게 부정 의문문으로 완성한다. 전치사 of의 목적어가 되어야 하므로 동명사 playing을 쓴다.

STEP 4 · 실력 완성 테스트 p. 136

01 ③, ④　02 was made for me by my little sister
03 will be picked up at the station by her sister　04 (1) is given to Anne by Chris (2) is given a present by Chris
05 A pair of sneakers was bought for me by my mom.
06 (1) Are you interested in hip hop music (2) I am tired of hearing it

01 ③ Nick은 내게 사진을 몇 장 가져왔다. ≠ 몇 장의 사진이 나에 의해 Nick에게 전해졌다. ④ 나는 Nigel이 통화하는 소리를 들었다. ≠ Nigel은 나와 통화하고 있었다.

02 수동태가 되어야 하므로 동사는 was made로 쓴다.

03 동사구 pick up 사이에 쓰인 대명사 목적어 her(= Jane)를 주어로 하는 수동태 문장이 되게 한다. 동사는 will be picked up으로 쓰고 행위자 Jane's sister를 her sister로 고쳐 쓴다.

04 Chris가 Anne에게 선물을 주는 상황이므로 Chris gives Anne a present.의 두 가지 수동태 문장을 완성하면 된다.

05 4형식 문장을 수동태로 쓸 때 동사 buy는 간접목적어를 주어로 쓰지 않으므로 직접목적어 a pair of sneakers를 주어로 문장을 고쳐 쓴다.

06 be interested in과 be tired of를 활용해 영작한다.

최종 선택 QUIZ p. 137

01 a　02 a　03 b　04 a　05 b　06 a　07 a　08 b

UNIT 14 주격, 소유격 관계대명사

✔ 바로 체크 p. 138

01 who　02 which　03 whose　04 which
05 that　06 which　07 who　08 whose
09 whose　10 eating

STEP 1 · 만만한 기초 pp. 139-141

01 ④　02 ①　03 who [that]　04 which [that]
05 ③　06 ⑤　07 which [that]　08 girl who [that]
09 ③　10 that　11 ②　12 is talking　13 were
14 ④　15 ⑤　16 which were　17 ⓐ, ⓑ, ⓓ, ⓔ
18 ⑤　19 ②　20 ④　21 ①　22 ④　23 ③
24 whose　25 whose

01 선행사가 the news이고 뒤에 동사가 있으므로 주격 관계대명사 which[that]를 쓴다.

02 선행사가 동물이므로 주격 관계대명사 which가 알맞다. which 대신 that도 쓸 수 있다.

03 선행사가 The nurses이므로 주격 관계대명사 who[that]를 쓴다.

04 선행사가 the room이므로 주격 관계대명사 which[that]를 쓴다.

05 주격 관계대명사 앞에는 선행사, 뒤에는 동사가 와야 하므로 who는 선행사 an inventor, 동사 made 사이인 ③에 들어가는 것이 알맞다. first는 동사를 꾸미는 부사로 쓰였다.

06 ⑤ it 대신에 선행사 a house에 알맞은 주격 관계대명사 which[that]를 써야 한다. → which[that] has a red roof

07 선행사를 a horror movie로 하는 주격 관계대명사 which[that]를 쓴다.

08 선행사와 주격 관계대명사를 넣어 문장을 완성한다. 선행사가 a girl로 사람이므로 주격 관계대명사는 who[that]를 쓴다.

09 첫 번째 문장의 선행사는 a person으로 사람이므로 주격 관계대명사 who[that], 두 번째 문장의 선행사는 a country로 주격 관계대명사 which[that]를 쓸 수 있다.

10 선행사가 사람이나 동물일 때 모두 쓸 수 있는 주격 관계대명사는 that이다.

11 문맥상 '금발을 가진'이라는 의미가 되어야 하므로 has가 알맞다. 선행사가 a beautiful girl이므로 동사는 3인칭 단수형을 쓴다.

12 주격 관계대명사 who 뒤에 동사를 쓴다. 현재진행 시제가 되는 것에 유의한다.

13 선행사가 two books이므로 주격 관계대명사 뒤의 동사는 복수형인 were가 되는 것이 알맞다.

14 「주격 관계대명사+be동사+분사(형용사)」 구문에서 「주격 관계대명사+be동사」는 생략할 수 있지만 주격 관계대명사만 생략할 수는 없다.

15 ⑤ 「주격 관계대명사+be동사」는 생략 가능하다.

16 「주격 관계대명사+be동사」인 which were는 생략할 수 있다.

17 「주격 관계대명사+be동사+분사(형용사)」 구문에서 「주격 관계대명사+be동사」는 생략할 수 있다. ⓒ 관계대명사만 생략할 수는 없다.

18 ⑤의 who는 The woman을 선행사로 하는 주격 관계대명사이고, 나머지는 모두 의문사이다.

19 ②의 which는 의문사이고, 나머지는 모두 주격 관계대명사이다.

20 ④의 that은 주격 관계대명사이고 나머지는 모두 지시형용사이다.

21 빈칸 앞에는 선행사 a word, 뒤에는 동사 brightens가 있는 것으로 보아 빈칸에는 주격 관계대명사 that이 들어가는 것이 알맞다.

22 첫 번째 빈칸에는 의문사 Which, 두 번째 빈칸에는 a car를 선행사로 하는 주격 관계대명사 which가 알맞다.

23 빈칸 앞에 선행사 people, 뒤에 명사 houses가 있으므로 빈칸에는 소유격 관계대명사 whose가 알맞다.

24 빈칸 앞에 선행사 a girl, 뒤에 명사 father가 있으므로 빈칸에는 소유격 관계대명사 whose가 알맞다.

25 빈칸 앞에 선행사 a bag이 있고, 뒤에 명사가 있으므로 소유격 관계대명사 whose를 쓴다.

STEP 2 · 오답률 40~60% 문제   pp. 142-143

01 ② **02** ① **03** ③ **04** ④ **05** ① **06** ①
07 ③ **08** (1) candies (2) girl who **09** who[that] needs my help most is my sister **10** who[that] is called Dylan **11** A giraffe which lives in Africa is a tall animal.
12 The boy who lives across from my house is my classmate. **13** who **14** Which[which] **15** (A) ⓑ (B) ⓐ

01 ② 주격 관계대명사 who는 선행사가 사람일 때 쓴다. → which[that]

02 첫 번째 빈칸에는 선행사가 the person인 주격 관계대명사 who[that]를 쓴다. 두 번째 빈칸 앞에는 선행사 an animal, 뒤에는 명사가 있으므로 소유격 관계대명사 whose를 쓴다.

03 선행사를 an animal로 하는 주격 관계대명사가 쓰인 문장을 만든다. 「선행사+주격 관계대명사+동사」의 어순으로 쓰는 것에 유의한다.

04 주격 관계대명사 다음에는 동사가 온다.

05 선행사가 복수 명사인 The students이므로 관계대명사 who 뒤의 동사로 study가 알맞다. in the room은 The students를 꾸민다.

06 주격 관계대명사 which 뒤에 오는 동사는 선행사와 인칭과 수가 일치해야 한다. 선행사 the concert에 알맞은 동사는 was이다.

07 ① were → was ② sing → sings ④ uses → use ⑤ dry → dries

08 (1) 빈칸 뒤에 which가 있으므로 빈칸에는 사물인 선행사 candies를 쓴다. (2) 빈칸 앞에 관사, 뒤에는 조동사가 있으므로 빈칸에는 선행사와 주격 관계대명사를 쓴다. 문맥상 선행사가 사람이 되는 것이 적절하다.

09 선행사를 The person으로 하는 주격 관계대명사 who[that]를 추가하여 문장을 완성한다.

10 선행사를 a boy로 하는 주격 관계대명사 who[that]를 이용해 문장을 완성한다. 주격 관계대명사 뒤에 동사가 오는 것에 유의한다.

11 「선행사+주격 관계대명사+동사」의 어순으로 배열한다.

12 관계대명사절이 The boy를 수식하게 한다.

13 첫 번째 빈칸에는 선행사를 the person으로 하는 주격 관계대명사 who, 두 번째 빈칸에는 '누구'라는 의미의 의문사 who가 알맞다.

14 문맥상 첫 번째 빈칸에는 의문사, 두 번째 빈칸에는 paintings를 선행사로 하는 주격 관계대명사가 들어가는 것이 적절하다. 공통으로 쓸 수 있는 것은 Which[which]이다.

15 (A)와 ⓑ는 주격 관계대명사, (B)와 ⓐ는 의문사이다.

STEP 3 · 오답률 60~80% 문제   pp. 144-145

01 ③ **02** ②, ④ **03** ⑤ **04** ④ **05** ③ **06** ②
07 which[that] has **08** The woman who[that] is standing **09** I read the book which[that] was full of useful information. **10** Ms. Dalton took them to the house whose garden was beautiful. **11** whose dream was to be a famous pianist, 나는 꿈이 유명한 피아니스트가 되

는 것이었던 한 남자를 안다.　　12 (1) who [that] is riding a bike　(2) who [that] are playing basketball　(3) which [that] is sleeping under the tree　　13 The girl who [that] broke the window was Alice.　　14 Do you know the player who [that] is running on the track now?　　15 The boy (who [that] is) reading a book is my cousin.

01 ③ 선행사를 those birds로 하는 주격 관계대명사 that 뒤에는 동사가 와야 하므로 they는 필요 없다.

02 ② of whom → whose ④ which → whose

03 ⑤ 선행사가 a young girl이므로 주격 관계대명사 who가 알맞다. in the village는 a young girl을 수식하는 부사구이다.

04 〈보기〉와 ④의 that은 주격 관계대명사이다. ①, ②, ⑤ 지시형용사 ③ 접속사

05 ④의 that은 접속사, 〈보기〉와 나머지의 that은 주격 관계대명사이다.

06 빈칸 뒤 the man을 선행사로 하는 주격 관계대명사 that이 이끄는 절이 되는 것이 알맞다. 주격 관계대명사 뒤에는 동사가 온다.

07 선행사 a small rice cake가 사물이고 3인칭 단수이므로 주격 관계대명사 which [that]와 동사 has를 쓴다.

08 선행사가 사람이므로 주격 관계대명사 who [that]를 사용해 문장을 완성한다. 현재진행 시제로 쓰는 것에 유의한다.

09 선행사를 the book으로 하는 주격 관계대명사 which [that]를 이용해 문장을 완성한다.

10 which 앞에 선행사 the house가 있고 뒤에 명사 garden이 있으므로, which는 소유격 관계대명사 whose로 고친다.

11 선행사를 a man으로 하는 소유격 관계대명사 whose가 관계대명사절을 이끈다.

12 그림의 상황에 적절한 동사와 선행사에 맞는 주격 관계대명사를 활용해 문장을 완성한다. 현재진행 시제를 쓰는 것이 자연스럽다.

13 선행사를 The girl로 하는 주격 관계대명사절을 이용해 문장을 쓴다. 시제에 유의한다.

14 「주격 관계대명사 + be동사」는 「선행사 + 주격 관계대명사 + be동사 + 분사(형용사)」에서 생략할 수 있다.

15 The boy를 선행사로 하는 주격 관계대명사 who [that]를 이용해 한 문장으로 만든다. 「주격 관계대명사 + be동사」는 생략 가능하다.

STEP 4 · 실력 완성 테스트　　　　　　　　p. 146

01 ③　　02 ②, ⑤　　03 ⑤　　04 • A dentist is a person who treats people's teeth. • A liar is a person who doesn't tell the truth.　　05 [모범답] (1) who [that] bakes bread　(2) who [that] drives a taxi　　06 a singer and songwriter who [that] was born in Korea in 1999

01 첫 번째 빈칸 앞에 사물 선행사가 있고 뒤에 명사가 나오므로 소유격 관계대명사 whose를 쓴다. 두 번째 빈칸은 앞에 선행사 The

mountain range가 있고 뒤에 동사가 나오므로 which [that]를 쓴다. 세 번째 빈칸 앞에는 사람 선행사가 있고 뒤에 동사가 나오므로 who [that]를 쓴다.

02 ② is → are ⑤ were → was

03 ⑤의 빈칸에는 접속사, 〈보기〉와 나머지는 모두 관계대명사가 들어간다.

04 선행사를 a person으로 하는 주격 관계대명사 who를 사용한다. a person이 3인칭 단수이므로 관계대명사 뒤의 동사 형태에 유의한다.

05 주격 관계대명사 who [that]를 이용해 문장을 완성한다. 선행사가 3인칭 단수이므로 관계대명사 뒤 동사 형태에 유의한다.

06 a singer and songwriter를 선행사로 하여 문장을 완성한다. Brian이 1999년에 태어났으므로 과거 시제를 쓰는 것에 유의한다.

최종 선택 QUIZ　　　　　　　　　　　p. 147

01 b　02 a　03 b　04 b　05 a　06 b　07 b　08 b

UNIT 15　목적격 관계대명사

✅ 바로 체크　　　　　　　　　　　　p. 148

01 which　　02 which　　03 that　　04 which
05 whom　　06 in which　　07 who　　08 which
09 주격　　10 목적격

STEP 1 · 만만한 기초　　　　　　　pp. 149–151

01 ①　　02 ①, ④　　03 ②　　04 ③　　05 ②　　06 ③
07 ③　　08 ⑤　　09 which [that]　　10 ⑤　　11 The course which she chose was swimming. / Swimming was the course which she chose.　　12 the house which [that] Mason built three years ago　　13 ②　　14 ②　　15 ③
16 ①　　17 ③　　18 This is the photo ✔(which [that]) I like best.　　19 The laptop you're using now is really nice.　　20 the items we will use in the show　　21 is a device we use to see　　22 ④　　23 ②　　24 ①
25 (1) which [that], 이것들은 내가 직접 딴 레몬이다. (2) who [that], 저 아이는 나의 집 근처로 이사 온 소녀이다.

01 선행사(The concert)가 사물이고, 뒤에 「주어 + 동사」가 오므로 목적격 관계대명사 which가 알맞다.

02 선행사(The doll)가 사물이고, 뒤에 「주어 + 동사」가 오므로 목적격 관계대명사 which나 that이 알맞다.

03 ② whom은 목적격 관계대명사로 선행사가 사람일 때 쓴다.

04 첫 번째 문장은 선행사가 사람이므로 목적격 관계대명사 whom

이 알맞고, 두 번째 문장은 선행사가 사물이므로 목적격 관계대명사 which가 알맞다.

05 The necklace를 선행사로 하고 목적격 관계대명사 which나 that 이 이끄는 절이 뒤에 나오는 문장이 알맞다. 이때 관계대명사절에는 목적어가 없어야 한다.

06 ③ 선행사 the boy가 사람이므로 관계대명사는 who(m) 또는 that 을 쓸 수 있다.

07 ③ 'played with the children'의 관계이므로 who 앞이나 played 다음에 with가 있어야 한다.

08 ① that → which ② which → who(m) 또는 that ③ whom → which 또는 that ④ her 삭제

09 선행사(the book)가 사물이고 뒤에 「주어+동사」가 왔으므로 목적격 관계대명사 which 또는 that이 알맞다.

10 목적격 관계대명사 whom이 전치사 to의 목적어 him을 대신하고 있으므로 him은 삭제해야 한다.

11 목적격 관계대명사 which가 이끄는 절이 the course를 꾸미는 형 태로 배열한다.

12 the house를 선행사로 하고 목적격 관계대명사는 which[that]를 사용한다.

13 The store가 선행사이고 he often goes to가 선행사를 꾸미고 있다. The store는 to의 목적어가 되므로 he often goes to가 목적격 관계대명사가 생략된 형태의 관계사절임을 알 수 있다.

14 ② 목적격 관계대명사는 생략할 수 있다.

15 ③ 주격 관계대명사는 생략할 수 없다.

16 공통으로 해당하는 어구인 The vase(= it)가 두 번째 문장의 목적어 이므로 목적격 관계대명사로 연결할 수 있다. 목적격 관계대명사는 생략할 수 있다는 점에 유의한다.

17 주어진 표현은 목적격 관계대명사가 생략된 관계대명사절로 The museum이 선행사이다. 따라서 ③에 들어가야 한다.

18 관계대명사절 I like best가 사물인 선행사 the photo를 꾸민다. I 앞에 목적격 관계대명사 which나 that이 생략되었다고 할 수 있다.

19 목적격 관계대명사 that은 생략할 수 있다.

20 목적격 관계대명사 which 혹은 that이 생략된 관계사절이 선행사 the items를 꾸미도록 배열한다.

21 문장의 동사는 is이고, 보어 a device를 목적격 관계대명사가 생략된 관계사절이 꾸미는 형태로 배열한다.

22 주격 관계대명사 다음에는 동사가 오고, 목적격 관계대명사 다음에는 「주어+동사」가 온다. ④는 목적격 관계대명사이고 나머지는 모두 주 격 관계대명사이다.

23 〈보기〉와 ②는 which 다음에 「주어+동사」가 오므로 목적격 관계대 명사이다. 나머지는 모두 주격 관계대명사이다.

24 ⓐ는 주격 관계대명사, ⓑ, ⓒ, ⓓ는 목적격 관계대명사이다.

25 (1) 선행사가 사물이고 빈칸 다음에 「주어+동사」가 오므로 목적격 관계대명사 which 또는 that을 쓴다. (2) 선행사가 사람이고 빈칸 다 음에 동사가 오므로 주격 관계대명사 who 또는 that을 쓴다.

01 ① **02** ② **03** ② **04** ⑤ **05** ④ **06** ③
07 ③ **08** ④, in which **09** The story (which[that]) she told me was not true. **10** that **11** (1) He has a daughter who goes to middle school. (2) The boy whom I met yesterday is his brother. **12** (1) who[that], 주격 (2) which[that], 목적격 **13** which[that] he gave to you as a gift is under the chair **14** (1) The book they were talking about was sold out. (2) The book about which they were talking was sold out. **15** one of the countries (which[that]) I want to visit

01 선행사가 사물이므로 목적격 관계대명사 which나 that으로 연결한 다. 이때 관계대명사가 대신한 목적어 it은 삭제해야 한다.

02 선행사가 사물이고 빈칸 다음에 「주어+동사」가 오는 것으로 보아 목 적격 관계대명사 which가 알맞다.

03 첫 번째 문장의 선행사는 사물이고 앞에 전치사가 있으므로 which 가 알맞다. 두 번째 문장의 선행사는 사람이므로 목적격 관계대명사 who(m)[that]가 알맞다.

04 → He likes the cat which his friend gave to him.

05 ① 전치사 in을 which 앞이나 born 뒤에 써야 한다. ② who → which 또는 that ③ which 뒤에 주어 필요 ⑤ him 삭제

06 ③ 전치사 뒤의 목적격 관계대명사는 생략할 수 없다.

07 ⓐ, ⓓ, ⓔ는 목적격 관계대명사이다. ⓑ 소유격 관계대명사 ⓒ 주격 관계대명사

08 전치사 뒤의 목적격 관계대명사는 생략할 수 없으므로 in 다음에 which를 넣어야 한다.

09 목적격 관계대명사 which[that]가 이끄는 절이 선행사 the story를 꾸미는 문장으로 쓴다. 목적격 관계대명사는 생략할 수 있다.

10 첫 번째 문장에는 선행사가 사물인 목적격 관계대명사를 써야 한다. 두 번째 문장에는 선행사가 사람인 주격 관계대명사를 써야 한다. 두 경우에 공통으로 쓸 수 있는 말은 that이다.

11 (1) 주격 관계대명사 who절이 선행사 a daughter를 꾸민다. (2) 목 적격 관계대명사 whom절이 선행사 The boy를 꾸민다.

12 (1) 사람이 선행사이고 빈칸 다음에 동사가 오므로 주격 관계대명 사 who 또는 that을 쓴다. (2) 선행사가 사물이고 빈칸 다음에 「주 어+동사」가 오므로 목적격 관계대명사 which 또는 that을 쓴다.

13 선행사(The pencil case)를 목적격 관계대명사 which[that]가 이 끄는 절이 꾸미는 형태로 연결한다.

14 선행사(The book)를 목적격 관계대명사가 이끄는 절이 꾸미는 형태 로 연결한다. (1)은 전치사 about을 관계대명사 앞에 두지 않으므로 조건에 맞게 관계대명사를 생략해서 쓴다. (2)는 전치사 about을 관 계대명사 앞에 써야 하므로 목적격 관계대명사는 생략할 수 없으며 which만 쓸 수 있다.

15 목적격 관계대명사 which[that]가 이끄는 절이 선행사 one of the countries를 꾸미도록 배열한다. 이때 목적격 관계대명사는 생략할 수 있다.

01 ③　　02 ③　　03 ④　　04 ④　　05 ②　　06 ⑤
07 ②　　08 The boy they are looking at is my cousin.
09 (1) I'm going to fix the robot my little sister broke (2) the robot you made for her as　　10 I have never read the mystery novels which [that] he wrote.　　11 The police officer wants to know about the woman who(m) [that] I talked to.　　12 (1) which [that] we can read books in / in which we can read books (2) which [that] we eat with burgers or French fries　　13 [모범답] The museum which [that] they visited yesterday is very old.　　14 [모범답] I remember the girl who(m) [that] Lucas helped. 15 [모범답] (1) She is the singer (who(m) [that]) I like most. (2) Her concert (which [that]) I saw on TV was fantastic.

01 ③ → whom

02 선행사가 사물이고 앞에 전치사가 있으므로 which가 알맞다.

03 ④ 선행사(The pictures)가 사물이므로 목적격 관계대명사 which는 고칠 필요가 없다.

04 ④ 목적격 관계대명사는 생략할 수 있다.

05 사물인 선행사 the paintings를 which [that] you saw가 꾸미는 형태가 되어야 한다. 목적격 관계대명사는 생략할 수 있으므로 you saw가 알맞다.

06 〈보기〉와 ⑤는 목적격 관계대명사, 나머지는 주격 관계대명사이다.

07 ②의 which는 목적격 관계대명사, 나머지는 주격 관계대명사이다.

08 선행사(The boy)를 목적격 관계대명사가 생략된 관계사절이 꾸미는 형태로 배열한다. 관계대명사는 생략되었으므로 전치사 at은 관계사절 앞에 쓸 수 없다.

09 선행사(the robot)를 목적격 관계대명사가 생략된 관계사절이 꾸미는 형태로 배열한다.
[해석] A 방과 후에 뭐 할 거니? B 나는 어젯밤에 내 여동생이 망가뜨린 로봇을 고칠 거야. A 네가 생일 선물로 그 애에게 만들어 준 로봇 말이야? B 응. 여동생이 바닥에 그걸 떨어뜨렸거든. 나는 그걸 오늘 고쳐 주겠다고 여동생과 약속했어.

10 경험을 나타내는 현재완료 have never read가 동사가 된다. 선행사(the mystery novels)를 목적격 관계대명사절이 꾸미는 형태로 쓴다.

11 선행사(the woman)가 사람이므로 which는 who(m) 또는 that으로 고친다. 또한 목적격 관계대명사가 대신한 목적어 her를 삭제한다.

12 관련 있는 설명을 골라 목적격 관계대명사를 사용하여 연결한다. (1)에서는 전치사를 생략하지 않도록 주의한다.

13 The museum is very old.라는 기본 문장에서 The museum을 which 또는 that이 이끄는 관계대명사절이 꾸미는 형태로 영작한다.

14 I remember the girl.이라는 기본 문장에서 the girl을 who(m) 또는 that이 이끄는 관계대명사절이 꾸미는 형태로 영작한다.

15 (1) She is the singer.라는 문장에서 목적격 관계대명사 who(m) 또는 that이 이끄는 절이 선행사를 꾸미도록 쓴다. (2) Her concert was fantastic.이라는 문장에서 목적격 관계대명사 which 또는

that이 이끄는 절이 선행사를 꾸미도록 쓴다.

01 ②, ④　　02 ③　　03 ③　　04 • She wears a silver ring which [that] her mother left. • I told my friends about the kids who(m) [that] I saw two days ago. • The pasta which [that] we ate last night was too salty.　　05 [모범답] (1) Kevin who everyone likes is a popular writer. (2) The car (which [that]) I want to buy is very expensive.
06 My friends like the sandwiches I make with tuna, so I will make some.

01 선행사 the man이 사람이므로 목적격 관계대명사 who(m)나 that이 알맞으며, 목적격 관계대명사는 생략할 수 있다. 전치사 to를 생략하지 않도록 주의한다.

02 ③ the girl standing there는 분사구가 명사를 꾸미는 것으로 볼 수 있다. 나머지는 모두 목적격 관계대명사가 생략되어 있다.

03 ⓐ it 삭제 ⓑ who → which 또는 that ⓓ her 삭제

04 • 그녀는 어머니가 남겨 주신 은반지를 끼고 있다. • 나는 내가 이틀 전에 본 아이들에 관해 친구들에게 이야기했다. • 우리가 어젯밤에 먹은 파스타는 너무 짰다.

05 (1) 선행사 Kevin을 who가 이끄는 목적격 관계대명사절이 꾸미는 형태로 쓰며, everyone은 단수 취급한다. (2) 선행사 The car를 which나 that이 이끄는 목적격 관계대명사절이 꾸미는 형태로 쓴다.

06 네 번째 문장의 생략된 목적격 관계대명사가 관계사절에서 목적어 역할을 하므로 them(= the sandwiches)은 삭제해야 한다.
[해석] 나는 다음 주 토요일에 친구들과 함께 소풍을 갈 것이다. 우선, 우리는 우리가 즐겨하는 운동을 할 것이다. 그 다음에 우리는 자전거를 타고 점심을 먹을 것이다. 내 친구들은 내가 참치로 만드는 샌드위치를 좋아해서 나는 샌드위치를 좀 만들 것이다. 나는 이번 소풍을 몹시 기대하고 있다.

최종 선택 QUIZ　　　　　　　p. 157

01 b　02 a　03 a　04 b　05 a　06 a　07 b　08 a

UNIT 16　관계대명사 that과 what

✔ 바로 체크　　　　　　　p. 158

01 What　02 what　03 that　04 what　05 whose
06 that　07 which　08 접속사　09 관계대명사
10 의문사

01 ③　02 The woman whose wallet was stolen was very upset.　03 ①, ②　04 the best idea that I have ever heard　05 that　06 ⑤　07 ③　08 (1) 관 (2) 관 (3) 접　09 ④　10 ③　11 ①　12 ④　13 ④　14 what I did last night　15 what　16 ③　17 what I would like to eat now　18 What [what]　19 ②　20 ④　21 [모범답] 그가 말한 것은 나를 화나게 했다.　22 ③　23 ①　24 ⓑ Who is the teacher whose nickname is Iron Man?　25 (1) that (2) what

01 선행사가 사람 이외의 것인 주격 관계대명사와 선행사가 사람인 목적격 관계대명사로 둘 다 쓰이는 것은 that이다.

02 관계대명사 뒤에 명사(wallet)가 와서 '그 여자의 지갑'이라는 의미가 되므로 소유격 관계대명사가 와야 한다. that은 소유격 관계대명사로 쓸 수 없으므로 whose로 바꿔야 한다.

03 ① → whose ② 전치사 뒤에는 관계대명사 that을 쓸 수 없다. 앞에 사물이 있으므로 that을 which로 바꿔 쓴다.

04 선행사 the best idea를 목적격 관계대명사절이 꾸미는 형태이다.

05 첫 번째 문장의 선행사에 one이 있으므로 that이 알맞다. 두 번째 문장의 선행사는 사람과 동물이므로 that이 알맞다.

06 ⑤의 that은 앞에 선행사(the apples)가 있고 뒤의 절이 불완전하므로 관계대명사이다. 나머지는 모두 명사절을 이끄는 접속사 that이다.

07 ③의 that은 명사절을 이끄는 접속사이다. 〈보기〉와 나머지의 that은 관계대명사이다.

08 (1), (2) 선행사가 있고 that절이 불완전한 문장이므로 that은 관계대명사이다. (3) 선행사가 없고 that 뒤의 절이 완전하므로 명사절을 이끄는 접속사이다.

09 '~하는 것'이라는 의미로 선행사를 포함하는 관계대명사 what이 알맞다. 관계대명사 what은 명사절을 이끈다.

10 ③ 선행사(The sofa)가 있으므로 관계대명사 which 또는 that이 알맞다. 나머지는 선행사를 포함하는 관계대명사 what이 알맞다.

11 첫 번째 문장에는 선행사를 포함하는 관계대명사 what이 알맞다. 두 번째 문장의 빈칸 앞에 선행사가 있으므로 which 또는 that이 알맞다.

12 선행사를 포함하는 관계대명사 what이 알맞다.

13 ④ what 앞에 선행사가 있으므로 what 대신 which나 that을 쓴다.

14 어젯밤에 한 일을 기억하지 못한다는 의미이다. 선행사 없이 관계대명사 what절을 목적어로 쓰면 된다.

15 the things that은 선행사를 포함하는 관계대명사 what으로 바꿔 쓸 수 있다.

16 ③ 앞에 선행사가 없고 about의 목적어가 되는 관계대명사가 필요하므로 which를 what으로 바꿔야 한다.

17 '~하는 것'이라는 의미의 관계대명사 what이 이끄는 절이 보어가 되도록 문장을 완성한다. → 피자는 지금 내가 먹고 싶은 것이다.

18 세 문장 모두 빈칸 앞에 선행사가 없고 빈칸 뒤의 절이 불완전하므로 '~하는 것'이라는 의미의 관계대명사 what을 쓰는 것이 알맞다.

19 ②의 what은 '무엇'이라는 의미로 쓰인 의문사로, 'what her name is'는 간접의문문이다. 나머지는 관계대명사이다.

20 〈보기〉와 ④의 what은 '~하는 것'이라는 의미로 선행사를 포함하는 관계대명사이다. 나머지는 '무엇, 어떤'이라는 의미의 의문사이다.

21 What이 '~하는 것'이라는 의미의 관계대명사로 쓰였다.

22 ① that → what ② That → What ④ what → that(접속사) ⑤ that → whose

23 ① 선행사가 있고, 뒤의 절이 불완전하므로 관계대명사이다.

24 ⓑ 관계대명사 뒤에 명사(nickname)가 왔으므로 소유격 관계대명사가 와야 한다. that은 소유격으로 사용할 수 없으므로 whose로 바꾼다.

25 (1) 빈칸 뒤의 절이 완전한 문장이므로 접속사 that이 알맞다. (2) 빈칸 앞에 선행사가 없으며 뒤의 절이 불완전하므로 관계대명사 what이 알맞다.

01 ①　02 ⑤　03 ②　04 ②　05 ④　06 ⑤　07 ②　08 What Dr. Smith invented　09 What makes me happy is my family.　10 I wrote what I knew about her.　11 That [that]　12 that hair → whose hair　13 a girl whose mother is a famous violinist　14 find what I hid in the room　15 (1) What (2) what (3) that

01 첫 번째 문장의 빈칸 앞에는 사물인 선행사(the film)와 전치사가 있고 뒤의 절이 불완전하므로 관계대명사 which를 써야 한다. 두 번째 문장의 빈칸 뒤에 명사(cover)가 왔으므로 소유격 관계대명사 whose가 알맞다. 세 번째 문장의 선행사에 the same이 포함되어 있으므로 관계대명사 that을 쓰는 것이 자연스럽다.

02 ⑤ 관계대명사 that은 전치사의 목적어로 쓰일 수 없다. that → which

03 ②의 that은 관계대명사이고 나머지는 명사절을 이끄는 접속사이다.

04 ②의 that은 관계대명사이고 앞에 사물인 the song이 있으므로 which로 바꿔 쓸 수 있다. 나머지는 모두 명사절을 이끄는 접속사이다.

05 ④ '~하는 것'이라는 의미로 what이 이끄는 관계대명사절이 buy의 목적어로 쓰인 문장이 알맞다.

06 선행사가 없으므로 관계대명사 what이 알맞다.
[해석] A 너는 오늘 과학 선생님이 설명하신 것을 이해했니? B 아니. 그건 너무 어려웠어. 배운 것을 복습해야 할 것 같아.

07 ② What 뒤의 절이 완전한 문장이므로 명사절을 이끄는 접속사 That으로 바꿔야 한다.

08 Smith 박사가 발명한 것이 유용하다는 의미이므로 선행사 없이 관계대명사 what이 이끄는 절을 주어로 쓰면 된다.

09 '~하는 것'이라는 의미의 관계대명사 what이 이끄는 절이 주어가 되도록 배열한다.

10 '~하는 것'이라는 의미의 관계대명사 what이 이끄는 절이 wrote의 목적어가 되도록 배열한다.

11 첫 번째 문장의 빈칸에는 관사나 지시 형용사가 들어가야 한다. 두 번째 문장의 빈칸에는 선행사가 -thing으로 끝나는 대명사이므로 관계대명사 that이 자연스럽다. 세 번째 문장의 빈칸에는 명사절을 이끄

는 접속사 that이 알맞다. 따라서 공통인 말은 that이다.

12 관계대명사 뒤에 명사(hair)가 왔으므로 소유격 관계대명사가 와야 한다. that은 소유격으로 사용할 수 없으므로 whose로 바꿔야 한다.

13 a girl이 선행사이고 '그 소녀의 어머니'라는 의미가 되어야 하므로 소유격 관계대명사 whose를 사용한다.

14 '~하는 것'이라는 의미의 관계대명사 what절이 동사 find의 목적어가 되도록 배열한다. 앞에 조동사가 있으므로 동사는 원형을 쓴다.

15 (1) B의 대답으로 보아 '무엇'을 샀는지 묻는 질문이 되어야 하므로 의문사 What을 쓴다. (2) 선행사가 없고 뒤에 불완전한 절이 나오므로 관계대명사 what이 알맞다. (3) 명사절 접속사 that이 알맞다.
[해석] **A** 너 쇼핑몰에서 뭐 샀니? **B** 나는 이 파란색 치마를 샀어. **A** 이게 네가 사고 싶어 하던 거야? **B** 아니. 나는 회색 치마를 사고 싶었는데 팔지 않더라. **A** 내 생각에는 그 파란색 치마가 네게 잘 어울리는 것 같아. **B** 고마워.

STEP 3 · 오답률 60~80% 문제
pp. 164-165

01 ④ **02** ② **03** ① **04** ⑤ **05** ①, ② **06** ③
07 ⑤ **08** the only person that Sue talks to **09** that
10 [모범답] She has to get up early not to miss the first train that departs from Chicago. **11** Be careful about what you think **12** It is the animal which[that] I like best. **13** [모범답] The truth is different from what we see. **14** [모범답] What I want to do now is playing [to play] tennis with Kate. **15** What is most important is that you did your best.

01 ④ 선행사(The items)가 있으므로 관계대명사 which 또는 that을 써야 한다. 나머지는 '~하는 것'이라는 의미로 선행사를 포함하는 관계대명사 what이 알맞다.

02 → want to see what you drew for the contest.

03 첫 번째 문장의 빈칸 앞에 선행사가 있으므로 관계대명사 which 또는 that이 알맞다. 두 번째 문장의 빈칸 앞에는 선행사가 없고 뒤에 불완전한 절이 이어지므로 관계대명사 what이 필요하다.

04 빈칸 앞에 선행사(the backpack)가 있으므로 관계대명사 what이 이끄는 절은 올 수 없다.

05 ③ that → what ④ what → who [that] ⑤ that → whose

06 〈보기〉와 ③의 밑줄 친 what은 선행사를 포함하는 관계대명사이다. 나머지는 모두 의문사로 쓰였으며 그 중 ②, ④, ⑤의 what은 간접의문문을 이끄는 역할을 한다.

07 ⑤의 what은 간접의문문을 이끄는 의문사이고 나머지는 모두 선행사를 포함하는 관계대명사이다.

08 선행사 the only person을 관계대명사 that절이 수식하는 형태로 배열한다. 선행사에 the only가 포함된 경우에는 주로 관계대명사 that을 쓴다.

09 첫 번째 문장과 세 번째 문장의 빈칸에는 각각 주격과 목적격 관계대명사를 써야 하고 두 번째 문장의 빈칸에는 명사절을 이끄는 접속사를 써야 한다. 공통으로 들어갈 수 있는 것은 that이다.

10 최상급이 포함된 the first train이 선행사이므로 관계대명사는 that을 쓴다. to부정사의 부정은 to 앞에 not을 쓴다.

11 명령문의 형태로 '네가 생각하는 것과 말하는 것에 관해 조심해라.'라는 의미의 문장이 되도록 배열한다.

12 마지막 문장에 선행사(the animal)가 있으므로 what은 관계대명사 which[that]로 바꿔야 한다.
[해석] **A** 엄마, 산타클로스가 올해 제게 크리스마스 선물을 주실 거라고 생각하세요? **B** 물론이지. 너는 착한 아이잖아. 뭘 원하는데? 장난감 비행기? 아니면 로봇? **A** 아, 제가 정말 원하는 건 루돌프예요. 그건 제가 가장 좋아하는 동물이거든요.

13 be different from: '~와 다르다', '~하는 것'이라는 의미의 관계대명사 what절을 from의 목적어로 쓴다.

14 '~하는 것'이라는 의미의 관계대명사 what절을 주어로 쓴다.

15 '~하는 것'이라는 의미의 관계대명사 what을 사용하여 주어가 되는 절을 쓰고, 접속사 that이 이끄는 절을 보어로 하여 문장을 완성한다.
[해석] Emma는 수학 시험에서 좋지 않은 성적을 받아서 실망해 있다. David는 그녀가 최선을 다했다는 것을 알고 그는 그 점이 가장 중요하다고 그녀에게 말해 주고 싶다. 이런 상황에서 David는 Emma에게 뭐라고 말할 것인가?

STEP 4 · 실력 완성 테스트

01 ② **02** ③, ⑤ **03** who [that] is sitting on the bench, that are running around (in the park) **04** ⓒ She doesn't remember what happened to her then. ⓓ This is the teddy bear with which the baby sleeps. / This is the teddy bear which[that] the baby sleeps with. **05** (1) pay attention to what I'm saying (2) What I want you to do (3) that I'll recommend to you

01 첫 번째 문장의 빈칸 앞에는 선행사가 없고 뒤에 불완전한 절이 오므로 관계대명사 what을 쓴다. 두 번째 문장에는 전치사의 목적어가 될 수 있는 관계대명사 which를 쓴다. 세 번째 문장은 all을 포함하는 선행사가 있으므로 관계대명사 that이 자연스럽다. 네 번째 문장의 빈칸 앞에 선행사가 있고 뒤에는 명사가 오므로 소유격 관계대명사 whose가 알맞다.

02 ① what ② which [that] ④ whose

03 그림 속 남자는 벤치에 앉아 있고 소녀와 개는 공원을 뛰어 다니고 있다. 선행사가 사람일 때에 주격 관계대명사로 who 또는 that을 쓸 수 있고 선행사가 「사람 + 동물」일 때에는 that을 쓴다.

04 ⓒ 선행사가 없고 that 이하가 불완전한 문장이므로 that을 what으로 바꿔야 한다. ⓓ 관계대명사 that은 전치사의 목적어로 쓸 수 없으므로 which로 바꾸거나 with를 sleeps 뒤로 보내야 한다.

05 (1) '~하는 것'이라는 의미의 관계대명사 what절이 pay attention to의 목적어가 되도록 배열한다. (2) what이 이끄는 관계대명사절을 만든다. (3) 목적격 관계대명사 that이 이끄는 절이 선행사 The first book을 수식하도록 배열한다.
[해석] 안녕하세요, 여러분. 제가 말하는 것에 집중해 주세요. 우리는 오늘 재미있는 이야기를 몇 편 읽을 겁니다. 제가 여러분이 하기를 바

UNIT 16 · **31**

라는 것은 그저 독서를 사랑하는 것입니다. 제가 여러분에게 추천할 첫 번째 책은 《찰리와 초콜릿 공장》입니다. 저는 여러분이 그것을 좋아할 것이라고 확신합니다.

최종 선택 QUIZ
p. 167

01 b　02 a　03 b　04 a　05 b　06 b　07 b　08 a

UNIT 17 관계부사

✔ 바로 체크
p. 168

01 when　02 why　03 how　04 where　05 when
06 how　07 where　08 when

STEP 1 · 만만한 기초
pp. 169~171

01 when　02 When [when]　03 ④　04 in which
05 ①　06 ②　07 the date when we have to hand in our reports　08 where → when　09 Please let me know the time when this plane lands at Narita Airport.
10 ③　11 ③　12 ①　13 ③　14 the room where I feel comfortable　15 where I'll travel this summer vacation　16 why　17 I don't like the way [how] she talks to my friends.　18 ④　19 ③, ④　20 tell me why he was absent　21 ②　22 ④　23 ④　24 ③
25 (1) where (2) when (3) why

01 「전치사＋관계대명사」는 관계부사로 바꿀 수 있다. 선행사가 시간이므로 when이 알맞다.

02 첫 번째 문장에는 '언제'라는 의미의 의문사 When이 알맞다. 두 번째 문장은 빈칸 뒤의 절이 완전한 문장이고 선행사가 시간이므로 관계부사 when이 알맞다.

03 〈보기〉와 ④의 when은 관계부사로 〈보기〉는 선행사 the time이 생략된 형태이다. 나머지는 모두 접속사이다.

04 관계부사는 「전치사＋관계대명사」로 바꿀 수 있다. 'was born in the house'로 이어지는 것이 자연스러우므로 전치사 in을 쓴다.

05 빈칸 뒤의 절이 완전한 문장이므로 관계부사가 알맞고 선행사(the exact time)가 시간이므로 when을 써야 한다.

06 빈칸 뒤의 절이 완전한 문장이고 선행사 the time이 생략된 형태로, 관계부사 when이 알맞다.

07 시간의 선행사 the date 다음에 관계부사 when이 이끄는 절이 오도록 배열한다.

08 관계부사의 선행사(The year)가 시간이므로 when으로 바꿔야 한다.

09 when은 시간을 나타내는 말인 the time 다음에 관계부사로 쓸 수 있다.

10 두 문장 모두 빈칸 뒤의 절이 완전한 문장이고 선행사(The site, a place)가 장소이므로 관계부사 where가 알맞다.

11 접속사와 부사 역할을 하는 관계부사가 와야 하며 선행사가 장소이므로 where가 알맞다.

12 the place가 관계부사절의 꾸밈을 받는 형태의 문장이 적절하다. 선행사가 장소이므로 관계부사 where를 사용한 문장을 찾는다.

13 ③ 선행사가 장소이므로 관계부사 how를 where로 고쳐야 한다.

14 선행사 the room 뒤에 관계부사 where가 이끄는 절이 온다.

15 선행사(an island)가 장소이므로 관계부사 where를 사용하고, 관계부사가 대신한 부사 there는 관계부사절에서 삭제한다.

16 선행사가 이유이므로 관계부사 why로 고친다.

17 관계부사 how와 선행사 the way는 둘 중 하나만 쓴다.

18 빈칸 뒤의 절이 완전한 문장이고 선행사(the reason)가 이유이므로 관계부사 why가 알맞다.

19 첫 번째 문장의 the way를 선행사로 하고 두 번째 문장의 내용을 관계부사절로 고쳐 선행사를 꾸미게 하는 것이 적절하다. 선행사가 방법일 때 관계부사 how와 같이 쓰지 않고 둘 중 하나만 쓴다.

20 동사 tell의 간접목적어를 me, 직접목적어를 이유를 나타내는 관계부사 why가 이끄는 절이 되도록 배열한다.

21 두 문장 모두 빈칸 뒤의 절이 완전한 문장이므로 각각 선행사(the time, the town)에 적절한 시간과 장소의 관계부사가 들어가야 한다.

22 첫 번째 문장은 빈칸 뒤의 절이 완전한 문장이고 선행사가 장소이므로 관계부사 where가 알맞다. 두 번째 문장은 빈칸 뒤의 절에 있는 전치사 in의 목적어가 되는 관계대명사 which가 알맞다.

23 ④ 관계부사 where 뒤의 문장에 전치사 in의 목적어가 없으므로 불완전한 문장이다. 따라서 관계대명사 which로 바꿔야 한다.

24 선행사가 the way이므로 관계부사절은 how가 생략된 형태로 와야 한다. how가 있는 ①은 올 수 없다.

25 각각 장소, 시간, 이유의 관계부사 where, when, why가 들어가는 것이 알맞다.

STEP 2 · 오답률 40~60% 문제
pp. 172~173

01 ④　02 ④　03 ①　04 ①　05 ③　06 ②
07 ①, ④　08 (1) at which we stayed 또는 which [that] we stayed at (2) where we stayed　09 The shop where he bought the jacket　10 It's a place where dead people are buried.　11 This drawer is the place where I keep keys.　12 I remember the bookstore where he bought this magazine.　13 why she left for London
14 how　15 This is the reason why I went to the police station yesterday.

01 ④ 빈칸 뒤의 절에 전치사 in의 목적어가 없으므로 관계부사가 아닌 관계대명사가 들어가야 한다. ① how ② when ③ why ⑤ where

02 ④ 이유를 나타내는 관계부사 why는 for which로 바꿔 쓴다.

03 두 문장 모두 빈칸 뒤의 절이 완전한 문장이고 선행사(the date, The day)가 시간이므로 관계부사 when이 알맞다.

04 접속사와 부사구 역할을 하는 관계부사가 와야 하는데, 선행사가 시간이므로 when이 알맞다.

05 두 문장 모두 빈칸 뒤의 절이 완전한 문장이므로 관계부사를 쓴다. 각각 선행사에 따라 이유와 장소의 관계부사 why, where가 알맞다.

06 ② what 뒤의 절이 완전한 문장이므로 관계대명사 what이 아닌 관계부사가 와야 한다.

07 빈칸 뒤의 절이 완전한 문장이고 선행사(the season)가 시간이므로 관계부사 when이 알맞다. 이를 「전치사＋관계대명사」 형태인 in which(= in the season)로 바꿔 쓸 수 있다.

08 (1) 선행사(The hotel)가 사물이므로 관계대명사는 which[that]를 쓴다. 전치사 at이 관계대명사 앞에 오면 that은 쓸 수 없다. (2) 선행사(The hotel)가 장소이므로 관계부사는 where를 쓴다.

09 주어이자 선행사인 The shop이 맨 앞에 오고, 그 뒤에 장소의 관계부사 where가 이끄는 절이 오게 한다.

10 주어와 동사인 It's 뒤에 보어 a place를 쓴다. 그 뒤에 장소의 관계부사 where가 이끄는 절을 쓴다.

11 선행사(the place)가 장소를 나타내므로 관계부사는 where를 쓴다.

12 주어와 동사는 I와 remember이고, 목적어이자 선행사인 the bookstore를 장소의 관계부사 where가 이끄는 절이 꾸미는 형태로 영작한다.

13 이유를 나타내는 부사절을 이유를 나타내는 관계부사절로 바꾼다. 선행사가 The reason이므로 관계부사는 why를 쓴다.

14 첫 번째 문장은 길을 묻는 'Can you tell me how to get to ~?'가 되는 것이 알맞다. 두 번째 문장은 '황제펭귄이 새끼를 돌보는 방법'이라는 의미가 되도록 관계부사 how가 들어가는 것이 알맞다.

15 이유를 나타내는 관계부사 why가 이끄는 절을 넣어 영작한다. 12단어가 되어야 하므로 선행사 the reason도 쓰는 것에 유의한다.

STEP 3 · 오답률 60~80% 문제
pp. 174-175

> **01** ③ **02** ③ **03** ② **04** ⑤ **05** ①, ③, ⑤
> **06** ③ **07** ③ **08** The day when my dad bought the bike for me was my birthday. **09** that → when[at which] **10** is the time when the date changes **11** I don't know the date when she leaves[will leave]. **12** ask him the reason why he canceled the party **13** [모범답] Do you know the reason why he changed his mind? **14** [모범답] I can't understand how Jessica solved the problem. **15** I don't know the reason why he is so rude to me. / I don't know the reason for which he is so rude to me.

01 ② 선행사(the restaurant)가 장소이므로 관계부사 where가 쓰여야 한다. 관계대명사 which를 쓸 경우에는 전치사 at이 필요하다.

02 ③ in where → where 또는 in which

03 → The lake where we swam was clean.

04 ⑤ where 뒤의 절에 전치사 at의 목적어가 없으므로 관계부사 where를 관계대명사 which로 바꾸거나 at을 삭제해야 한다.

05 ① 일반적인 명사인 선행사 the reason이 생략된 형태이다. ③ 이유를 나타내는 선행사 the reason 뒤에 관계부사 why가 이끄는 절이 왔다. ⑤ 관계부사 why를 for which로 바꾼 형태이다.

06 ③의 in which는 「전치사＋관계대명사」로 생략할 수 있고, the way in which를 how와 바꿔 쓸 수도 있다. ① for which → when[on which] ② where → which ④ where → why ⑤ when → where

07 ③ 이유를 나타내는 선행사가 있으므로 관계부사 why로 고쳐야 한다. 전치사 for를 쓰려면 뒤에 관계대명사 which를 쓴다.

08 시간을 의미하는 the day를 선행사로 하고 관계부사 when절이 이를 꾸미게 한다.

09 The moment가 시간의 선행사이고 뒤에 완전한 절이 오므로 관계대명사 that을 관계부사 when으로 고쳐야 한다. 또는 「전치사＋관계대명사」 형태로 at which를 쓸 수 있다.

10 '자정은 날짜가 변하는 시간이다.'라는 의미가 되도록 동사 is, 보어이자 선행사인 the time, 관계부사 when절의 순서로 배열한다.

11 선행사 the date를 시간의 관계부사 when이 이끄는 절이 꾸미는 형태로 쓴다. 예정된 상황을 나타낼 때 미래 시제 대신 현재 시제도 쓸 수 있음에 유의한다.

12 동사와 간접목적어인 ask him이 온 뒤 직접목적어인 the reason과 이를 꾸미는 관계부사 why가 이끄는 절이 이어지게 한다.

13 선행사 the reason을 이유의 관계부사 why가 이끄는 절이 꾸미는 형태로 영작한다. 이때 the reason은 생략할 수 있다.

14 방법을 나타내는 관계부사절을 이용해 영작한다. 선행사 the way는 관계부사 how와 함께 쓸 수 없다는 점에 유의한다.

15 B의 두 번째 문장에서 관계부사 why는 전치사와 쓰지 않으므로 for를 삭제하거나 why를 which로 바꾼다.
[해석] **A** 너 기분이 안좋아 보인다. 무슨 일 있어? **B** 나 Brian에게 화가 나. 나는 그가 나한테 그렇게 무례한 이유를 모르겠어. **A** 네가 어떤 기분인지 알겠어.

STEP 4 · 실력 완성 테스트
p. 176

> **01** ②, ④ **02** ② **03** ② **04** (1) the city where you can see many cultural heritages (2) why I want to go there (3) I can't forget the moment when I saw **05** (1) 틀린 부분 없음 (2) The place where I want to go [which I want to go to] this summer is Waikiki Beach in Hawaii.

01 ② 선행사가 시간이므로 관계부사 when을 쓴다. ④ 관계부사 when과 같은 의미로 on which를 쓸 수 있다.

02 첫 번째 문장: 이유를 나타내는 관계부사 why, 두 번째 문장: in의 목적어로 쓰일 수 있는 관계대명사 which, 세 번째 문장: 방법을 나타내는 관계부사 how, 네 번째 문장: 시간을 나타내는 관계부사 when

03 ⓑ 선행사 the way와 관계부사 how는 함께 쓸 수 없다. ⓒ which 이하가 완전한 문장이므로 which 대신 장소의 관계부사 where를 써야 한다.

04 (1) 선행사 the city를 관계부사 where가 이끄는 절이 꾸미도록 한다. which는 필요 없다. (2) the reason이 생략된 형태로 That's 다음에 바로 이유를 의미하는 관계부사 why가 온다. when은 필요 없다. (3) 시간을 의미하는 선행사 the moment를 관계부사 when이 이끄는 절이 꾸미도록 배열한다. how는 필요 없다.

[해석] **A** 나는 내일 경주를 방문할 거야. **B** 좋겠다. (1) 경주는 많은 문화유산을 볼 수 있는 도시야. **A** (2) 그게 내가 그곳에 가고 싶은 이유야. 너는 경주에 가 본 적이 있니? **B** 응. 지난봄에 그곳을 방문했어. 석굴암을 본 순간을 잊을 수 없어.

05 (1) 선행사 summer가 시간이고 뒤의 절이 완전한 문장이므로 관계부사 when은 알맞다. (2) 선행사 The place가 장소이고 뒤의 절이 완전한 형태이므로 관계대명사 which 대신 관계부사 where를 쓴다.

[해석] 나는 바다에서 수영을 즐길 수 있는 여름을 좋아한다. 매년 여름 나는 해변에 간다. 이번 여름에 내가 가고 싶은 곳은 하와이의 와이키키 해변이다. 나는 이 해변이 아름답고 수영하기에 좋다고 들었다. 나는 곧 그곳에 갈 수 있기를 바란다.

최종 선택 QUIZ
p. 177

01 a	02 a	03 b	04 a	05 b	06 a	07 a	08 a

UNIT 18 상관접속사/「명령문, and/or」

✔ 바로 체크
p. 178

01 but	02 but	03 and	04 Either	05 enjoy
06 am	07 as	08 or	09 or	10 and

STEP 1 · 만만한 기초
pp. 179–181

01 only, but **02** ③ **03** ②, ④ **04** Both, and
05 but also **06** am → are **07** Ms. Anderson was kind as well as intelligent. **08** ③ **09** ② **10** ①
11 ④ **12** choose either the elevator or the stairs
13 Neither, nor **14** (1) ○ (2) ×, has to walk **15** ②
16 ④ **17** (1) Both my cousin and I have a bike. (2) Neither Jill nor Sam sent a postcard to her. **18** She is not tired but sleepy. **19** ① **20** ④ **21** ③
22 and **23** or **24** Put on a coat, or you'll catch a cold. **25** Be kind to others, and they will like you.

01 코미디뿐만 아니라 드라마도 좋아한다는 뜻이므로 not only *A* but also *B*(A뿐만 아니라 B도)를 사용한다.

02 both *A* and *B*: A와 B 둘 다

03 'A뿐만 아니라 B도'라는 의미는 not only *A* but also *B*로 표현하며 as well as를 사용해서도 쓸 수 있는데, 이때 A와 B의 위치는 바뀐다.

04 both *A* and *B*: A와 B 둘 다

05 not only *A* but also *B*: A뿐만 아니라 B도

06 both *A* and *B*가 주어로 쓰이면 복수 취급한다.

07 not only *A* but also *B*(A뿐만 아니라 B도) = *B* as well as *A*

08 neither *A* nor *B*: A도 B도 아닌

09 either *A* or *B*: A 또는 B 둘 중 하나, not *A* but *B*: A가 아니라 B

10 either *A* or *B*: A 또는 B 둘 중 하나

11 ④ not *A* but *B*가 주어로 쓰인 경우에 동사는 B에 맞추므로 복수형인 were는 올 수 없다.

12 either *A* or *B*: A 또는 B 둘 중 하나

13 Bill과 Andy 둘 다 학교에 오지 않은 것이므로 neither *A* nor *B*(A도 B도 아닌)를 사용한다.

14 (1) neither *A* nor *B*가 주어면 동사는 B에 맞춘다. I에 맞춘 want to meet는 어법상 옳다. (2) either *A* or *B*가 주어면 동사는 B에 맞추므로 he에 맞게 has to walk로 고쳐야 한다.

15 ① is → are ③ want → wants ④ not → nor ⑤ were → was

16 both *A* and *B*: A와 B 둘 다

17 (1) 둘 다 자전거가 있으므로 both *A* and *B*(A와 B 둘 다)를 사용한다. (2) 둘 다 엽서를 보내지 않았으므로 neither *A* nor *B*(A도 B도 아닌)를 사용한다.

18 not *A* but *B*: A가 아니라 B

19 '열심히 공부해라, 그러면 너는 좋은 성적을 얻을 것이다.'라는 흐름이 자연스러우므로 「명령문, and ...(~해라, 그러면 …할 것이다)」가 알맞다.

20 ④는 흐름상 「명령문, and ...(~해라, 그러면 …할 것이다)」가 알맞다. 나머지는 「명령문, or ...(~해라, 그렇지 않으면 …할 것이다)」가 알맞다.

21 • 식물에 물을 더 자주 줘라, 그렇지 않으면 그것들은 죽을 것이다.
• 지금 바로 울음을 멈춰라, 그러면 나는 네게 막대사탕을 줄 것이다.

22 명령문, and ...: ~해라, 그러면 …할 것이다

23 「명령문, or ...(~해라, 그렇지 않으면 …할 것이다)」는 접속사 if ~ not을 사용해서 바꿔 쓸 수 있다.

24 「명령문, or ...(~해라, 그렇지 않으면 …할 것이다)」가 되도록 배열한다.

25 「명령문, and ...(~해라, 그러면 …할 것이다)」가 되도록 배열한다.

STEP 2 · 오답률 40~60% 문제
pp. 182–183

01 ④ **02** ④ **03** ① **04** ③ **05** ② **06** ③
07 ④ **08** or you will get **09** If you look around
10 and you will catch the train **11** • Turn the heat down, or the bread will burn. • Do your best, and you can pass the exam. • Press the red button, and the jewel box will open. **12** either **13** neither, but **14** ⓑ Neither he nor you were polite to the old lady. **15** Not Evan but I was absent from school.

01 both *A* and *B*가 주어일 때 복수 취급하며, 과거 시제이므로 동사는 were가 알맞다.

02 not only *A* but also *B*(A뿐만 아니라 B도)는 as well as를 사용해 바꾸어 쓸 수 있는데, 이때 A와 B의 위치는 바뀐다.

03 both *A* and *B*: A와 B 둘 다, not only *A* but also *B*: A뿐만 아니라 B도

04 ③ *A* as well as *B*가 주어로 쓰인 경우에는 A에 동사의 수를 맞추는데, Mr. Min은 3인칭 단수이므로 복수 동사인 are 앞에 올 수 없다.

05 ② both *A* and *B*가 주어로 쓰인 경우에 복수 취급한다. is → are

06 neither *A* nor *B*: A도 B도 아닌

07 ④ '휴식을 취해라, 그러면 너는 너무 피곤해질 것이다.'라는 흐름은 자연스럽지 않으므로 and를 or로 바꿔야 한다.

08 표지판을 따라가지 않으면 산에서 길을 잃을 것이다. → 표지판을 따라가라, 그렇지 않으면(or) 산에서 길을 잃을 것이다.

09 「명령문, and ...(~해라, 그러면 …할 것이다)」는 접속사 if를 사용해서 바꿔 쓸 수 있다.

10 명령문, and ...: ~해라, 그러면 …할 것이다

11 「명령문, and ...(~해라, 그러면 …할 것이다)」 / 「명령문, or ...(~해라, 그렇지 않으면 …할 것이다)」의 구문을 흐름에 맞게 사용한다.

12 either *A* or *B*: A 또는 B 둘 중 하나

13 neither *A* nor *B*: A도 B도 아닌, not *A* but *B*: A가 아니라 B

14 ⓑ neither *A* nor *B*(A도 B도 아닌)가 주어로 쓰인 경우에 동사는 B에 맞춘다. 따라서 you에 맞게 was는 were가 되어야 한다.

15 not *A* but *B*(A가 아니라 B)를 주어로 사용하며, 이 경우 B에 동사의 수를 맞춘다.

STEP 3 · 오답률 60~80% 문제　　　　　　　pp. 184–185

> **01** ②　**02** ⑤　**03** ③　**04** ②　**05** ⑤　**06** ⑤
> **07** not → not only　**08** Both children and adults love the amusement park.　**09** or, and　**10** [모범답] Don't eat too much, or you'll have a stomachache.　**11** [모범답] Follow me, and you'll find the way.　**12** (1) If you don't have breakfast (2) Unless you have breakfast　**13** [모범답] or you'll be late for school　**14** You can either stay here or go with me.　**15** (1) Both, and (2) Neither, nor (3) not only, but also

01 either *A* or *B*: A 또는 B 둘 중 하나

02 ⑤ 상관접속사가 이어주는 말은 문법적으로 동등해야 하므로 not 뒤의 the bookstore와 같은 명사구가 되도록 but 뒤의 at을 삭제하고 the bus stop만 남긴다.

03 (A) both *A* and *B*가 주어이면 복수 취급한다. (B) *A* as well as *B*가 주어일 때 동사는 A에 맞춘다. (C) either *A* or *B*가 주어일 때 동사는 B에 맞춘다.

04 ② both *A* and *B*: A와 B 둘 다, but → and

05 'A뿐만 아니라 B도'라는 의미는 not only *A* but also *B*로 나타낼

수 있고, 주어로 쓰인 경우 동사는 B에 맞춘다. ①은 동사를 You에 맞춰 are로 써야 한다.

06 순서대로 상관접속사 both *A* and *B*, neither *A* nor *B*, not only *A* but also *B*, either *A* or *B*를 사용하는 문장이다. but은 어디에도 들어가지 않는다.

07 not only *A* but also *B*: A뿐만 아니라 B도

08 「both *A* and *B*(A와 B 둘 다)」의 구조로 단어를 배열한다.

09 • 조심해서 걸어라, 그렇지 않으면 너는 넘어질지도 모른다.
　• 부모님을 위해 저녁을 요리해라, 그러면 그들은 기뻐하실 것이다.

10 명령문, or ...: ~해라, 그렇지 않으면 …할 것이다

11 명령문, and ...: ~해라, 그러면 …할 것이다

12 (1) 주어진 문장이 '그렇지 않으면'이라는 의미의 or로 연결되었으므로 if를 사용할 때에는 명령문 내용을 부정으로 바꿔야 한다. (2) unless에는 부정의 의미가 있으므로 명령문 내용을 긍정으로 쓴다.

13 「명령문, and/or ....」를 이용해서 의미에 맞게 문장을 완성한다.
　[해석] Kate는 보통 늦게 자러 가고, 그래서 학교에 자주 지각을 한다. 지금은 밤 11시이지만 그녀는 여전히 TV를 보고 있다. 이 상황에서 Kate의 엄마는 그녀에게 뭐라고 말할 것인가?
　→ 지금 당장 잠자리에 들어라, 그렇지 않으면 너는 학교에 늦을 거야.

14 either *A* or *B*: A 또는 B 둘 중 하나

15 (1) both *A* and *B*: A와 B 둘 다 (2) neither *A* nor *B*: A도 B도 아닌 (3) not only *A* but also *B*: A뿐만 아니라 B도

STEP 4 · 실력 완성 테스트　　　　　　　　p. 186

> **01** ③, ⑤　**02** ⑤　**03** ④　**04** Focus on your classes, or　**05** (1) Both spaghetti and pizza look delicious. (2) 틀린 곳 없음　**06** (1) your teeth after meals, and I'll give you one point (2) Neither, nor, Not, but

01 ③ '천천히 운전해라, 그러면 너는 사고가 날 수 있다.'라는 흐름은 어색하다. and → or ⑤ '매일 온라인으로 뉴스를 읽어라, 그렇지 않으면 너는 많은 지식을 얻게 될 것이다.'라는 흐름은 어색하다. or → and

02 ⓐ felt scared → scared ⓑ likes → like ⓒ and also → but also ⓔ Either → Neither 또는 nor → or

03 ④ 동사는 he에 맞춰야 하므로 plans는 고칠 필요가 없다.

04 부정의 의미가 있는 조건절이 사용되었으므로 명령문과 or(그렇지 않으면)를 사용해서 바꾼다.

05 (1) both *A* and *B*가 주어로 쓰인 경우에 복수 취급한다.
　[해석] **A** 너 무엇을 먹을지 결정했어? **B** 아직은 아니야. (1) 스파게티랑 피자 둘 다 맛있어 보여. 너는? **A** (2) 나는 라자냐나 리조또 중 하나를 먹을 생각이야.

06 (1) 흐름상 「명령문, and ...(~해라, 그러면 …할 것이다)」를 이용해 배열하는 것이 알맞다. (2) 25점을 넘은 아이는 John뿐이므로 John만 선물을 받았을 것이다.
　[해석] Smith 씨의 세 명의 아이들은 나쁜 습관이 하나 있었다. 그들은 양치질 하는 것을 좋아하지 않았다. 어느 날 Smith 씨는 "식사 후

에 양치질을 하렴, 그러면 나는 너희에게 1점을 줄 거야. 25점을 먼저 넘는 한 명에게 선물을 사 줄게."라고 말했다. 결과는 어땠을까?
· John: 26점 · Lucia: 20점 · Charlie: 23점

최종 선택 QUIZ   p. 187

01 a   02 a   03 b   04 a   05 b   06 b   07 a   08 b

UNIT 19 접속사 that / 간접의문문

✅ **바로체크**   p. 188

01 that   02 that   03 that   04 that   05 why he went there   06 if   07 What do you think   08 where she lives

STEP 1 · 만만한 기초   pp. 189-191

01 ⑤   02 ③   03 ⑤   04 ⑤   05 that   06 It is true that he didn't appear in court.   07 (1) She heard that Mike was in the hospital. (2) I know that eating too fast is not good for our health.   08 ④   09 ②   10 ③, ④   11 ⑤   12 I don't know if this bus goes to City Hall.   13 ③   14 ③   15 ②   16 ③   17 why I should go there   18 what the woman looked like   19 ⑤   20 ④   21 ②   22 Who do you guess will pass the test?   23 ③   24 ⑤   25 (1) that (2) where (3) if

01 빈칸 뒤에 believes의 목적어 역할을 하는 완전한 절이 이어지므로 접속사 that이 알맞다.

02 접속사 that은 says의 목적어인 명사절을 이끄는 역할을 할 수 있으므로 says 다음에 오는 것이 알맞다.

03 빈칸 뒤에 나오는 절의 형태가 완전하며 각각 보어와 목적어 역할을 해야 하므로 접속사 that이 알맞다.

04 ⑤의 빈칸에는 이유를 나타내는 부사절 접속사인 because, as 등이 알맞다. 나머지는 명사절을 이끄는 접속사 that이 알맞다.

05 빈칸 뒤에 보어 역할을 하는 완전한 절이 이어지므로 접속사 that이 들어가는 것이 알맞다.

06 what 뒤에 주어 역할을 하는 완전한 절이 나오므로 접속사 that으로 고쳐야 한다. 앞의 It은 가주어이다.

07 주어진 문장을 목적어 역할을 하는 that절로 만들어 괄호 안의 주절과 연결한다.

08 의문사가 없는 간접의문문은 접속사 if [whether]가 절을 이끈다.

09 의문사가 없는 간접의문문은 「if[whether]+주어+동사」로 쓴다.

10 의문사가 없는 간접의문문은 if[whether]]+주어+동사」로 쓴다.

11 주어진 문장은 Ian이 내게 자신을 기억하는지 물었다는 의미로, 의문사가 없는 간접의문문 「if+주어+동사」의 어순으로 쓰고 인칭대명사의 쓰임에 주의한다.

12 I don't know 뒤에 접속사 if가 이끄는 간접의문문이 오도록 배열한다.

13 의문사가 있는 간접의문문은 「의문사+주어+동사 …」의 어순으로 쓴다. 과거 시제이므로 동사는 ran이 된다.

14 의문사가 있는 간접의문문은 「의문사+주어+동사 …」로 쓴다.

15 의문사가 있는 간접의문문은 「의문사+주어+동사 …」로 쓴다.

16 ③ 의문사가 있는 간접의문문은 「의문사+주어+동사 …」의 어순이므로 where she lives가 되어야 한다.

17 의문사가 있는 간접의문문은 「의문사+주어+동사 …」의 어순으로 쓰므로 조동사 should를 주어 뒤로 옮긴다.

18 의문사가 있는 간접의문문은 「의문사+주어+동사 …」의 어순으로 쓴다. look like: ~인 것처럼 보이다

19 의문사가 있는 간접의문문은 「의문사+주어+동사 …」의 어순으로 쓴다. is는 간접의문문의 동사가 되어야 하므로 주어 the city library 뒤인 ⑤에 들어가야 한다.

20 간접의문문의 의문사가 문장 맨 앞에 온 형태이므로 주절의 동사는 think, believe, guess, suppose 등이 되는 것이 알맞다.

21 주절의 동사가 think이므로 간접의문문의 의문사를 문장 맨 앞에 쓴다.

22 내용상 who는 간접의문문의 의문사인데 주절의 동사가 guess이므로 문장 맨 앞에 위치해야 한다.

23 ③ 의문사가 있는 간접의문문은 「의문사+주어+동사 …」의 어순으로 쓴다. whom does she like → whom she likes

24 ⑤ 의문사가 있는 간접의문문은 「의문사+주어+동사 …」의 어순으로 쓰므로 조동사 will이 주어 앞에 온 형태는 빈칸에 알맞지 않다.

25 순서대로 명사절을 이끄는 that, 간접의문문의 의문사 where, 의문사 없는 간접의문문을 이끄는 if가 들어가는 것이 알맞다.

STEP 2 · 오답률 40~60% 문제   pp. 192-193

01 ③   02 ②   03 ④   04 ①   05 ③   06 ④   07 ③   08 where did I put it → where I put it   09 Why do you think Mary helped him?   10 It is strange that she didn't recognize me.   11 Do you believe that Tom designed the dress?   12 if [whether] Brian knows my name   13 Do you know if [whether]   14 that, that, if [whether]   15 (1) why she chose to live in Sydney (2) (that) she might feel lonely there

01 첫 번째 문장에는 hope의 목적어 역할을 하는 명사절의 접속사 that이 알맞다. 두 번째 문장에는 house를 꾸미는 지시형용사로 that을 쓸 수 있다.

02 ② what 뒤에 보어 역할을 하는 완전한 절이 이어지므로 what을 that으로 고쳐야 한다.

03 ④ 빈칸 뒤의 절이 명사 역할을 하지 않으며, 흐름상 조건을 나타내므로 부사절을 이끄는 접속사 if(만약 ~하면)가 들어가는 것이 알맞다.

04 의문사가 있는 간접의문문은 「의문사+주어+동사 …」의 어순으로

쓴다. last summer로 보아 과거 시제인 spent를 써야 한다.

05 빈칸에는 의문사가 있는 간접의문인 where she bought the coat가 들어가는 것이 알맞다.

06 의문사가 있는 간접의문문은 「의문사 + 주어 + 동사 …」로 쓰는데, 주절의 동사가 think이므로 의문사 why는 문장 맨 앞에 온다.

07 ① Do you suppose what → What do you suppose ② what does Peter want → what Peter wants ④ was who → who was ⑤ Do you think when → When do you think

08 의문사가 있는 간접의문문은 「의문사 + 주어 + 동사 …」로 쓴다.

09 의문사가 있는 간접의문문은 「의문사 + 주어 + 동사 …」로 쓰는데, 주절의 동사가 think이므로 의문사 why는 문장 맨 앞에 온다.

10 It이 가주어이고 that절이 진주어인 형태로 배열한다.

11 접속사 that이 이끄는 절이 believe의 목적어가 되도록 한다.

12 의문사가 없는 의문문은 접속사 if 또는 whether가 절을 이끈다. 이때 「if [whether] + 주어 + 동사」의 어순으로 쓴다.

13 간접의문문이 포함된 의문문을 만든다. '~인지 아닌지'라는 의미로 의문사가 없는 간접의문문을 이끄는 접속사 if 또는 whether를 쓴다.

14 첫 번째와 두 번째 문장은 빈칸 뒤가 완전한 절이며 각각 '~라고 느끼다, 생각하다'라는 의미가 되어야 하므로 접속사 that이 들어가는 것이 알맞다. 세 번째 문장은 간접의문문을 이끄는 if [whether](~인지 아닌지)가 들어가는 것이 알맞다.

15 (1) 의문사가 있는 간접의문문은 「의문사 + 주어 + 동사 …」의 어순으로 쓴다. (2) Grace의 말이 동사 thinks의 목적어가 되도록 접속사 that을 사용해 연결한다. that은 생략 가능하다.

STEP 3 · 오답률 60~80% 문제 pp. 194-195

> **01** ② **02** ⑤ **03** ②, ⑤ **04** ① **05** ③ **06** ①
> **07** ④ **08** ⓑ Do you believe (that) Lucas is the most popular student in his school? **09** (1) if [whether] he can borrow her pen (2) where Lisa [she] bought it (3) how long it takes to get to the shop **10** I'm not sure if [whether] Ms. Han is good at playing the piano.
> **11** what → that **12** They expect that she will come back on Sunday. **13** It is true that Nicole misses him so much. **14** Can you tell me how much the trip costs?
> **15** When do you guess they can finish the science report?

01 〈보기〉는 주어 역할을 하는 명사절의 접속사 that이고, ②는 목적어 역할을 하는 명사절의 접속사 that이다. ① 지시형용사 ③, ④ 목적격 관계대명사 ⑤ 지시대명사

02 hope, think, believe, know는 that절을 목적어로 사용하는 동사이지만 want는 that절을 목적어로 사용할 수 없다.

03 ②의 목적격 관계대명사 that과 ⑤의 목적어 역할을 하는 명사절의 접속사 that은 생략할 수 있다. ① 지시대명사 ③ 주격 관계대명사 ④ 지시형용사

04 think, guess, imagine, believe 등과 같은 생각이나 추측을 의미하는 동사가 주절에 쓰이면 간접의문문의 의문사는 문장 맨 앞에 온

다. know는 해당하는 동사가 아니다. ① → Do you know who the tall girl is?

05 의문사가 있는 간접의문을 이용해 He doesn't know why they left early.로 쓸 수 있다.

06 ② whose camera is this → whose camera this is ③ what → if [whether] ④ Do you think when the guests → When do you think the guests ⑤ what did I do → what I did

07 첫 번째 문장은 What do you want to be in the future?가 간접의문문이 된 형태로, 빈칸에는 의문사 what이 알맞다. 두 번째 문장의 빈칸에는 의문사가 없는 간접의문문을 이끄는 접속사 if가 알맞다.

08 ⓑ '~하는 것을 믿다'라는 의미가 되어야 하므로 '~인지 아닌지'의 의미인 접속사 if를 접속사 that으로 바꿔야 한다. 접속사 that은 목적어 역할을 하는 절을 이끌 때 생략될 수 있다.

09 (1) 의문사가 없는 의문문은 접속사 if [whether]가 절을 이끈다. (2), (3) 의문사가 있는 간접의문문은 「의문사 + 주어 + 동사 …」로 쓴다.
[해석] **Andy** 내가 네 펜을 빌릴 수 있을까? **Lisa** 그래, 여기 있어. **Andy** 이거 좋다. 너는 그것을 어디서 샀어? **Lisa** KD 상점에서. 그곳은 여기 근처에 있어. **Andy** 잘됐네! 그 상점까지 가는 데 얼마나 걸려? **Lisa** 음, 5분 정도 걸려.

10 '~인지 아닌지 확신할 수 없다'라는 의미가 되어야 하므로 that을 if나 whether로 고친다.

11 두 번째 문장의 what 뒤에 보어 역할을 하는 완전한 절이 이어지므로 what을 that으로 바꿔야 한다.

12 접속사 that이 이끄는 절이 expect의 목적어가 되도록 문장을 쓴다.

13 It이 가주어이고 that절이 진주어인 형태로 문장을 쓴다.

14 의문사가 있는 간접의문문은 「의문사 + 주어 + 동사 …」의 어순으로 쓴다. how much는 하나의 의문사로 취급하는 것에 유의한다.

15 의문사가 있는 간접의문문은 「의문사 + 주어 + 동사 …」로 쓰는데, 주절의 동사가 guess이므로 의문사 when은 문장 맨 앞에 온다.

STEP 4 · 실력 완성 테스트 p. 196

> **01** ② **02** ③ **03** ①, ⑤ **04** (1) He asked me how much the umbrella was. (2) Do you know if [whether] she will go shopping tomorrow? **05** (1) 틀린 곳 없음 (2) Do you know where I can go to experience Korean traditional culture? **06** (1) What do you think is the greatest invention (2) It is amazing that we can do

01 의문사가 있는 간접의문문은 「의문사 + 주어 + 동사 …」의 어순으로 쓴다. 간접의문문의 의문사를 문장 맨 앞에 쓰는 것은 주절의 동사가 생각·추측을 나타낼 때이다.

02 ⓐ what → that ⓒ why did I give up → why I gave up ⓔ Do you think where → Where do you think

03 ① 내용상 '~인지 아닌지'라는 의미의 접속사 if나 whether를 쓰는 것이 알맞다. ⑤ 의문사는 how often이므로 how often you take로 고쳐야 한다.

04 (1) 'How much is the umbrella?'를 간접의문문으로 만든다. 주절의 시제가 과거이므로 간접의문문의 시제에도 주의한다. (2) 'Will she go shopping tomorrow?'를 간접의문문으로 만든다. 의문사가 없으므로 if 또는 whether를 사용한다.

05 (2) 간접의문문의 어순은 「의문사＋주어＋동사 …」이므로 can을 I 뒤에 쓴다.

[해석] **A** 이봐, Harper. 너 한국에서 잘 지내고 있어? **B** 응. 한국은 아름답고 흥미로운 나라인 것 같아. 너는 내가 한국 전통 문화를 경험하기 위해서 어디에 가면 될지 아니? **A** 한국민속촌은 어때? **B** 재미있게 들리는데! 그곳에 대해 정보를 찾아야겠다. 고마워.

06 (1) 의문문 'What is the greatest invention of all time?'을 간접의문문 형태로 만든다. 주절의 동사가 think이므로 의문사 what을 문장 맨 앞에 쓴다. (2) 가주어 it이 있는 것으로 보아 that절을 진주어로 하는 문장 형태로 쓰는 것이 알맞다.

[해석] 여러분은 지금까지 가장 위대한 발명품이 무엇이라고 생각하나요? 저는 스마트폰이라고 생각합니다. 그것은 우리의 일상생활을 바꿔 놨어요. 우리는 스마트폰으로 정보를 찾고, 영화를 보고, 게임을 하고, 작품을 창작하고, 다른 사람들과 이야기하고, 다른 많은 것을 할 수 있습니다. 우리가 이 작은 기계 위에서 그 모든 것을 다 할 수 있다는 것이 놀라워요.

최종 선택 **QUIZ**

p. 197

01 a　**02** a　**03** a　**04** b　**05** b　**06** a　**07** a　**08** b

UNIT **20** 부사절을 이끄는 접속사

✅ 바로 체크

p. 198

01 if　**02** while　**03** until　**04** unless　**05** before
06 as　**07** when [as]　**08** ~하자마자　**09** ~ 때문에
10 비록 ~이지만, ~에도 불구하고

STEP 1 · 만만한 기초

pp. 199–201

01 ①　**02** ①　**03** ②　**04** ④　**05** ②
06 When [when]　**07** ①　**08** since　**09** ③　**10** ③
11 ③　**12** ④　**13** ①　**14** She will give me some advice if she knows my problem.　**15** ②　**16** ①
17 If you feel sleepy　**18** if you don't want to read it
19 Unless　**20** unless　**21** ①　**22** though　**23** ③
24 Even though I have no money　**25** ⑤

01 '~ 후에'라는 의미의 접속사 after가 알맞다.

02 '~할 때'라는 의미의 부사절 접속사 when이 적절하다.
[해석] 지나는 "보세요! 제가 제 발을 만질 때 발이 아파요. 아! 제가 무릎을 만질 때도 무릎이 아파요. 아야!"라고 말한다.

03 시간의 부사절에서는 미래를 나타낼 때 현재 시제를 쓴다.

04 '비가 올 때 행사가 취소된다'는 의미로 주절과 부사절의 시제가 같은 것이 자연스러우므로 현재 시제를 쓴다.

05 ②의 when은 간접의문문의 의문사이다. 나머지는 모두 시간을 나타내며 부사절을 이끄는 접속사 역할을 한다.

06 '~할 때'라는 의미의 접속사 when이 공통으로 들어가는 것이 알맞다.
[해석] ·피곤할 때 휴식을 취해. ·내가 불을 껐을 때 벨이 울렸다.

07 〈보기〉와 ①의 when은 의문사이고, 나머지는 모두 시간을 나타내는 부사절을 이끄는 접속사 역할이다.

08 since: ~ 이후로

09 '시장에 가면'이라는 의미로 조건을 나타내는 접속사 if가 알맞다.

10 조건을 나타내는 부사절에 현재 시제가 쓰였다는 점에 유의하여 주절의 시제로 알맞은 것을 찾는다. 의미상 미래 시제를 쓰는 것이 자연스러우므로 will을 사용한다.

11 의미상 어울리는 것을 찾는다. 조건을 나타내는 부사절에서는 현재 시제로 미래를 나타내는 것에 유의한다.
[해석] **A** 우리는 늦었어! **B** 걱정하지 마. 우리가 더 빨리 걸으면 버스를 탈 수 있어.

12 ④의 if는 명사절을 이끄는 접속사이고, 나머지는 모두 부사절을 이끌며 조건의 의미를 나타내는 접속사이다.

13 ① 조건을 나타내는 부사절에서는 현재 시제로 미래를 나타내는 것에 유의한다. → apologizes

14 조건을 나타내는 부사절에서는 현재 시제로 미래를 나타낸다.

15 명령문의 내용을 조건을 나타내는 부사절로 바꿔 쓸 수 있다.

16 ①의 if는 명사절을 이끄는 접속사이고, 나머지는 모두 조건의 부사절을 이끄는 접속사이다.

17-18 접속사가 이끄는 절은 「접속사＋주어＋동사 …」의 어순으로 쓴다.

19 if ~ not = unless

20 unless: 만약 ~ 아니라면

21 ①의 as는 이유, 나머지는 모두 시간을 나타내는 접속사이다.

22 though는 '~에도 불구하고'라는 양보의 의미를 나타내므로 이 문장에 적절하다. because를 쓰면 '두통이 있었기 때문에 쉬지 않았다'라는 의미가 되어 어색하다.

23 빈칸이 있는 절이 뒤에 나오는 절의 이유가 되므로, 이유를 나타내는 부사절을 만드는 접속사 because가 들어가는 것이 알맞다.
[해석] 이제 나는 어디에서나 자전거를 탄다. 이 새로운 습관 덕분에 나는 전보다 건강하다. 나는 더 이상 버스를 타지 않기 때문에 용돈도 절약할 수 있다.

24 even though는 양보의 부사절을 이끄는 접속사로 뒤에 「주어 + 동사」의 형태가 온다.

25 첫 번째 문장에는 이유를 나타내는 접속사가, 두 번째 문장에는 양보를 나타내는 접속사가 어울린다.

01 ③	02 ⑤	03 ③	04 ②	05 ③, ⑤	06 ④

07 ③, ⑤　　　　08 They ran away as soon as they saw the bear in the forest.　　09 (1) Because [Since, As] (2) If　　10 since [Since]　　11 If you exercise regularly　12 When I get some allowance, I'll buy new sneakers.　13 Before　　14 even though　　15 As [as]

01　after: ~ 후에, before: ~ 전에

02　⑤ 조건을 나타내는 부사절에서는 미래를 나타낼 때 현재 시제를 쓴다.

03　③ 조건을 나타내는 부사절에서는 미래를 나타낼 때 현재 시제를 쓴다. will drive → drive

04　②의 When은 의문사이고 나머지는 모두 부사절을 이끄는 접속사이다.

05　조건을 나타내는 부사절에서는 미래를 나타낼 때 현재 시제를 쓴다.

06　첫 번째 문장은 주절과 부사절의 내용이 양보 관계를 이루므로 접속사 Though가 알맞다. 두 번째 문장에서는 이유를 나타내는 접속사 since가 알맞다. 세 번째 문장은 부사절이 주절의 이유가 되므로 because가 알맞다.

07　문맥상 양보를 나타내는 접속사 Although와 Though가 들어가는 것이 알맞다.
　　[해석] 당신이 우주비행사라 해도 우주의 놀라운 비밀을 모두 밝혀낼 수는 없다.

08　as soon as: ~하자마자

09　(1) 부사절이 주절의 이유가 되므로 because, since, as 등이 알맞다. (2) 부사절이 주절의 조건을 나타내므로 if가 알맞다.

10　첫 번째 문장에는 '~ 이후로'라는 의미의 접속사 since가, 두 번째 문장에는 이유를 나타내는 접속사가 쓰일 수 있으므로 공통으로 들어갈 수 있는 접속사는 since이다.

11　명령문의 내용을 if를 이용해 조건을 나타내는 부사절로 바꿔 쓴다.

12　시간을 나타내는 부사절에서 미래를 나타낼 때 현재 시제를 사용한다.

13　after: ~ 후에, before: ~ 전에

14　양보의 의미를 나타내며 두 단어로 쓰는 접속사는 even though이다.

15　'~하면서'와 '~ 때문에'라는 의미를 동시에 나타내는 접속사는 as이다.

01 ⑤	02 ②	03 ③	04 ③	05 ③	06 ③

07 ②　　　　08 I will go to the movies after I visit my friend in the hospital. / After I visit my friend in the hospital, I will go to the movies.　　09 I have learned music from Mr. Jeong since I entered this school.　　10 (1) While you were sleeping (2) until he comes back home　　11 When I was a child　　12 If you are over 18, you can get a driver's license.　　13 If you do not[don't] pay attention to your teacher, you cannot get good grades.　　14 Since I went to bed early last night, I got up early. / I got up early since I went to bed early last night.　　15 their service is fast

01　두 빈칸에는 모두 '~ 동안'이라는 의미의 표현이 필요하다. 첫 번째 문장에는 빈칸 뒤에 절이 이어지므로 접속사가, 두 번째 문장에는 빈칸 뒤에 명사구가 이어지므로 전치사가 들어가는 것이 알맞다.

02　〈보기〉와 ②의 when은 때를 나타내는 접속사로 부사절을 이끈다. 나머지는 모두 의문사이다.

03　③은 '~ 이후로'라는 의미로 때를 나타내고, 〈보기〉와 나머지는 모두 이유를 나타낸다.

04　조건의 부사절에서는 현재 시제로 미래를 나타낸다. ① read → reads ② will be → is ④ will come → comes ⑤ went → go

05　unless: 만일 ~ 아니라면

06　(A), ⓒ 만약 네가 피곤하다면 일찍 잠자리에 드는 것이 좋겠다. (B), ⓐ 내일 비가 오면 우리는 낚시를 가지 않을 것이다. (C), ⓑ 당신이 음식에 만족하지 않는다면 음식 값을 지불하지 않아도 됩니다.

07　②는 '~인지 아닌지'라는 의미로 명사절을 이끄는 접속사이고, 나머지는 모두 조건을 나타내는 부사절을 이끄는 접속사이다.

08　병원에 입원한 친구를 방문한 뒤에 영화를 보러 가겠다는 의미이므로 after가 이끄는 절에 친구를 방문하는 내용을 쓴다. 시간의 부사절이므로 현재 시제로 쓰는 것에 유의한다.

09　since는 '~ 이후로'라는 의미를 나타내는 접속사로 주절에는 완료 시제가 쓰이는 것이 자연스럽다. 과거 시점부터 현재까지의 일을 나타내는 현재완료로 고쳐 쓴다.

10　while: ~하는 동안, until: ~까지, (2)의 부사절에서 미래를 나타낼 때 현재 시제를 쓰는 것에 유의한다.

11　'유년 시절 동안'이라는 의미의 부사구를 '내가 아이였을 때'라는 의미의 부사절로 바꿔 쓴다.

12　조건을 나타내는 접속사 if를 사용하여 영작한다.

13　조건을 나타내는 절에서는 현재 시제로 미래를 나타낸다.

14　부사절은 주절의 앞에 오거나 뒤에 올 수 있다.

15　'~ 때문에'라는 의미를 나타낼 때 because of 뒤에는 명사구, because 뒤에는 절이 온다. their fast service에서 한정적으로 쓰인 형용사 fast를 서술적 용법으로 써서 their service is fast로 바꾼다.

01 ②	02 ①	03 ②	04 (1) before (2) When [After]

(3) I watch TV (4) I have dinner　　05 During → When [As / While]　　06 (1) I want to talk to him even though I don't know him well. / Even though I don't know him well, I want to talk to him. (2) I bought a bottle of water because I felt thirsty. / Because I felt thirsty, I bought a bottle of water.

01　ⓐ, ⓒ: ~하면서(시간) ⓑ, ⓓ, ⓔ: ~ 때문에(이유)

02　조건을 나타내는 부사절에서는 미래를 나타낼 때 현재 시제를 쓴다. start → starts ④의 if절은 명사절이므로 이에 해당하지 않는다.

03　주절과 부사절의 의미상 관계를 잘 살펴 어울리는 것을 고른다.
　　[해석] • 티켓이 없으면, 들어갈 수 없습니다.

- 네가 터미널에 도착할 때까지 기다릴게.
- 내가 테니스를 칠 동안 너는 무엇을 할 거니?

04 시간 순서를 잘 살핀다.

05 전치사 during 뒤에는 명사구가 오므로, 시간을 나타내는 접속사로 바꿔 쓰는 것이 알맞다.

[해석] 지난 주말에 나는 《반지의 제왕》 1권을 읽었다. 내가 그것을 읽기 시작했을 때 흥미진진했다. 만약 네가 1권을 읽는다면, 그것들을 모두 읽고 싶어 할 것이다.

06 (1) even though는 양보를 나타내는 접속사로 '~에도 불구하고'라는 의미이다. (2) because는 이유를 나타내는 접속사로 뒤에 주절의 원인에 해당하는 내용이 와야 한다.

최종 선택 **QUIZ**   p. 207

01 since   02 because   03 Since   04 when
05 While   06 If   07 comes   08 although

UNIT 21   so ~ that, so that

✅ 바로 체크   p. 208

01 so   02 such   03 that   04 order   05 too, to
06 enough to   07 so, that

STEP 1 · 만만한 기초   pp. 209-211

01 ①   02 ③   03 ②   04 so, that   05 ④
06 ②   07 ①   08 so small that I can't wear   09 ②
10 ④   11 ③   12 enough to   13 ②, ④   14 ③
15 fast enough to catch   16 too sick to go   17 ②
18 ③   19 ③   20 so   21 so that   22 ⑤
23 ②, ③   24 in order to arrive   25 in order 또는 so as

01 「so ~ that ...」은 '매우 ~해서 …하다'라는 의미로 원인과 결과를 나타낼 때 사용하는 표현이다.

02 「so ~ that ...」은 '매우 ~해서 …하다'라는 의미로 that 뒤에는 결과에 해당하는 내용이 온다.

03 문맥상 '너무 빨리 말해서 이해할 수 없다'라는 의미가 되어야 하므로 can't가 알맞다. 「so ~ that ... can't」는 '너무 ~해서 …할 수 없다'라는 뜻을 나타낸다.

04 원인과 결과에 관한 내용이므로 so ~ that 구문이 되는 것이 알맞다.

05 so ~ that 구문에서 so 뒤에는 형용사나 부사가 와야 한다.

06 '매우 ~해서 …하다'라는 의미로 원인과 결과를 나타낼 때 so ~ that 구문을 사용할 수 있다.

07 「so ~ that ... can't」는 '너무 ~해서 …할 수 없다'라는 의미로 원인과 결과를 나타낸다.

08 「so + 형용사/부사 + that + 주어 + can't + 동사원형」의 순서로 쓴다.

09 「so + 형용사/부사 + that + 주어 + can't」는 '너무 ~해서 …할 수 없다'라는 의미이며, 「too + 형용사/부사 + to부정사」로 바꿔 쓸 수 있다.

10 그 책을 읽을 만큼 충분히 똑똑하다는 의미가 되어야 하므로 「형용사/부사 + enough + to부정사」 형태가 알맞다.

11 '너무 ~해서 …할 수 없다'는 「too + 형용사/부사 + to부정사」 구문으로 표현할 수 있다.

12 so + 형용사/부사 + that + 주어 + can(매우 ~해서 …할 수 있다) = 형용사/부사 + enough + to부정사

13 「so + 형용사/부사 + that + 주어 + can」은 「형용사/부사 + enough + to부정사」 또는 결과를 나타내는 접속사 so를 이용하여 바꿔 쓸 수 있다.

14 such + a(n) + 형용사 + 명사 + that + 주어 + 동사: 매우 ~한 -이어서 …하다 / so + 형용사/부사 + that + 주어 + can't: 너무 ~해서 …할 수 없다

15 형용사/부사 + enough + to부정사: ~할 만큼 충분히 …한/하게

16 too + 형용사/부사 + to부정사: 너무 ~해서 …할 수 없다

17 소년의 키가 작아 전등을 켜기 위한 스위치에 닿지 않는 그림이므로 ② '그 소년은 키가 너무 작아서 전등을 켤 수 없다.'가 일치하는 내용이다.

18 「such + a(n) + 형용사 + 명사 + that + 주어 + 동사」 구문이 되는 것이 적절하므로 빈칸에는 명사(구)가 와야 한다.

19 「so that + 주어 + 동사」는 '~하기 위해서'라는 의미로 목적을 나타낸다.

20 '책을 반납하기 위해서'라는 목적의 의미가 되는 것이 적절하므로 so that 구문의 so를 쓴다.

21 to get이 목적을 나타내는 to부정사로 쓰였으므로 목적을 나타내는 so that이 알맞다.

22 in order + to부정사 = so as + to부정사 = in order that + 주어 + 동사 = so that + 주어 + 동사: ~하기 위해서 (목적)

23 in order + to부정사 = so as + to부정사: ~하기 위해서

24 in order + to부정사: ~하기 위해서

25 「so that + 주어 + 동사」는 '~하기 위해서'라는 의미의 목적을 나타내는 부사절이므로 「in order + to부정사」 또는 「so as + to부정사」로 바꿔 쓸 수 있다.

STEP 2 · 오답률 40~60% 문제   pp. 212-213

01 ②   02 ②, ③   03 ②   04 ②   05 ③
06 ②, ③   07 ④   08 so depressed that he couldn't
09 enough early → early enough   10 so slowly that he couldn't catch   11 so nice that she took a walk
12 so hungry that he ate all the food   13 so that I could
14 such → so   15 the TV so that I could watch the soccer game

01 「so ~ that ... can't」는 '너무 ~해서 …할 수 없다'라는 의미로 원인과 결과를 나타내는 표현이다.

02 '매우 ~해서 …할 수 있다'는 「so + 형용사/부사 + that + 주어 + can」으로 표현할 수 있으며, 이것은 「형용사/부사 + enough + to부정사」로 바꿔 쓸 수 있다.

03 ②는 '그녀는 너무 친절해서 아무도 돕지 않는다.'라는 의미로 doesn't help를 helps로 고쳐야 자연스럽다.

04 ②는 '나는 콘서트를 볼 수 있을 정도로 충분히 늦게 도착했다.'라는 의미로 어색하다. 나머지는 모두 '나는 너무 늦게 도착해서 콘서트를 볼 수 없었다.'라는 의미이다.

05 ① go → to go ② enough rich → rich enough ④ such → so ⑤ so → such

06 「so that + 주어 + 동사」 구문은 '~하기 위해서'라는 의미로 목적을 나타내며, 「in order + to부정사」 또는 「so as + to부정사」로 바꿔 쓸 수 있다.

07 ④ in order to 뒤에는 동사원형이 와야 한다. making → make

08 「too + 형용사/부사 + to부정사」는 '너무 ~해서 …할 수 없다'라는 의미로 원인과 결과를 나타내며, 「so + 형용사/부사 + that + 주어 + can't」로 바꿔 쓸 수 있다.

09 enough는 형용사나 부사를 뒤에서 수식해 준다.

10 소년이 개보다 천천히 달려서 개를 잡을 수 없는 상황의 그림이므로 「so + 형용사/부사 + that + 주어 + can't + 동사원형」으로 표현한다. 주절이 과거 시제이므로 that절도 과거 시제로 쓴다.

11 '날씨가 화창해서 산책을 했다.'라는 의미가 되도록 「so + 형용사/부사 + that + 주어 + 동사」로 표현한다.

12 형용사 hungry를 수식해야 하므로 so를 선택하여 「so + 형용사/부사 + that + 주어 + 동사」의 순서로 배열한다.

13 「in order + to부정사」는 '~하기 위해서'라는 의미로 목적을 나타내며, 「so that + 주어 + can + 동사원형」으로 바꿔 쓸 수 있다. 주절이 과거 시제이므로 that절도 과거 시제로 쓴다.

14 so that + 주어 + can + 동사원형: ~하기 위해서

15 목적을 나타내는 「so that + 주어 + can + 동사원형」 구문이 되게 한다.

01 주어진 문장은 빵이 너무 딱딱해서 먹을 수 없다는 의미로 원인과 결과의 관계이므로 「so + 형용사/부사 + that + 주어 + can't」 구문으로 나타낼 수 있다.

02 ② too ~ to는 '너무 ~해서 …할 수 없다'라는 뜻으로 부정의 의미이므로 '그 커피는 너무 뜨거워서 마실 수 없다.'가 해석으로 적절하다.

03 ① 주절의 시제가 과거이므로 과거 시제로 고쳐야 한다. → couldn't

04 ③ 「so + 형용사/부사 + that + 주어 + can」은 「형용사/부사 + enough + to부정사」로 바꿔 쓸 수 있다.

05 첫 번째 빈칸: 주절이 과거 시제이므로 could hear가 알맞다. 두 번째 빈칸: 목적을 나타내는 「in order + to부정사」 구문을 만든다.

06 〈보기〉와 ⓑ, ⓓ는 뒤에 목적을 나타내는 절이 오고, 나머지는 뒤에 결과를 나타내는 절이 온다.

07 '너무 ~해서 …할 수 없다'라는 의미의 「so + 형용사/부사 + that + 주어 + can't」 구문으로 연결한다.

08 「so + 형용사/부사 + that + 주어 + can't」 구문을 이용한다.

09 「too + 형용사/부사 + to부정사」는 「so + 형용사/부사 + that + 주어 + can't」로 바꿔 쓸 수 있다.

10 「형용사/부사 + enough + to부정사」는 「so + 형용사/부사 + that + 주어 + can」으로 바꿔 쓸 수 있다.

11 '너무 ~해서 …할 수 없다'라는 의미의 접속사가 들어간 표현은 「so + 형용사/부사 + that + 주어 + can't」이다.

12 '~하기 위해서'라는 의미의 「so that + 주어 + can」 구문으로 연결한다.

13 in order that 뒤에는 절이 와야 하는데 뒤에 동사원형 bake가 있으므로 「in order + to부정사」가 되게 한다.

14 영화가 너무 무서워서 더 이상 볼 수 없었다는 의미가 되어야 하므로 원인과 결과를 나타내는 so ~ that 구문으로 수정한다.

15 접속사를 이용해 총 10단어로 '~하기 위해서'라는 의미를 나타내야 하므로 「so that + 주어 + can」 구문을 이용한다.

STEP 3 · 오답률 60~80% 문제
pp. 214-215

01 ② 　02 ② 　03 ① 　04 ③ 　05 ⑤ 　06 ②

07 My dog is so weak that it can't feed its two babies.
08 They were so busy that they couldn't visit me. 　09 Ms. Diaz was so tired that she couldn't do the dishes. 　10 I jumped so high that I could touch the ceiling. 　11 The room is so dark that I can't find the door. 　12 You'd better eat more vegetables so that you can stay healthy. 　13 She turned on the oven in order to bake cookies. 　14 The movie was so scary that I couldn't watch it any more. 　15 I saved money so that I could buy a computer.

STEP 4 · 실력 완성 테스트
p. 216

01 ⑤ 　02 ④ 　03 ⓐ, ⓒ, ⓕ 　04 too short to ride a bike 　05 (1) Tom helped me so that I could finish the work in time. (2) She was so good at English that she won an English speech contest. 　06 (1) enough to have (2) so that, arrive (3) that, find

01 ⑤ 빈칸 뒤에 명사구가 있으므로 such가 들어가고 나머지에는 모두 so가 들어간다.

02 ⓐ bitterly → bitter ⓒ so → such ⓓ too → so

03 주어진 문장은 '나는 너무 바빠서 할아버지를 찾아뵐 수 없었다.'라는 의미의 문장 ⓐ, ⓒ, ⓕ로 나타낼 수 있다.

04 소녀가 너무 작아서 자전거를 탈 수 없는 상황의 그림이므로 「too + 형용사/부사 + to부정사」 구문을 이용해 쓴다.

05 (1) 목적을 나타내는 「so that + 주어 + 동사」 구문으로 연결한다. (2) 원인과 결과를 나타내는 「so + 형용사/부사 + that + 주어 + 동사」 구문으로 연결한다.

06 (1) 형용사/부사 + enough + to부정사: ~할 만큼 충분히 …한/하게 (2) so that + 주어 + 동사: ~하기 위해서 (3) so + 형용사/부사 + that + 주어 + can't: 너무 ~해서 …할 수 없다

[해석] 나는 보통 차로 출근한다. 하지만 어제는 내 차가 고장나서 버스를 타야 했다. 나는 아침을 먹을 만큼 충분히 일찍 일어났다. 나는 버스 정류장에 일찍 도착하기 위해 서둘렀다. 그러나 버스가 너무 혼잡해서 나는 자리를 찾을 수 없었다.

최종 선택 QUIZ
p. 217

01 a　**02** b　**03** b　**04** b　**05** b　**06** a　**07** a　**08** b

UNIT 22 비교급과 최상급의 형태 / 원급 비교

바로체크
p. 218

01 heaviest　**02** better　**03** fatter, fattest　**04** larger, largest　**05** more famous, most famous　**06** brave　**07** as　**08** high　**09** cold　**10** twice

STEP 1 · 만만한 기초
pp. 219~221

01 ③　　**02** ②　　**03** (1) hotter, hottest (2) younger, youngest (3) more, most (4) more convenient, most convenient　**04** ②　　**05** ①　　**06** ④　　**07** ④　**08** as handsome as his brother　　**09** ③　　**10** ③　**11** ③　　**12** ⑤　　**13** as light as　　**14** as quickly as　**15** not as brave as　　**16** ①, ②　　**17** not, strong　**18** ④　　**19** is not as [so] easy as　　**20** ②　　**21** ⑤　**22** ③　　**23** five times as large as　　**24** ④　　**25** not as, three times, old

01 ③ bad는 불규칙 변화하는 형용사로 비교급은 worse, 최상급은 worst이다.

02 ②는 '동사 – 동작을 하는 사람을 나타내는 명사'의 관계이고, 나머지는 모두 형용사의 원급과 비교급의 관계이다.

03 (1) 「단모음 + 단자음」으로 끝나는 형용사는 마지막 자음을 반복한 후 각각 -er, -est를 붙여서 비교급과 최상급을 만든다. (2) 일반적인 경우 -er, -est를 붙인다. (3) many는 불규칙 변화하는 형용사이다. (4) 3음절 이상일 경우 앞에 more, most를 쓴다.

04 '더 작은'은 비교급의 의미이므로 small의 비교급을 써야 한다. small의 비교급은 smaller이다.

05 동사 speak를 수식해야 하므로 부사를 써야 하고, as와 as 사이에는 원급이 와야 하므로 well이 알맞다.

06 as와 as 사이에는 원급이 들어가야 하므로 비교급 heavier는 들어갈 수 없다.

07 Molly와 Kathy 두 사람의 나이가 같으므로 원급 비교 표현 「as + 원급 + as」를 이용하여 쓴다.

08 'A는 B만큼 ~하다'는 「A ~ as + 원급 + as + B」의 원급 비교 표현으로 나타낸다.

09 The city와 Seoul을 비교하는 의미가 되어야 한다. 빈칸 사이에 형용사 원급 large가 있으므로 원급 비교 표현 「as + 원급 + as」가 되게 한다.

10 「as + 원급 + as」의 원급 비교 표현이 되도록 ③에 들어가는 것이 알맞다.

11 「as + 원급 + as」가 되도록 비교급 more를 원급 many로 고친다.

12 「as + 원급 + as」의 원급 비교 표현을 이용해 문장을 완성하면 Mike studies as hard as Rachel.이 된다.

13 '~만큼 …한'은 「as + 원급 + as」로 나타낸다.

14 '~만큼 …하게'는 「as + 원급 + as」로 나타낸다.

15 '~만큼 …하지 않은'이라는 의미의 원급 비교 부정은 「not as [so] + 원급 + as」의 형태로 쓴다.

16 원급 비교의 부정은 「not as [so] + 원급 + as」의 형태로 쓴다.

17 '~만큼 …하지 않은'이라는 의미의 원급 비교 부정은 「not as [so] + 원급 + as」의 형태로 쓴다.

18 모자의 가격이 스카프보다 싸므로 ④ '모자는 스카프만큼 비싸지 않다.'가 되는 것이 알맞다.

19 원급 비교의 부정은 「not as [so] + 원급 + as」의 순서로 쓴다.

20 원급 비교의 부정은 「not as [so] + 원급 + as」의 순서로 쓴다.

21 원급을 이용한 배수 비교 구문은 「배수 표현 + as + 원급 + as」로 쓴다. 배수 표현 중 2배는 twice로 쓰고 그 이상은 「숫자 + times」로 쓴다.

22 배수 비교 구문은 「배수 표현 + as + 원급 + as」로 쓰며, 2배를 표현할 때 twice를 쓴다.

23 배수 비교 구문은 「배수 표현 + as + 원급 + as」로 쓰며, 다섯 배는 five times로 쓴다.

24 Sue가 Jeff보다 키가 크므로, 원급 비교의 부정으로 나타낸 ④ 'Jeff는 Sue만큼 키가 크지 않다.'가 알맞다.

25 원급 비교의 부정: not as [so] + 원급 + as, 배수 비교: 배수 표현 + as + 원급 + as, Ben은 아들보다 세 배 나이가 많으므로 배수 표현으로 숫자 뒤에 times를 쓰는 것에 유의한다.

[해석] Ben은 45세이다. Linda는 42세이다. 그들의 아들은 15세이다. → Linda는 Ben만큼 나이가 많지 않고 Ben은 아들보다 세 배 나이가 많다.

STEP 2 · 오답률 40~60% 문제
pp. 222-223

01 ⑤	02 ③	03 ③	04 ②	05 ⑤	06 ④

07 ④   08 (1) heavier (2) most intelligent   09 more important   10 so not → not so   11 not watch, as[so] often   12 as expensive as   13 twice as tall as   14 opens as late as the bank   15 sleeps three times as much as his mom

01 ⑤ happy의 최상급은 happiest이다.

02 '더 큰'은 big의 비교급을 써서 나타낸다. big은 「단모음+단자음」으로 끝나는 형용사이므로 마지막 자음을 반복한 후 -er을 붙여 비교급을 만든다.

03 원급 비교 부정: not as[so]+원급+as, 원급 비교: as+원급+as

04 「not as[so]+원급+as」 형태의 원급 비교 부정문이 되어야 하므로 빈칸에 비교급은 들어갈 수 없다.

05 주어진 문장과 ⑤는 말이 양보다 더 빠르다는 의미이다.

06 개는 오리보다 무거우므로 ④ '개는 오리만큼 무겁지 않다.'는 표와 일치하지 않는다.

07 ④ as와 as 사이에는 원급이 와야 한다. shorter → short

08 (1) heavy의 비교급은 heavier이다. (2) intelligent의 최상급은 most intelligent이다.

09 important의 비교급은 more important이다.

10 원급 비교의 부정은 「not as[so]+원급+as」의 형태로 쓴다.

11 Brian은 일주일에 한 번, Tim은 한 달에 한 번 영화를 보므로, 원급 비교 부정 표현을 이용해 문장을 완성한다. 일반동사가 쓰인 경우 「do[does/did]+not+동사원형」의 어순으로 쓴다.

12 원급 비교 표현 「as+원급+as」를 이용하여 필통과 공책의 가격이 같음을 나타낸다.

13 배수 비교 표현은 「배수 표현+as+원급+as」의 형태로 쓴다.

14 'A는 B만큼 ~하다'는 「A ~ as+원급+as+B」로 쓴다.

15 'A는 B의 ~배만큼 …하다'라는 뜻의 배수 비교 표현은 「A ~ 배수 표현+as+원급+as+B」의 순서로 쓴다. '세 배'는 three times이다.

STEP 3 · 오답률 60~80% 문제
pp. 224-225

01 ①	02 ①	03 ②	04 ④	05 ②	06 ①, ④

07 ②   08 many → more   09 (1) thinner (2) most diligent   10 Soccer is not as popular as basketball in the U.S.   11 runs as fast as Fred   12 is not as[so] dirty as Jinho's (jacket)   13 He drives a car as carefully as his father.   14 Jessy spent three times as much money as Pitt.   15 is twice as expensive as a mango

01 scary의 최상급은 scariest이고, loud의 비교급은 louder이다.

02 ① '내 가장 오래된 친구'라는 의미가 되는 것이 자연스러우므로 oldest를 쓴다. old - elder - eldest (손위의), old - older - oldest (오래된, 나이 먹은)

03 ② 원급 비교의 부정은 「not as[so]+원급+as」의 형태로 쓴다. → not so[as]

04 ④ 두 문장은 서로 반대 의미를 나타낸다.

05 ⓒ so safe so → so safe as ⓓ thicker → thick ⓔ as three times → three times as

06 ② → 소라는 헤미보다 늦게 학교에 간다. ③ → 미나는 소라보다 텔레비전을 두 배 더 오래 본다. ⑤ → 헤미는 소라보다 텔레비전을 두 배 더 오래 본다.

07 잠자리의 다리는 6개, 거미의 다리는 8개로 거미의 다리가 더 많다. 따라서 ② '잠자리는 거미만큼 많은 다리를 갖고 있지 않다.'가 알맞다.

08 '더 많은'은 many의 비교급 more를 써서 표현한다.

09 (1) thin의 비교급은 thinner이다. (2) diligent의 최상급은 most diligent이다.

10 원급 비교의 부정은 「not+as[so]+원급+as」의 형태로 쓴다.

11 두 사람이 똑같이 결승선에 도달하고 있으므로 원급 비교 표현 「as+원급+as」를 이용하여 쓴다.

12 민수의 재킷은 진호의 재킷만큼 더럽지 않으므로 원급 비교의 부정 「not as[so]+원급+as」를 이용하여 쓴다.

13 'A는 B만큼 ~하다'라는 의미의 원급 비교는 「A ~ as+원급+as+B」의 형태로 나타낸다.

14 'A는 B의 ~배만큼 …하다'라는 의미의 배수 비교 표현은 「A ~ 배수 표현+as+원급+as+B」의 순서로 쓴다.

15 멜론의 가격이 망고의 두 배이므로 배수 비교 구문 「배수 표현+as+원급+as」를 이용하여 완성한다.

STEP 4 · 실력 완성 테스트
p. 226

01 ③   02 ③   03 ②, ④   04 (1) as fast as (2) not as[so] slow as   05 (1) Minsu is as creative as Jina. 또는 Jina is as creative as Minsu. (2) The ostrich is not[isn't] as[so] tall as the giraffe.   06 (A) 160 (B) three times as many books as

01 ⓒ와 ⓓ는 수미가 나보다 일찍 잠자리에 든다는 의미이다.

02 ⓐ as와 as 사이에는 원급이 와야 한다. better → well ⓒ 비교 대상은 서로 같은 형태여야 한다. Jimin → Jimin's (hair) ⓔ cheap의 최상급은 cheapest이다.

03 ② → 사과는 키위보다 무겁다. ④ → 키위는 오렌지보다 가볍다.

04 (1) 토끼와 고양이가 같은 속도로 달리고 있으므로 원급 비교 「as+원급+as」를 이용하여 쓴다. (2) 토끼가 거북이만큼 느리지 않으므로 원급 비교의 부정 「not as[so]+원급+as」를 이용하여 쓴다.

05 (1) 둘 다 창의적이라고 했으므로 원급 비교 「as+원급+as」를 이용하여 쓴다. (2) 타조가 기린만큼 크지 않으므로 원급 비교의 부정 「not as[so]+원급+as」를 이용하여 쓴다.

06 (A) Julie는 Luna보다 2배 더 많은 책을 갖고 있다고 했으므로 160권의 책이 있다. (B) Harry는 Luna가 가진 80권의 세 배가 되는 240권의 책을 가지고 있다. 주어진 표현으로 three가 있으므로 「배수 표현+as+원급+as」 구문을 이용해 문장을 완성한다.

[해석] Luna는 많은 책을 갖고 있다. 그녀는 80권의 책을 갖고 있다. Julie는 더 많은 책을 갖고 있다. 그녀는 Luna의 2배만큼 많은 책을 갖고 있다. Harry는 가장 책이 많다. 그는 240권을 갖고 있다.

최종 선택 QUIZ

| 01 a | 02 a | 03 b | 04 a | 05 a | 06 a | 07 b | 08 b |

UNIT 23 비교급 비교/최상급 비교

✔바로체크
p. 228

01 smaller **02** than **03** much **04** more
05 and **06** older **07** largest **08** of **09** parks
10 the saddest

STEP 1 · 만만한 기초
pp. 229–231

01 ③ **02** than **03** This computer is much faster than that computer. **04** ④ **05** ③ **06** ②
07 softer than **08** ③ **09** ③ **10** ④ **11** ③
12 ① **13** The more, the better **14** longer than
15 ④ **16** ② **17** the smallest, in **18** (1) the heaviest (2) the tallest (3) the shortest **19** looks the most comfortable in the store **20** ⑤ **21** ④ **22** ④
23 ⑤ **24** one of the most honest students in his school
25 better → best

01 뒤에 than이 있으므로 비교급이 와야 한다. interesting은 3음절 이상의 형용사이므로 앞에 more를 써서 비교급을 만든다.

---

02 두 문장 모두 빈칸 앞에 비교급이 있으므로 「비교급+than」 형태의 비교급 문장이 되게 한다.

03 'A가 B보다 더 ~하다'라는 의미의 비교급 문장은 「A ~ 비교급+than B」의 형태로 쓰며, 비교급을 강조하는 부사 much는 비교급 앞에 쓴다.

04 비교급 비교는 「비교급+than」의 형태로 나타낸다.

05 주어진 문장은 '내 방은 그녀의 것만큼 밝지 않다.'라는 의미의 원급 비교 부정문으로, ③ '그녀의 방은 내 것보다 더 밝다.'와 의미가 같다.

06 뒤에 비교급 taller가 왔으므로 비교급을 강조하는 부사가 와야 한다. very는 비교급 앞에 쓸 수 없다.

07 '~보다 더 …한'은 「비교급+than」으로 나타낸다.

08 미나는 소라보다 키가 더 크다. 따라서 ③ '미나는 소라보다 키가 더 작다.'는 표의 내용과 일치하지 않는다.

09 「비교급+and+비교급」은 '점점 더 ~한/하게'라는 의미를 나타낸다.

10 「the+비교급 ~, the+비교급 ....」은 '~할수록 더 …하다'라는 의미를 나타낸다.

11 비교급+and+비교급: 점점 더 ~한/하게

12 ①「the+비교급 ~, the+비교급 ....」 구문이 되어야 한다. → The more

13 '네가 연습을 더 많이 할수록 너는 축구를 더 잘 한다.'라는 의미이므로 「the+비교급 ~, the+비교급 ....」 구문으로 바꿔 쓴다.

14 배수 표현+as+원급+as = 배수 표현+비교급+than

15 앞에 the가 있고 뒤에 비교 범위가 있으므로 easy의 최상급 easiest가 들어가는 것이 알맞다.

16 최상급 표현에서 범위를 나타낼 때 복수 명사 앞에는 of를 쓰고 장소·집단 앞에는 in을 쓴다.

17 '~에서 가장 …한'은 최상급 비교 「the+최상급+in/of+범위」로 나타내며, 범위를 나타낼 때 장소 앞에는 in을 쓴다.

18 (1) 코끼리는 셋 중에서 가장 무거운 동물이므로 the heaviest가 알맞다. (2) 타조는 셋 중에서 가장 키가 큰 동물이므로 the tallest가 알맞다. (3) 호랑이는 셋 중에서 가장 키가 작은 동물이므로 the shortest가 알맞다.

19 최상급 구문이 되도록 「the+최상급+in+장소」의 어순으로 쓴다.

20 「one of the+최상급+복수 명사」 구문이다. famous의 최상급은 most famous이다. 최상급 앞에 the를 쓰는 것에 유의한다.

21 「the+최상급+명사 (+that)+주어+have[has] ever+과거분사」의 어순으로 쓴다. → This is the most boring book I have ever read.

22 「one of the+최상급+복수 명사」 구문이므로 man을 복수명사 men으로 고쳐야 옳다.

23 각각 「the+최상급+명사(+that)+주어+have[has] ever+과거분사」 구문과 「one of the+최상급+복수 명사」 구문이 쓰인 문장이다.

24 one of the+최상급+복수 명사: 가장 ~한 … 중 하나

25 「the+최상급+명사 (+that)+주어+have[has] ever+과거분사」 구문이 되는 것이 알맞다.

44 · UNIT 23

01 ④	02 ⑤	03 ③	04 ①	05 ②	06 ③

07 ① **08** ③ **09** the most colorful of **10** is much more convenient than the bus **11** (1) taller than (2) longer than (3) the longest **12** very → much [even/far/ a lot] **13** slower and slower **14** the most beautiful **15** one of the laziest animals

01 최상급 비교는 「the + 최상급」 뒤에 비교 범위를 쓰고, 비교급 비교는 「비교급 + than」의 형태로 쓴다.

02 very는 비교급을 강조할 수 없다. much, even, far, a lot 등을 쓴다.

03 최상급 비교 문장은 「the + 최상급 + in/of ~」의 형태로 쓴다. 비교 범위가 집단인 our club이므로 전치사 in을 쓴다.

04 ① 김밥은 라면보다 싸므로 표의 내용과 일치하지 않는다.

05 비교급 + and + 비교급: 점점 더 ~한/하게, one of the + 최상급 + 복수 명사: 가장 ~한 … 중 하나, the + 비교급 ~, the + 비교급 …: ~할수록 더 … 하다

06 「배수 표현 + 비교급 + than」을 「배수 표현 + as + 원급 + as」로 바꾼다.

07 「비교급 + and + 비교급」 구문에서 비교급의 형태가 「more + 원급」일 때에는 「more and more + 원급」으로 쓴다.

08 ③ 「one of the + 최상급 + 복수 명사」의 형태가 되어야 한다. → parks

09 '~에서 가장 …한'은 최상급 비교 표현 「the + 최상급 + of/in ~」으로 나타낸다. 비교 범위가 복수 명사이므로 전치사 of를 쓴다.

10 「비교급 + than」의 어순으로 쓴다. convenient의 비교급은 more convenient이고 비교급을 강조하는 much는 비교급 앞에 위치하는 것에 유의한다.

11 둘을 비교할 때는 비교급 비교, 셋을 비교할 때는 최상급 비교를 사용한다. (1) Paul은 Kate보다 키가 더 크다. (2) Kate의 머리카락은 Paul의 머리카락보다 더 길다. (3) Ann은 셋 중에서 가장 긴 머리카락을 가지고 있다.

12 very는 비교급을 강조할 수 없다.

13 비교급 + and + 비교급: 점점 더 ~한/하게

14 the + 최상급 + 명사 (+ that) + 주어 + have[has] ever + 과거분사: 지금까지 ~한 것 중 가장 …한

15 one of the + 최상급 + 복수 명사: 가장 ~한 … 중 하나

01 ⑤	02 ④	03 ②, ⑤	04 ③	05 ④	06 ④

07 ③ **08** (1) the busiest man in (2) the most difficult problem of **09** tastes better than the soup **10** the shortest tail of **11** longer tail than **12** The black car runs the fastest of the three. **13** The worse the medicine tastes, the better it works. **14** (1) A dog is one of the most popular pets in Korea. (2) The more carefully you drive a car, the safer you are. **15** That building is four times higher than my house.

01 ⑤ 뒤에 than이 있으므로 easy는 비교급 easier가 되어야 한다.

02 ④ 자전거는 오토바이만큼 빠르지 않다. ≠ 오토바이는 자전거만큼 느리다.

03 ② 한라산은 백두산만큼 낮지(→ 높지) 않다. low → high ⑤ 설악산은 다른 두 산보다 높다(→ 낮다). higher → lower

04 보통 10시에 자지만 오늘은 12시까지 공부할 것이라고 했으므로 평소보다 '더 늦게' 자는 것이다.

05 비교급 + and + 비교급: 점점 더 ~한, the + 최상급 + 명사 (+ that) + 주어 + have[has] ever + 과거분사: 지금까지 ~한 것 중 가장 … 한

06 ⓐ bigger → big ⓑ more and more louder → louder and louder ⓓ highest → higher, coldest → colder

07 ③ 「배수 표현 + 비교급 + than」 구문이므로 비교급 heavier가 알맞다.

08 최상급 비교 문장은 「the + 최상급 + in/of ~」의 형태로 쓴다. (1) 비교 범위가 집단이므로 전치사 in을 쓴다. (2) 비교 범위가 복수 대명사이므로 전치사 of를 쓴다.

09 비교급 비교 문장은 「비교급 + than」의 형태로 쓴다.

10 고양이는 셋 중에서 가장 짧은 꼬리를 갖고 있으므로 최상급 비교 표현 「the + 최상급 + in/of ~」로 쓴다. 비교 대상이 복수 명사이므로 전치사 of를 쓴다.

11 원숭이가 개보다 더 긴 꼬리를 갖고 있으므로 「비교급 + than」으로 쓴다.

12 검은색 차가 셋 중에서 가장 빨리 달린다는 내용의 문장을 「the + 최상급 + of + 복수 명사」 구문을 이용해 쓴다.

13 the + 비교급 ~, the + 비교급 …: ~할수록 더 …하다

14 (1) one of the + 최상급 + 복수 명사: 가장 ~한 … 중 하나 (2) the + 비교급 ~, the + 비교급 …: ~할수록 더 …하다

15 「배수 표현 + 비교급 + than」을 사용한다.

01 ②   02 ④   03 (1) most expensive (2) more expensive   04 (1) three times older (2) The longer, the more nervous   05 (1) Betty, 149 cm (2) Janet, 157 cm (3) Kate, 152 cm   06 ④ [모범답] But baseball is more popular than basketball.

01 (A) 비교급을 강조하는 부사로 much가 알맞다. (B) 앞에 the가 있고 뒤에 비교 범위가 있으므로 최상급이 알맞다. (C) 「비교급＋and＋비교급」 구문이 되는 것이 알맞다.

02 ⓑ smarter → smartest ⓓ many → more ⓕ learned: 박식한, modest: 겸손한

03 (1) 앞에 the가 있고 뒤에 비교 범위가 있으므로 최상급으로 쓴다. (2) 뒤에 than이 있으므로 비교급으로 쓴다.

04 (1) 배수 표현＋as＋원급＋as ＝ 배수 표현＋비교급＋than (2) the＋비교급 ~, the＋비교급 ...: ~할수록 더 …하다

05 Kate는 152cm이고 Janet보다 5cm 작으므로 Janet은 157cm이다. Betty는 Janet보다 8cm 작으므로 149cm이다.

[해석] Kate는 키가 152cm이다. Kate는 Janet만큼 크지 않다. Kate는 Janet보다 5cm 작다. Betty는 Janet보다 8cm 작다.

06 야구(25%)는 농구(15%)보다 인기가 있으므로 비교급 비교 구문으로 써야 한다.

[해석] 동수네 반 학생들은 모든 스포츠 중에서 축구를 가장 좋아한다. 축구는 테니스보다 약 4배 더 인기 있다. 야구는 축구만큼 인기가 있지는 않다. <u>그러나 야구는 농구만큼 인기 있다.</u> 수영은 테니스보다 더 인기 있다.

최종 선택 QUIZ

01 b   02 a   03 b   04 a   05 b   06 a   07 b   08 a

UNIT 24   가정법 과거

✔ 바로체크

01 knew   02 would   03 comes   04 buy   05 had
06 would call   07 were   08 were

STEP 1 · 만만한 기초

01 ③   02 ④   03 ②   04 ⑤   05 invited, would go   06 she lived next door, I could see her every day   07 ④   08 were, would travel   09 ③   10 don't live → live   11 ②   12 ②   13 I do not [don't] like the actor, will not [won't] see his new movie   14 she were not [weren't] sick, she would go hiking with me   15 ③   16 ③   17 ③   18 ②   19 could speak   20 were   21 ②   22 ④   23 ①   24 could touch   25 knew

01 주절의 동사 「조동사의 과거형＋동사원형」으로 보아 가정법 과거 문장이므로 if절에는 동사의 과거형이 필요하다. be동사는 주어와 상관없이 were로 쓴다.

02 현재 사실에 반대되는 일을 가정하는 내용이므로 가정법 과거 문장이 알맞다. 가정법 과거는 「If＋주어＋동사의 과거형 ~, 주어＋조동사의 과거형＋동사원형 .....」으로 쓴다.

03 if절의 동사로 보아 가정법 과거 문장이다. 따라서 주절에는 「조동사의 과거형＋동사원형」이 들어가야 한다.

04 현재 사실에 반대되는 일을 가정하는 가정법 과거 문장이므로 「If＋주어＋동사의 과거형 ~, 주어＋조동사의 과거형＋동사원형 .....」으로 쓴다.

05 가정법 과거는 「If＋주어＋동사의 과거형 ~, 주어＋조동사의 과거형＋동사원형 .....」의 형태로 쓴다.

06 가정법 과거 문장이므로 「If＋주어＋동사의 과거형 ~, 주어＋조동사의 과거형＋동사원형 .....」의 순서로 쓴다.

07 ④ 주절은 가정법 과거, if절은 직설법 현재이므로 어법상 어색한 문장이다. 가정법 과거 문장이 되려면 has를 had로 고쳐야 한다.

08 직설법 현재는 반대 의미의 가정법 과거(If＋주어＋동사의 과거형 ~, 주어＋조동사의 과거형＋동사원형 ....)로 바꿔 쓸 수 있다.

09 가정법 과거는 반대 의미의 직설법 현재로 바꿔 쓸 수 있다.

10 가정법 과거는 현재와 반대되는 사실을 가정하는 것이므로 가정법에서의 부정은 직설법에서 긍정으로 써야 한다.

11 가정법 과거는 반대 의미의 직설법 현재로 바꿔 쓸 수 있다.

12 직설법 현재는 반대 의미의 가정법 과거(If＋주어＋동사의 과거형 ~, 주어＋조동사의 과거형＋동사원형 ....)로 바꿔 쓸 수 있다.

13 가정법 과거 문장이므로 반대 의미의 직설법 현재로 바꿔 쓴다.

14 직설법 현재 문장이므로 반대 의미의 가정법 과거(If＋주어＋동사의 과거형 ~, 주어＋조동사의 과거형＋동사원형 ....)로 바꿔 쓴다.

15 ③ 가정법 과거 문장은 직설법 현재로 바꿔 쓸 때 상황이 반대가 된다.

16 I wish 가정법 과거는 현재 사실과 반대되는 소망을 나타내므로 I'm sorry that 뒤에 현재 피아노를 칠 수 없다는 내용이 와야 한다.

17 '~라면 좋을 텐데'라는 의미로 현재 이루기 힘든 소망을 나타낼 때 I wish 가정법 과거(I wish + 주어 + (조)동사의 과거형 ....)를 쓴다.

18 현재 상황에 대한 아쉬움을 나타낼 때 I wish 가정법 과거를 사용하며, 「I wish + 주어 + (조)동사의 과거형 ....」으로 쓴다.

19 I wish 가정법 과거는 「I wish + 주어 + (조)동사의 과거형 ....」으로 쓴다.

20 I wish 가정법 과거에서 be동사는 주어와 상관없이 were를 쓴다.

21 주절과 같은 현재 시점의 사실에 대한 가정이므로 가정법 과거가 되는 것이 알맞다.

22 문맥상 '그는 마치 자신이 대표인 것처럼 행동한다.'라는 의미의 as if 가정법 과거 문장이 되는 것이 알맞다.

23 우리말에 맞게 배열하면 Judy acts as if she were not angry.가 되므로 여섯 번째로 오는 단어는 were이다.

24 주절과 같은 현재 시점의 사실에 대한 가정이므로 가정법 과거 형태가 되게 한다.

25 as if 가정법 과거 문장으로, 동사의 과거형이 알맞다.

절하므로 「If + 주어 + 동사의 과거형 ~, 주어 + 조동사의 과거형 + 동사원형 ....」의 형태를 만든다.

09 「If I were you, I would + 동사원형 ~.」은 '내가 너라면 ~할 텐데.'라는 뜻으로 가정법 과거를 이용한 충고의 표현이다.

10 White 씨의 이메일 주소를 몰라서 그에게 파일을 보낼 수 없는 상황이므로 '그녀가 White 씨의 이메일 주소를 안다면 그에게 파일을 보낼 수 있을 텐데.'라는 의미의 가정법 과거 문장으로 완성한다.

11 달걀과 우유가 없어서 팬케이크를 만들 수 없는 상황이므로 '달걀과 우유가 있다면 팬케이크를 만들 수 있을 텐데.'라는 의미의 가정법 과거 문장으로 완성한다.

12 '드레스가 너무 비싸지 않으면 그것을 살 수 있을 텐데.'라는 의미의 가정법 과거 문장이 되는 것이 알맞다. 따라서 주절에는 조동사의 과거형을 쓴다.

13 실제로 가수가 아닌데 가수처럼 노래한다고 했으므로 as if 가정법 과거가 되게 한다.

14 (1) 주절과 같은 시점인 현재 사실과 반대되는 일을 나타내므로 as if 가정법 과거로 쓴다. (2) 현재 사실에 대한 아쉬움을 나타내므로 I wish 가정법 과거로 쓴다.

15 현재 아픈 상황에 대한 아쉬움을 나타내므로 I wish 가정법 과거로 쓴다.

STEP 2 · 오답률 40~60% 문제
pp. 242-243

01 ②　　02 ②　　03 ⑤　　04 ③　　05 ④　　06 ③
07 ④　　08 had, could look　　09 were, would save
10 knew, could send　　11 were, could make　　12 can
→ could　　13 she were a singer　　14 (1) as if she did not [didn't] know me (2) I wish I could go shopping with you.　　15 were not [weren't] sick

01 첫 번째 문장은 주절로 보아 직설법이다. 조건의 부사절에서는 미래를 현재 시제로 나타내므로 빈칸에는 현재 시제가 들어가는 것이 알맞다. 두 번째 문장은 주절로 보아 가정법 과거이므로 빈칸에는 동사의 과거형이 들어가는 것이 알맞다.

02 가정법 과거는 반대 의미의 직설법 현재로 바꿀 수 있다.

03 ⑤ 직설법 현재는 반대 의미의 가정법 과거로 바꿀 수 있다. → If I met the actor, I would get his autograph.

04 ③은 if절의 시제가 과거이고 문맥상 가정법 과거 문장이 되는 것이 적절하므로 주절의 will을 would로 고쳐야 한다. ⑤는 직설법 문장이다.

05 각각 I wish 가정법 과거와 as if 가정법 과거 문장이므로 동사의 과거형이 들어가는 것이 알맞다.

06 각각 I wish 가정법 과거와 as if 가정법 과거 문장이며, 가정법 과거에서는 be동사를 주어에 상관없이 were로 쓴다.

07 '아버지가 담배를 끊으시면 좋을 텐데.'라는 의미의 I wish 가정법 과거 문장이 되는 것이 적절하다. stops → stopped

08 현재와 반대되는 사실을 가정하는 가정법 과거 문장이 되는 것이 적

STEP 3 · 오답률 60~80% 문제
pp. 244-245

01 ⑤　　02 ③　　03 ①, ④　　04 ④　　05 ②　　06 ②
07 ④　　08 As [Because] I am busy, I can't go to the movies with you.　　09 If I had a garden, I would plant an apple tree.　　10 If you went to the museum today, you could meet Tylor.　　11 If she had a bike, she would go there by bike.　　12 will → would　　13 were walking
14 She treats her dog as if it were her child.　　15 (1) I wish I were a famous singer. (2) I wish she didn't know my secret.

01 주절 또는 if절의 동사로 보아 모두 가정법 과거 문장이다.

02 직설법 현재는 반대 의미의 가정법 과거로 바꿔 쓸 수 있다.

03 모두 가정법 과거 문장이 되는 것이 알맞다. ② will → would ③ understands → understood ⑤ could have spent → could spend

04 ④ if절의 동사 were로 보아 가정법 과거 문장이 되어야 한다. won't wear → wouldn't wear / ②는 직설법 문장이다.

05 I wish 가정법 과거는 「I wish + 주어 + (조)동사의 과거형 ....」으로 쓴다. be동사는 주어와 상관없이 were로 쓴다.

06 as if 가정법 과거이므로 실제로는 그렇지 않다는 것을 의미한다.

07 ④ I wish 가정법 과거는 현재 사실과 반대되는 소망을 나타내므로 문맥상 가정법에서는 긍정으로 써야 한다. didn't join → joined

08 가정법 과거는 반대 의미의 직설법 현재로 바꿔 쓸 수 있다.

09 직설법 현재는 반대 의미의 가정법 과거로 바꿔 쓸 수 있다.

10 「If+주어+동사의 과거형 ~, 주어+조동사의 과거형+동사원형 .....」의 형태가 되어야 하므로 go를 went로 고쳐 쓴다.

11 가정법 과거는 「If+주어+동사의 과거형 ~, 주어+조동사의 과거형+동사원형 .....」의 형태로 쓴다.

12 두 번째 문장은 현재 사실의 반대에 대한 가정을 나타내므로 가정법 과거가 된다. 가정법 과거에서 주절의 동사는 「조동사의 과거형+동사원형」으로 쓴다.

[해석] 미나는 아침을 먹지 않아서 항상 아침에 배가 고프다. 그녀가 아침을 거르지 않는다면, 아침에 배가 고프지 않을 것이다. 내가 그녀라면 나는 더 일찍 일어나 아침을 먹을 것이다.

13 주절과 같은 시점에 대한 가정이므로 as if 가정법 과거로 쓴다. 따라서 과거진행형이 들어가는 것이 알맞다.

14 주절과 같은 시점의 사실과 반대되는 상황을 가정하므로 as if 가정법 과거로 써야 한다. 따라서 is를 were로 고친다.

15 I wish 가정법 과거 구문을 이용하여 문장을 쓴다.

STEP 4 · 실력 완성 테스트
p. 246

> 01 ⑤   02 ④   03 ②   04 (1) were, would be (2) could travel   05 (1) knew the rumor (2) had, could watch   06 (1) they did not [didn't] fight each other (2) I could speak Spanish

01 첫 번째 빈칸: I wish 가정법 과거가 되도록 had를 써야 한다. 두 번째 빈칸: as if 가정법 과거가 되도록 liked를 써야 한다. 세 번째 빈칸: 가정법 과거가 되도록 lived를 써야 한다.

02 ④는 직설법 현재의 단순 조건문이므로 빈칸에 am이 들어간다. 나머지는 모두 가정법 과거 문장으로 빈칸에 were가 들어간다.

03 ⓒ don't → didn't ⓔ won't → wouldn't

04 (1) 현재 사실과 반대되는 일을 가정하는 문장이므로 가정법 과거가 되는 것이 알맞다. 가정법 과거는 「If+주어+동사의 과거형 ~, 주어+조동사의 과거형+동사원형 .....」의 형태로 쓴다. (2) I wish 가정법 과거이므로 could travel이 들어가는 것이 알맞다.

05 직설법 문장을 가정법으로 바꿀 때 내용이 반대가 되는 것에 유의하며, 둘 다 가정법 과거가 쓰이는 것이 자연스러우므로 동사나 조동사의 과거형을 사용한다.

06 현재와 반대되는 소망을 나타내는 I wish 가정법 과거 문장을 만든다. (조)동사를 과거형으로 쓰는 것에 유의한다.

최종 선택 QUIZ
p. 247

01 b	02 a	03 a	04 a	05 a	06 a	07 b	08 b

중·고등

바로 영어 시리즈

우리가 찾던 책이 바로 이거야!

문법

바로 문장 쓰는 문법 `기본`
쓰기가 쉬워지는 중학 문법서(개념+교과서 문장 쓰기)

바로 문제 푸는 문법 N제 `실전`
실전 N제형 문법 기출서(난이도별 기출 유형 훈련)

독해

바로 읽는 배경지식 독해 `기본`
수능의 배경지식을 쌓는 중학 독해서

바로 읽는 구문 독해 `실력`
문장의 구조와 정확한 해석을 훈련하는 구문 독해서

듣기

바로 Listening 중학영어듣기 모의고사
최신 듣기 유형과 시험 형식을 완벽 분석한 듣기 평가 대비서

어휘

바로 VOCA
중학 필수 어휘 및 고등 모의평가 & 수능 필수 어휘 학습

정답은
이안에
있어!

배움으로 행복한 내일을 꿈꾸는
천재교육 커뮤니티 안내 . . .

교재 안내부터 구매까지 한 번에!
천재교육 홈페이지

자사가 발행하는 참고서, 교과서에 대한 소개는 물론
도서 구매도 할 수 있습니다. 회원에게 지급되는 별을 모아
다양한 상품 응모에도 도전해 보세요!

다양한 교육 꿀팁에 깜짝 이벤트는 덤!
천재교육 인스타그램

천재교육의 새롭고 중요한 소식을 가장 먼저 접하고 싶다면?
천재교육 인스타그램 팔로우가 필수!
깜짝 이벤트도 수시로 진행되니 놓치지 마세요!

수업이 편리해지는
천재교육 ACA 사이트

오직 선생님만을 위한, 천재교육 모든 교재에 대한 정보가 담긴
아카 사이트에서는 다양한 수업자료 및 부가 자료는 물론
시험 출제에 필요한 문제도 다운로드하실 수 있습니다.

https://aca.chunjae.co.kr

천재교육을 사랑하는 샘들의 모임
천사샘

학원 강사, 공부방 선생님이시라면 누구나 가입할 수 있는 천사샘!
교재 개발 및 평가를 통해 교재 검토진으로 참여할 수 있는 기회는 물론
다양한 교사용 교재 증정 이벤트가 선생님을 기다립니다.

아이와 함께 성장하는 학부모들의 모임공간
튠맘 학습연구소

튠맘 학습연구소는 초·중등 학부모를 대상으로 다양한 이벤트와 함께
교재 리뷰 및 학습 정보를 제공하는 네이버 카페입니다.
초등학생, 중학생 자녀를 둔 학부모님이라면 튠맘 학습연구소로 오세요!